Treize enquêtes élémentaires de Sherlock Holmes

Myriam Lizotte

DANS LA MÊME COLLECTION

Sir Arthur Conan Doyle

Treize enquêtes élémentaires de Sherlock Holmes

Présentation de Jean-Noël Leblanc

Traduit de l'anglais par Louis Chantemelle, Henry Evie, René Lécuyer, Michel Le Houbie et Lucien Maricourt

Titres originaux :

Un scandale en Bohême / A Scandal in Bohemia
La bande mouchetée / The Adventure of the Speckled Band
Les cinq pépins d'orange / The Five Orange Pips
Le rituel des Musgrave / The Adventure of the Musgrave Ritual
L'homme à la lèvre tordue / The Man with the Twisted Lip
Le Gloria Scott / The Adventure of the Gloria Scott
traduits par Lucien Maricourt
Pour la traduction française © L. Maricourt et Éditions André Martel, 1946, 1947 et 1948

Le détective mourant / The Adventure of the Dying Detective
L'escarboucle bleue / The Adventure of the Blue Carbuncle
Les six Napoléons / The Adventure of the Six Napoleons
Le problème final / The Adventure of the Final Problem
traduits par Michel Le Houbie
Pour la traduction française © M. Le Houbie et Éditions André Martel, 1947 et 1949

La cycliste solitaire / The Adventure of the Solitary Cyclist
Charles Auguste Milverton / The Adventure of Charles Augustus Milverton
traduits par Louis Chantemelle
Pour la traduction française © L. Chantemelle et Éditions André Martel, 1949

Les hommes dansants / The Adventure of the Dancing Men
Pour la traduction française © E.J.L., 1999

© E.J.L., 2009, pour la présentation

Arthur Conan Doyle
et Sherlock Holmes,
la rencontre de deux destins

Quand Arthur Conan Doyle publie son autobiographie en 1924, il est déjà un auteur universellement reconnu, et sa renommée a depuis longtemps dépassé les côtes d'Angleterre. Le monde reconnaît en lui l'auteur de solides romans historiques et le fameux créateur des aventures de Sherlock Holmes. Dans *Memories and Adventures*, traduit en France sous le titre *Ma vie aventureuse*, il raconte les origines de sa famille, ses excursions en des contrées lointaines, son activité de médecin, son engagement dans la guerre des Boers, son implication politique et, bien évidemment, son parcours littéraire – le tout parsemé d'anecdotes savoureuses. Explorons ensemble la vie d'Arthur Conan Doyle, et découvrons comment le destin le conduisit à créer – puis à supporter – le phénomène engendré par le personnage de Sherlock Holmes, pour le plaisir de millions de lecteurs passionnés.

Une famille d'artistes

De ses origines Arthur Conan Doyle n'a pas à rougir : né à Dublin, c'est à Londres que son grand-père paternel connaît une réputation de dessinateur bien établie entre 1825 et 1850 ; signant ses œuvres HB (comme le crayon !), John Doyle insuffle son originalité à la caricature, renonçant au grotesque au profit de l'esprit : « Mon grand-père était un gentleman dessinant des gentlemen pour des gentlemen. » Ce don artistique se transmet aux quatre garçons de la famille : James, l'aîné, est notamment l'auteur de *Chroniques d'Angleterre*, qu'il illustre lui-même de gravures en couleurs ; Henry, spécialiste de peinture ancienne, est nommé directeur de la National

Gallery de Dublin ; Richard dessine pour *Punch*, fameux magazine d'humour ; Charles enfin, père d'Arthur, est un fin aquarelliste hélas ! sans ambition, sensible et détaché du monde, « un grand et original artiste, de loin le plus grand de la famille ». Du côté maternel, dont la famille est rattachée aux Plantagenêts, Doyle retient principalement ses ancêtres guerriers vétérans de Waterloo ; et le goût pour l'histoire est là, encore, chez Mary Foley, cette mère qui le marquera tellement, grande archéologue et spécialiste de généalogie.

Une enfance agitée

Quand le petit Arthur Ignatius Conan naît le 22 mai 1859, Charles et Mary sont mariés depuis quatre ans et vivotent à Édimbourg. Au milieu d'une grande fratrie, Arthur est un garçon turbulent et parfois bagarreur pour la bonne cause, celle des plus faibles. Grand lecteur de romans d'aventures, il passe chez les jésuites quelques sévères années d'école, mais il en sort à seize ans agnostique et fort de certaines dispositions littéraires. Un an en Autriche parfait ses études et comble son goût du sport. Au retour, Arthur séjourne quelques semaines de l'été 1876 avenue de Wagram à Paris, chez son grand-oncle et parrain à qui il doit son deuxième prénom, Michael. À ce journaliste et intellectuel, le jeune Arthur reconnaît devoir beaucoup : « Je suis bâti sur son modèle, de corps et d'esprit, plus que sur aucun autre des Doyle. » Lorsqu'il revient en Grande-Bretagne, son avenir est joué.

La médecine à Édimbourg

« On avait décidé que je pourrais être médecin. » C'est ainsi qu'en octobre 1876, Doyle se retrouve inscrit à l'université d'Édimbourg, pour quatre années d'études au moins : botanique, chimie, physiologie... Les professeurs qu'il y côtoie le marquent : Brown, le chimiste qui rate ses mélanges explosifs ; Thomson, le zoologiste aventurier ; Balfour, le vieillard criard ; Rutherford, l'impitoyable vivisecteur – et futur modèle du professeur Challenger auquel Doyle fera découvrir *Le monde perdu* de la préhistoire ; Joseph Bell enfin, le chirurgien de l'hôpital, si étonnant par ses facultés d'observation et de déduction. En outre, la vie libre qu'on mène à l'université plaît au jeune homme, qui gagne quelque argent en assistant des médecins en parallèle à ses études. Le goût de la lecture ne l'a pas quitté, et il se prive parfois de repas pour s'acheter des livres ; l'enthousiasme d'un ami le pousse à s'essayer lui-même à l'écriture : un petit récit d'aventures, *Le mystère de la vallée de Sassassa*, puis *Le récit de l'Américain*, en 1879, lui valent un premier chèque. Trop peu cependant pour aider suffisamment Arthur, devenu chef de famille après l'internement de son père alcoolique en maison de repos, où le malheureux devait passer le restant de ses jours.

À la chasse à la baleine !

En février 1880, Arthur Conan Doyle n'a encore que vingt ans. Dans sa petite chambre, à Édimbourg, il révise studieusement l'un de ses examens ; un hasard prodigieux va bientôt l'envoyer naviguer sept mois sur les eaux de l'océan Arctique : c'est l'irruption dans sa chambre d'un camarade d'études, qui lui propose de le remplacer au pied levé comme médecin de bord lors d'une campagne de pêche. Quelques jours plus tard, il s'embarque sur un baleinier, le *Hope*. L'*Espoir*, voilà bien de cet esprit d'aventure et de foi en l'avenir qui caractérise notre jeune étudiant ! En moins d'une semaine s'offre à ses yeux le merveilleux spectacle des phoques, réunis en grand nombre sur la glace qui semble « saupoudrée de grains de poivre », que les marins sont venus pourchasser. Une « boucherie annuelle » qu'il juge toutefois nécessaire pour approvisionner tanneurs, saleurs, marchands de cuir, marchands d'huile... Ainsi, pendant plus de la moitié d'une année, Conan Doyle découvre la marine, l'amitié du capitaine, les bagarres entre les solides matelots au sang chaud, le cuisinier ivrogne, plusieurs tempêtes, la beauté du paysage arctique, les blocs de glace heurtant la coque du navire, les plongeons accidentels dans les eaux glacées, les traces presque humaines des pas des ours polaires sur la banquise, la chasse à la baleine et ses dangers... (car peu enclin à l'inactivité, Arthur Conan Doyle se fait harponneur). Ces sept mois d'une vie rude et fascinante en mer, sans aucune nouvelle de l'Europe et du monde, marquent à tout jamais le jeune Conan Doyle. Parti étudiant, il se sent au retour un homme aguerri et plein d'énergie. Après son examen final en cet hiver 1881, il est enfin reçu bachelier en médecine et maître de chirurgie.

Désireux de parcourir le monde et conscient qu'il doit encore faire ses preuves, Conan Doyle s'embarque à Liverpool en octobre à bord du *Mayumba*, un vapeur d'une compagnie africaine de commerce. Le jeune médecin découvre cette fois la beauté et les dangers des pays d'Afrique : malaria, crocodiles et serpents, sacrifices humains... jusqu'au bateau qui manque de sombrer lors d'un incendie à son retour, en janvier 1882.

Ces deux épisodes maritimes lui inspirent quelques nouvelles : *Le capitaine de la Polestar (L'Étoile polaire)* en 1883, une étrange aventure de fantôme narrée par le médecin d'un baleinier dans l'océan Arctique, et *Déposition de J. Habakuk Jephson* en 1884, l'histoire d'une vengeance à bord d'un bateau atteignant les côtes d'Afrique.

Débuts dans la médecine et la littérature

Après avoir secondé quelques semaines un confrère caractériel et charlatan, Conan Doyle s'installe en juillet 1882 comme médecin à Southsea, près de Portsmouth. La clientèle est rare et il gagne médiocrement sa vie, mais c'est durant ces années qu'il rencontre la charmante Louise Hawkins, surnommée Touie, qu'il épouse le 6 août 1885 et qui lui donnera deux enfants.

À l'époque de son installation à Portsmouth, Arthur Conan Doyle a déjà entamé une petite carrière d'auteur : plusieurs récits ont paru fin 1881 et début 1882 dans le magazine *London Society*, nouvelles que son auteur ne tenait pas en haute estime. Plus tard, quand il sera un auteur consacré, il oubliera d'ailleurs de les incorporer dans la publication de ses œuvres intégrales. Peu bousculé par les malades, Doyle songe à s'adonner davantage à la littérature : à partir de 1885, il écrit bon nombre de nouvelles, publiées dans des magazines, et un premier roman, *Girdlestone et Cie*, dans lequel il fonde beaucoup d'espoirs et qui finit pourtant dans un tiroir après les refus répétés des éditeurs.

Deux inspirateurs de Sherlock Holmes

S'étant progressivement fait la main et la plume sur des nouvelles très diverses, Arthur Conan Doyle sent qu'il doit dépasser le cadre étriqué de ces récits maladroits : « Je me sentais capable de quelque chose de plus neuf, de plus nerveux, de mieux travaillé. » Conscient que l'intrigue d'un drame doit être soutenue par une construction solide, il trouve alors un bon modèle dans les romans d'Émile Gaboriau, l'auteur français de M. Lecoq, ce policier imaginé dans *L'Affaire Lerouge* en 1866, puis repris dans quelques romans. Dans *Une étude en rouge*, Holmes juge pourtant sévèrement l'enquête de Lecoq, comme un manuel à faire lire aux policiers pour leur enseigner les erreurs à éviter. Quant à Edgar Allan Poe, qu'il a découvert pendant son année de collège en Autriche, Conan Doyle l'admire pour ses nouvelles à énigme, telles que *La lettre volée* ou *Double assassinat dans la rue Morgue*. Le caractère du héros de ces enquêtes, le chevalier Auguste Dupin, jeune homme français désœuvré et grand logicien, lui fournit une base solide pour l'invention de son propre personnage ainsi que celui de son ami narrateur. Mais devant la puissance des maîtres, un rêve et une crainte le tourmentent : « Pourrais-je ajouter ma création aux leurs ? »

Le vrai modèle du détective

C'est alors que lui revient en mémoire son professeur d'université à Édimbourg. Chirurgien, Joseph Bell présentait un physique très marqué, « fin, nerveux et sombre, le nez fort dans un visage aigu, les yeux pénétrants et gris, les épaules anguleuses » et parlant d'une voix forte. Par un heureux hasard, Bell s'était alors entiché du jeune Conan Doyle. Celui-ci, devenu son assistant, recevait les patients et notait en quelques mots le cas de ces malades avant leur passage devant le maître et ses internes. Les facultés extraordinaires du professeur impressionnent à tout jamais le futur auteur d'un certain logicien : en un rapide coup d'œil, Bell diagnostiquait l'essentiel de l'affection touchant le malade et découvrait même des éléments de son caractère ou de son existence. La scène qui suit, que Conan Doyle relate avec précision, pourrait facilement prendre place dans l'une des nouvelles de Sherlock Holmes. Le professeur Bell y questionne un malade :

« Ainsi, mon ami, vous avez servi dans l'armée.

— Oui, monsieur.

— Démobilisé depuis peu ?

— Oui, monsieur.

— D'un régiment des Highlands ?

— Oui, monsieur.

— Sous-officier ?

— Oui, monsieur.

— En garnison aux Barbades ?

— Oui, monsieur. »

Après la sortie du patient, Bell éclaircissait ses déductions. Pendant leur entretien, l'homme avait gardé son chapeau sur la tête, non par manque de respect, mais par habitude : on ne se découvre pas dans l'armée, qu'il avait donc quittée depuis peu ; l'éléphantiasis dont il souffrait est une maladie des Indes-Occidentales, ce qui conduisait à l'île des Barbades. « À cette assemblée de Watsons, tout semblait absolument miraculeux, jusqu'à ses explications qui simplifiaient tout. Après l'étude d'un tel personnage, il n'est pas étonnant que j'aie utilisé et amplifié ses méthodes quand, plus tard dans ma vie, j'ai essayé de créer un détective scientifique résolvant les énigmes par ses propres mérites. » Aux facultés analytiques de Bell, ajoutez son physique particulier, sa face d'aigle. Doyle imagine alors son héros « d'une haute taille, plus d'un mètre quatre-vingts, et si excessivement mince qu'il en paraissait considérablement plus grand encore [...], un visage fin comme une lame de rasoir, un grand nez en bec de faucon et deux petits yeux resserrés ». Que l'on se reporte au portrait du professeur Bell, et tout est dit : la figure si caractéristique de Sherlock Holmes vient de naître dans l'esprit de Conan Doyle ! Plus tard, Bell, flatté de retrouver ses traits chez Holmes, fera quelques suggestions à Conan Doyle pour ses récits policiers. Sans tenir compte de ses propositions, peu réalisables selon Doyle, l'ancien étudiant dédiera toutefois à son maître chirurgien le premier recueil des *Aventures de Sherlock Holmes*.

Sherlock Holmes est né

Sherlock Holmes, vous avez dit Sherlock Holmes ? Pas tout à fait. Car avant de porter ce nom universellement connu, notre détective amateur avait été baptisé par son auteur... Sherringford Holmes. Une fois le héros défini dans ses grandes lignes, il ne reste plus qu'à lui adjoindre un ami, un complice, témoin et narrateur des hauts faits de l'enquêteur ; un quidam presque ordinaire dans cette société victorienne, certes instruit et dynamique, mais à l'esprit moins affûté que son subtil colocataire : Ormond Sacker ? Trop noble, trop raffiné. Il faudrait « un nom terne et discret à cet homme sans ostentation : Watson ferait l'affaire ». L'idée de présenter au lecteur des déductions surprenantes dans le cadre d'une enquête policière amuse beaucoup Conan Doyle. Évitant le syndrome de l'auteur qui se prend pour son héros, Conan Doyle n'hésite pas un instant à accentuer le caractère bizarre et froid du logicien, tandis qu'il attribue à Watson, l'ami repoussoir, une profession qu'il connaît bien, la médecine. Et c'est ainsi que, pourvu de ses deux protagonistes, il commence en mars 1886 à rédiger son *Étude en rouge*, toute première aventure de celui qui allait devenir dans quelques années la référence suprême en matière de récits d'énigmes.

Le début d'une œuvre immense

Échaudé par l'échec de son précédent roman auprès des éditeurs, Conan Doyle pense cependant tenir avec son histoire de détective une œuvre plus aboutie : « Je savais ce livre aussi bon que possible et je fondais sur lui de grands espoirs. » Mais, de même que *Girdlestone*, le récit de l'enquête de Holmes revient chez son auteur « avec la précision d'un pigeon voyageur », ce qui désespère notre jeune médecin. Après avoir tenté en vain d'attirer l'attention d'éditeurs importants, Conan Doyle s'adresse alors à des éditeurs spécialisés dans le roman populaire, Ward, Lock et Cie. Bientôt, la bonne nouvelle arrive par une lettre datée du 30 octobre 1886 : son manuscrit est enfin accepté ! Mais la joie de Conan Doyle est de courte durée, car la somme qu'on lui propose en droits d'auteur est dérisoire pour l'époque. Malgré ses difficultés financières, il hésite à accepter cette proposition. Pour ne rien arranger, l'éditeur, dont le programme de romans populaires déborde, souhaiterait que la publication de l'*Étude en rouge* soit reportée à l'année suivante. C'est surtout cette publication tardive qui fait hésiter Conan Doyle : il mise sur ce récit pour acquérir une notoriété rapide qui lancerait enfin sa carrière littéraire. Fatigué et quelque peu découragé par ses autres démarches infructueuses, il finit par se résigner. *Une étude en rouge* paraît comme prévu un an plus tard, dans le *Beeton's Christmas Annual*, pour Noël 1887, sans susciter de grands commentaires... en tout cas à Londres, car le destin l'attend outre-Atlantique. Conan Doyle ne peut même pas imaginer que, cent vingt ans après sa parution qui ne lui rapporta que vingt-cinq livres de l'époque, un exemplaire de ce magazine fondateur atteindrait cent cinquante-six mille dollars aux enchères !

Dès ce premier roman se mettent en place les éléments constitutifs de ce qu'on appellera plus tard la « geste Sherlock Holmes », le canon, l'ensemble des aventures de Sherlock Holmes. Dans ce récit, le docteur Watson, après ses études de médecine, est envoyé à la guerre en Afghanistan. Sérieusement blessé pendant la bataille de Maiwand, il est rapatrié à Londres où il subsiste quelques mois avec une maigre pension. On lui présente alors un étrange individu à la recherche d'un colocataire pour partager les frais d'un appartement. Ce jeune homme, qui fouette les cadavres dans les salles de dissection et se brûle les doigts dans diverses expériences chimiques, se nomme Sherlock Holmes. Après leur rencontre, Watson s'installe donc avec lui dans l'appartement situé à l'étage du 221B, Baker Street. Ni policier ni détective privé, son colocataire se définit comme « détective conseil ». Watson, au départ très dubitatif, s'inclinera bientôt devant ses extraordinaires facultés révélées lors d'une troublante affaire.

Dans l'attente de la publication de cette *Étude en rouge*, Doyle décide d'éprouver ses talents dans le genre du roman historique : ce sera *Micah Clarke*, qui paraît en février 1889, premier d'une longue série qui lui vaut un début de réputation littéraire. Plus tard viendront *La compagnie blanche*, des romans napoléoniens, *La grande ombre*, *Les exploits du brigadier Gérard*, les aventures du professeur Challenger, des pamphlets contre l'attitude de la Belgique au Congo, des contes mystérieux, des récits sur la boxe... En tout, quelque cent cinquante titres ! Et parmi cette impressionnante bibliographie, le début d'une belle série consacrée à un détective parfois ombrageux, cinquante-six nouvelles et quatre romans, que complètent en marge quelques pièces de théâtre et parodies.

Rendez-vous avec la chance

Arthur Conan Doyle ne peut encore imaginer l'immensité de sa production à venir. Son *Étude en rouge* n'ayant pas fait grand bruit, tout lui paraît à prouver de nouveau. C'est d'Amérique que viendra le salut : les lois sur la propriété littéraire n'ayant pas encore été promulguées aux États-Unis, les éditeurs publient de nombreux romans à très bas prix. Arthur Conan Doyle n'échappe pas à ce marché sauvage, où les livres sont traités comme de simples marchandises, dont le coût dérisoire implique une médiocre qualité, « comme imprimés sur le papier d'emballage qu'utilisent les commerçants ». Et pourtant ! Par un étrange paradoxe, les auteurs dépossédés de leurs droits sont aussi largement diffusés par ces éditions à bas prix, qui les font connaître plus efficacement qu'une onéreuse publicité. Et c'est ainsi que la première aventure de Sherlock Holmes trouve enfin un lectorat bienveillant, celui du grand public friand de romans populaires, mais aussi celui des maisons d'édition toujours en quête de nouveaux auteurs. L'éditeur du magazine *Lippincott*, de passage à Londres, propose à Conan Doyle un rendez-vous à l'occasion du lancement d'une édition anglaise de la revue. Voilà peut-être enfin la chance de notre auteur, que la nouvelle rend fébrile : « Inutile de dire que je donnai congé pour la journée à mes patients et que je courus impatient au rendez-vous. » Celui-ci sera déterminant. Doyle y rencontre donc Joseph Stoddart au cours d'un déjeuner pris en compagnie de deux autres convives, dont Oscar Wilde, figure reconnue du dandysme, dont la conversation spirituelle pétille dans les réceptions. Conan Doyle quitte la table ému, d'abord par Wilde qui lui parle avec enthousiasme de son récent *Micah Clarke*, ensuite par Stoddart, qui lui commande un roman. « Tiens, se dit Conan Doyle, et pourquoi ne pas réutiliser mon personnage de détective ? » Il conçoit ainsi en 1890 le retour de Sherlock Holmes dans *Le signe des quatre*. Mais l'enquête une fois close, le docteur Watson abandonne son colocataire et l'appartement de Baker Street pour épouser leur jeune cliente. La fin des aventures pour Holmes et Watson ? Possible, car Doyle est bien résolu à réserver désormais son énergie aux longues recherches nécessaires à ses romans historiques...

Sherlock Holmes revient !

Après quelques mois de spécialisation en ophtalmologie, à Vienne, Conan Doyle ouvre un cabinet de médecin oculiste à Londres, en mars 1891. Plutôt qu'un cabinet médical, il s'agit davantage d'une salle d'attente... pour lui évidemment, qui ne voit pas un client de la journée ! Mais loin d'en prendre ombrage, le médecin s'en réjouit : « C'était idéal : tant que j'échouais professionnellement, j'avais toutes les chances de voir s'élargir mon horizon littéraire. » Son temps libre, il le passe désormais à concevoir de petites fictions pour des magazines, cette forme de presse connaissant alors une floraison subite. Moins gênant que le feuilleton par épisodes dont on risque de se lasser, les nouvelles complètes à personnage récurrent lui semblent un excellent moyen de fidéliser le lectorat. Il invente ainsi le genre de la série pour le magazine *Strand*, dont le directeur, enthousiaste, l'encourage en lui commandant une série de six nouvelles. Ainsi Sherlock Holmes, créé à l'origine pour un simple roman, puis deux, reprend-il commodément du service. La Providence a sonné à la porte du cabinet ; il suffisait d'être patient... Pour achever la marche du destin, Arthur Conan Doyle est frappé un matin d'août 1891 d'une attaque d'influenza qui le laisse huit jours entre la vie et la mort. Rétabli, il prend une décision capitale : abandonner la carrière médicale et ne plus se consacrer désormais qu'à la littérature. Il en éprouve ce qu'il définit alors comme une joie sauvage et qui constitue à coup sûr l'un des plus heureux moments de sa vie. Sherlock Holmes revient et va pouvoir vivre de nombreuses aventures.

Comment rédiger une aventure de Sherlock Holmes ?

Alors qu'on l'interroge souvent sur son inspiration et sa manière d'écrire, les propos que tient l'auteur de Sherlock Holmes nous sont précieux :

C'est le sujet lui-même qui constitue la première difficulté, note Conan Doyle. Pour chaque nouvelle, l'intrigue doit être « bien campée et originale », autant que pour un long roman. Si la trame n'est pas assez solide, l'histoire entière cédera. Une fois l'histoire déterminée, il faut ensuite imaginer la fin du récit avant de se mettre à l'écrire : en effet, « on ne peut correctement tracer son chemin si l'on ignore sa destination ».

S'attacher aux détails n'est pas d'une absolue nécessité. Si l'exactitude en certains points est évidemment essentielle pour la conduite de l'enquête, le romanesque et les besoins de l'intrigue peuvent l'emporter. Ainsi, pendant la carrière du détective, son auteur a-t-il reçu nombre de lettres lui signalant telle ou telle erreur, sur les traces d'une bicyclette, l'absence d'une voie ferrée double à l'endroit où Conan Doyle la décrit, etc.

Le respect du caractère des héros est primordial, exigeant de « tout sacrifier à sa logique » : une fois pour toutes, de la première à la dernière histoire, Holmes est une « machine à calculer » et Watson n'a pas d'humour.

Pour le plaisir des lecteurs, ne reste plus enfin qu'à parsemer le texte de ce que les Sud-Américains appellent les « Sherlockholmitos », ce petit jeu de déductions amusantes et souvent étrangères à l'affaire, ainsi que d'allusions à des cas non traités, qui le seront peut-être un jour.

Mais Conan Doyle finit par se lasser de ce modèle répétitif...

Sherlock Holmes est mort...

Bien décidé à vivre désormais de sa plume, Conan Doyle s'installe avec sa famille à South Norwood, dans une confortable mais modeste demeure. Là, il consacre tout son temps à l'écriture d'histoires qu'il juge d'un grand intérêt, à la fois pour le public et pour lui-même. Bien sûr, les récits de Sherlock Holmes lui plaisent et plaisent infiniment au public, qui lui en réclame tant et plus. Mais l'élaboration de fines intrigues pour des récits si vite achevés réclame un effort constant : fatigué de cette pression et du renouvellement trop fréquent des sujets à inventer, Conan Doyle décide de se concentrer sur des romans historiques, comme *Les réfugiés*, qui raconte l'exil des huguenots sous le règne de Louis XIV, ou *La grande ombre*... celle de Napoléon à

Waterloo. Le faible succès de ces romans chagrine Doyle. Refusant l'idée de passer à la postérité comme auteur d'aventures policières, et pour ne pas rester prisonnier du locataire de Baker Street dont la renommée le lasse et l'irrite, il prend une décision qui en choquera plus d'un, et qu'il annonce par lettre à sa mère en avril 1893 : après deux romans et une vingtaine de nouvelles, c'en est assez, Sherlock Holmes doit mourir ! C'est en Suisse, lors d'un séjour avec Touie, qu'il découvre la petite cité de Meiringen et, à quelques pas de là, la splendeur des chutes d'eau du Reichenbach : « Ce lieu terrible me parut un digne tombeau pour ce pauvre Sherlock, même si j'y devais ensevelir mon compte en banque avec lui. » En cette fin d'année 1893, c'est un sérieux coup de froid qui saisit les lecteurs du *Strand Magazine* : feuilletant le numéro de décembre de leur revue favorite, ils apprennent, ébahis, la mort de Sherlock Holmes, au cours de la terrible histoire du *Problème final*. La nouvelle provoque un coup de tonnerre, quand un Watson effondré relate les derniers instants de son ami, « le meilleur des hommes » qui se sacrifie en entraînant avec lui dans la mort le professeur Moriarty, son ennemi juré, « le Napoléon du crime ». L'ampleur de l'émotion parmi le public surprend Conan Doyle : une femme l'insulte par courrier, des lecteurs déçus pleurent, d'autres manifestent devant les locaux du *Strand Magazine* ou résilient leur abonnement. Rien n'y fait, Holmes restera donc « mort », le temps que son auteur se repose de l'envahissant détective et se consacre à sa nouvelle carrière. Alors c'est bien vrai, monsieur Conan Doyle, Holmes a disparu à jamais avec sa pipe et sa casquette dans les bouillonnements du Reichenbach ? L'explication est réitérée : « Sans Holmes, qui a relégué dans l'ombre le meilleur de mon œuvre, j'occuperais à présent une position plus importante dans la littérature. » Mais Conan Doyle semble ensuite sourire sous sa grosse moustache : « La tentation des prix élevés me rendait difficile l'oubli de Holmes... »

Huit ans après, il ressuscite !

Cédant aux incroyables propositions financières des éditeurs et aux supplications de sa mère, dont l'influence fut déterminante sur l'existence entière d'Arthur et de Sherlock, le fils aimant accepte de livrer une nouvelle aventure du

16

détective... en trichant un peu ! Il s'agira d'une aventure vécue par Holmes avant sa disparition dans les chutes du Reichenbach. Doyle explique lui-même que la figure de son ancien héros lui est apparue après la conception de l'intrigue du roman, inspiré par la légende qu'un ami lui avait contée lors d'une visite de la prison de Dartmoor. Après tout, si l'intrigue requiert un détective, pourquoi se fatiguer à inventer un nouveau personnage ? Le purgatoire, ce « grand hiatus » que Conan Doyle fait subir à son héros, est sur le point de s'achever : il aura tout de même fallu attendre huit ans pour que, en 1901, un encart du *Strand Magazine* annonce enfin la bonne nouvelle : un nouveau récit des aventures de Sherlock Holmes paraîtra bientôt ! *Le chien des Baskerville*, roman à la limite du fantastique, rappelle la malédiction qui pèse sur une vieille famille noble, les Baskerville, et détaille la lutte des enquêteurs contre un chien surgi des enfers sur la lande du Devonshire. Notre détective logicien rationaliste saura démonter cette légende qui sert des intérêts criminels bien réels. Mais *Le chien des Baskerville* n'est qu'une parenthèse. Le vrai retour de Sherlock Holmes parmi les vivants attendra. Dans *La maison vide*, nouvelle parue en octobre 1903, dix ans après *Le problème final*, le monde apprend enfin la vérité par la plume du docteur Watson : Sherlock Holmes n'était pas mort ! Après avoir précipité Moriarty dans l'abîme, mais se sachant observé par le plus dangereux complice du « Napoléon du crime », il avait dû s'enfuir. Aux yeux du monde et du bon docteur Watson, Holmes avait officiellement disparu, le temps de se mettre à l'abri et de confondre plus facilement le reste de la bande. Ainsi le colonel Moran, second de Moriarty et féroce criminel toujours sur ses traces, tente-t-il d'assassiner le détective de retour à Baker Street avec un fusil à air comprimé, depuis une fenêtre de la maison vide qui fait face au 221B. La bande étant désormais définitivement anéantie, Sherlock Holmes n'a plus de raisons de se cacher. Il peut reprendre ses enquêtes et sa collaboration affectueuse avec le fidèle docteur Watson.

Arthur Conan Doyle est-il Sherlock Holmes ?

Si Arthur Conan Doyle devait être l'un de ses personnages, serait-il plutôt Watson ou plutôt Holmes ? Celui qui seconde et rapporte les éléments de l'enquête ou celui qui analyse et débrouille l'écheveau du mystère ? La question est souvent posée à Conan Doyle. Bien sûr, Watson exerce la profession de médecin et son tempérament plus humain que celui du froid logicien le rapproche de son auteur. Mais sans se présenter comme un modèle absolu de son héros extraordinaire, Conan Doyle reconnaît volontiers disposer de quelques-unes des facultés de Sherlock Holmes. Placé dans des conditions particulières, l'esprit tourné entièrement vers l'énigme à résoudre, le créateur du grand détective a pu lui-même obtenir des résultats probants : « Par les méthodes de Holmes, j'ai alors résolu à plusieurs reprises des problèmes qui avaient déconcerté la police. » Conan Doyle donne en exemple son heureuse implication dans l'enquête sur la disparition d'un homme dans un grand hôtel londonien : se mettant dans la peau de Holmes, empruntant ses yeux et son cerveau, Doyle commence par établir les faits certains, comprendre le raisonnement possible de cet homme, repousser les impossibilités matérielles et, en consultant les horaires de trains, à retrouver la trace de l'individu. Même réussite pour définir le profil d'un voleur dans une auberge, ou aider au rétablissement de la justice dans l'affaire de George Edalji, jeune notaire d'origine indienne accusé d'avoir mutilé des chevaux en 1903. En dehors même des cas réels, Conan Doyle rapporte un certain nombre d'énigmes – « fictives, à des degrés d'ingéniosité variés… », précise-t-il – proposées à Holmes par l'intermédiaire de son auteur. Mystérieux avertissements, messages codés, trésors cachés… L'imagination des amateurs semble sans limites, provoquée sans doute par cette affirmation téméraire de Sherlock Holmes à la fin des *Hommes dansants* : « Ce qu'un homme peut inventer, un autre peut le découvrir. »

Sherlock Holmes existe !

Dès les premières aventures publiées, le public lecteur des enquêtes de Sherlock Holmes s'est imaginé que le détective existait dans la réalité, que le docteur Watson, son compagnon historiographe, se contentait de raconter les exploits déductifs auxquels il avait assisté. Les tics et manies singulières du détective, les coups de pistolet qu'il donne dans son appartement, le tabac qu'il dissimule dans une babouche persane et les cigares dans un seau à charbon, l'utilisation méthodique et différenciée des pipes de bruyère ou de merisier, son goût pour les vins ou la musique, tous ces petits riens bâtissant au fil de l'œuvre une psychologie plausible pour un être aussi à part contribuent solidement à donner l'illusion du réel. Cette croyance ne laisse pas cependant d'intriguer Conan Doyle, à qui l'on raconte un jour la visite d'écoliers français visitant Londres et réclamant comme première étape de leur parcours la maison de Sherlock Holmes dans Baker Street. « Bien des gens m'ont questionné pour pouvoir la localiser », s'étonne encore Conan Doyle. Difficile pour lui de le préciser, puisque cette adresse exacte n'existe pas au moment de l'écriture de la première aventure du détective. Conan Doyle reçoit en outre de nombreuses lettres adressées à son personnage, et qu'il est chargé de lui transmettre, en tant qu'agent littéraire signant les récits du docteur Watson. De bien curieuses lettres du monde entier, que Holmes lui-même classerait en plusieurs catégories dans ses archives : les lettres d'admirateurs, qui demandent simplement un autographe du détective ; les lettres de solliciteurs, pour un abonnement à un journal ou la participation à une enquête particulière ; les lettres de propositions de service enfin, comme ces femmes s'offrant à tenir son petit ménage après l'annonce de la retraite de Sherlock Holmes dans le Sussex.

Depuis, le 221B, Baker Street a été « déplacé » plus haut dans la rue, pour correspondre à une maison victorienne devenue par la magie du clin d'œil – et du commerce ! – un musée Sherlock Holmes, reconstitution assez fidèle du logement de nos deux héros, pèlerinage indispensable et émouvant pour tous ceux qui, aujourd'hui encore, veulent croire avec leur âme d'enfant que Sherlock Holmes a bel et bien existé.

Mais projette-t-on le bon visage sur notre héros ? « Toutes les représentations qu'on a faites de lui sont très éloignées de ma première idée du personnage », déplore Conan Doyle. C'est pourtant en grande partie grâce à Sidney Paget, le dessinateur des nouvelles parues dans le *Strand Magazine*, que nous devons l'image éternelle de Sherlock Holmes. Paget prit comme modèle son frère Walter, explique Conan Doyle. Hélas ! remarque-t-il, « le gracieux Walter prit la place de Sherlock, plus énergique mais aussi plus laid » ; cette infidélité fut peut-être cependant pour beaucoup dans le succès de Sherlock Holmes, tant la silhouette imaginée par l'illustrateur est restée une référence encore aujourd'hui, grande cape et casquette à carreaux – la fameuse *deerstalker*. Paget illustra trente-huit aventures pour le *Strand Magazine*, avant que sa mort prématurée en 1908 ne mette fin à cette superbe collaboration.

Sherlock Holmes au théâtre

Possible aussi, suppute le docteur, que les incarnations de son détective au théâtre aient contribué à donner au public cette impression d'un Sherlock Holmes réel, bien avant le succès des films. Arthur Conan Doyle s'y essaie en 1897, mais une fois encore le destin est américain : en 1899, le comédien William Gillette demande à Conan Doyle l'autorisation de remanier ses textes pour incarner le détective sur scène. Mieux encore, il propose de sérieuses péripéties : « Puis-je marier Holmes ? » s'enquiert-il un jour. La réponse de Doyle, très cordiale, prouve sa bonne volonté en même temps qu'un certain détachement : « Vous pouvez le marier, le tuer, ou lui faire ce que vous voulez.» Le dénouement paraît certes étrange aux puristes, qui découvrent un Sherlock Holmes transi d'amour, submergé par l'émotion, prendre dans ses bras une jeune femme et l'embrasser avant de promettre de l'épouser... La pièce, créée en Amérique avec succès, sera représentée à Londres en 1901-1902. L'interprétation de Gillette, que Conan Doyle n'a pas eu à regretter financièrement, marque durablement les esprits : « C'est bon de revoir ce vieux compagnon », commente Doyle sur le script que lui adresse Gillette. Dans une lettre datée d'octobre 1925, il le félicite et le remercie à nouveau, regrettant juste que le comédien ait projeté une certaine anémie et mollesse dans le jeu de son personnage si énergique.

En 1910, ayant loué un théâtre, Conan Doyle imagine un nouveau drame à partir de l'intrigue de *La bande mouchetée*. Son enthousiasme est tel qu'en une semaine la pièce est terminée et que les répétitions peuvent commencer ! Le public se presse pour découvrir le fameux comédien Saintsbury dans le rôle-titre du détective et le puissant acteur qui compose l'effrayant docteur Roylott ; la pièce sera jouée longtemps encore en tournée. Ce mystérieux « ruban moucheté », c'est le serpent venimeux grâce auquel l'abominable docteur Roylott veut se débarrasser discrètement de ses belles-filles pour toucher l'héritage de leur mère. Conan Doyle s'amuse de ce superbe boa sourd aux indications du metteur en scène et des machinistes, héros véritable de la pièce mais piètre comédien. Il faut à plusieurs reprises changer de serpent au fil des représentations, aucun ne donnant véritablement satisfaction, et jouant rarement le rôle menaçant qui lui était assigné par contrat... si bien qu'on se trouve vite obligé de le remplacer par un serpent factice ! En 1921, Conan Doyle conviera son personnage à remonter sur scène, dans *Le diamant de la Couronne*.

Pastiches et parodies de Sherlock Holmes

Avec Holmes, Arthur Conan Doyle a créé un mythe, un personnage archétypal, le symbole absolu du détective logicien. Aussi s'amuse-t-il – que peut-il faire d'autre ? – de lire régulièrement dans les journaux des histoires apocryphes mettant en scène son détective. Ces histoires apparaissent dans la presse « avec la régularité d'une comète », précise-t-il, et avec plus ou moins de talent ou de bon goût. Dans son autobiographie, Conan Doyle en cite trois exemples explicites, dont celui d'un Sherlock Holmes arrivé au Paradis qui, grâce à ses habituelles capacités d'observation et de déduction, identifie immédiatement Adam. « Mais ce détail est sans doute trop anatomique pour que j'en poursuive l'explication », plaisante Conan Doyle. Notre époque moins pudibonde me permet de préciser : né directement des mains de Dieu, sans conception maternelle, Adam était donc le seul homme à n'avoir pas de nombril...

Mais la meilleure parodie inspirée par Sherlock Holmes, selon Doyle, est née sous la plume de James Barrie, immortel auteur de *Peter Pan* et ami personnel du médecin qui jouait dans son équipe de cricket. C'est l'occasion pour Barrie de prendre un peu de recul, à la suite de l'échec de son opéra-comique en deux actes, *Jane Annie*, que Conan Doyle l'aide à terminer en 1893. Dans cette « parodie délirante » intitulée *L'Aventure des deux collaborateurs*, Barrie met en scène Holmes et Watson qui, de la fenêtre de leur appartement, se livrent à des analyses sur deux individus gesticulant dans la rue. Holmes les identifie rapidement comme des hommes de lettres furieux d'un insuccès au théâtre, en détaillant le fruit de ses observations à un Watson ébahi. La suite devient surréaliste, quand les deux hommes, en réalité Barrie et Conan Doyle, sonnent à la porte de Sherlock Holmes : et voilà le personnage de papier face à son créateur…

Conan Doyle en personne écrira deux plaisantes parodies des aventures de son personnage : *La Vente de charité*, en 1896, pour le journal des étudiants de son ancienne université d'Édimbourg, et *Comment Watson apprit le truc*, en 1924.

Après la mort de Doyle, son fils Adrian reprendra le flambeau en collaboration partielle avec John Dickson Carr, auteur et biographe de sir Arthur. Ces douze nouvelles, recueillies en 1954 dans le volume des *Exploits de Sherlock Holmes*, sont de fidèles pastiches, appuyés sur des « untold stories », c'est-à-dire des affaires auxquelles Watson fait allusion dans les aventures officielles, mais sans les avoir jamais développées.

Arsène Lupin contre Sherlock Holmes

Il est pourtant d'autres parodies qui semblent moins l'amuser, parce qu'il les envisage plutôt comme des plagiats, une appropriation illégitime de son personnage pour en tirer profit. Dès 1907, un éditeur allemand lance des fascicules titrés *Les dossiers secrets de Sherlock Holmes* ; à la demande des éditeurs légitimes, le nom de Holmes disparaîtra bientôt… des couvertures. Ces textes, médiocrement rédigés par des auteurs divers et anonymes, seront ensuite remaniés ou complètement réécrits en français par Jean Ray au début des années 1930 et, une fois le nom du détective modifié, consacreront l'un des avatars les plus connus du détective de Baker Street, Harry Dickson, « le Sherlock Holmes américain ». Autre reprise fameuse du nom du détective, celle que Maurice Leblanc – justement surnommé « le Conan Doyle français » – crée pour le magazine français *Je sais tout* du 15 juin 1906 : Leblanc y oppose Arsène Lupin à Sherlock Holmes, le modèle du cambrioleur flamboyant au symbole absolu de la justice. Après un échange de courriers qui n'a jamais été révélé au public, Maurice Leblanc se rend aux raisons de son confrère passablement irrité et débaptise le détective anglais, ou plutôt le rebaptise plaisamment Herlock Sholmès, toujours accompagné de son fidèle Wilson, accentuant le côté farce du duo dont se joue Lupin. Grand admirateur du romancier, Maurice Leblanc confrontera plusieurs fois encore le champion de la loi à celui du haut vol, notamment au cours d'un tragique face-à-face en toute fin de *L'aiguille creuse*. À la mort d'Arthur Conan Doyle, Maurice Leblanc écrira un hommage appuyé au talent de l'un des maîtres du récit d'énigmes.

Le service de guerre de Sherlock Holmes

Pour les amoureux de Sherlock Holmes, la nouvelle intitulée *Son dernier coup d'archet* revêt une importance toute particulière, où l'émotion affleure : bien que publiée en 1917, soit dix ans avant l'abandon définitif de son détective par Conan Doyle, l'histoire qu'elle nous conte est l'ultime dans la chronologie du personnage. Cette nouvelle dévoile l'implication de Sherlock Holmes durant le conflit de 14-18, son « service de guerre » en quelque sorte, contribution patriotique d'un auteur toujours prompt à soutenir son pays. Tout comme Doyle par le biais de l'écriture, Watson a couru à l'appel de son vieil ami ; la moustache du robuste médecin est devenue grise, et Holmes, toujours dynamique et anguleux, a maintenant soixante ans. Sorti de sa retraite et de ses observations sur la reine des abeilles à la demande insistante du Premier ministre, Holmes espionne pour le compte de l'Angleterre. Après deux années d'infiltration sous l'identité d'un Irlandais américain nommé Altamont – le second prénom du père d'Arthur Conan Doyle –, Holmes parvient enfin à désorganiser la ruche des espions allemands : en livrant de faux renseignements militaires, il finit par réduire à néant le complot de Von Bork, espion du Kaiser. Mais le répit n'aura qu'un temps : en ce début du mois d'août 1914, les deux amis profitent de ce que Holmes pressent comme « le dernier entretien tranquille » qu'il pourra jamais goûter avec son « cher vieux Watson », alors que le vent froid de la Première Guerre mondiale se lève à l'horizon.

Les dernières aventures de Sherlock Holmes

Après 1917, Arthur Conan Doyle donne de temps à autre des nouvelles du détective. Douze récits paraîtront encore dans divers magazines jusqu'en 1927. Ayant compris la leçon de 1893, l'écrivain n'a plus de velléités assassines envers son héros, mais il s'en est débarrassé en l'expédiant dans le Sussex, où, désormais à la retraite, il s'occupe d'apiculture, donnant à l'occasion un coup de main à la police locale pour débrouiller une énigme, comme dans *L'aventure de la crinière du lion*. Lors d'un concours organisé par le *Strand Magazine*, l'auteur révèle ses douze nouvelles préférées parmi les aventures de Sherlock Holmes – il en excepte les romans. Viennent en tête *La bande mouchetée*, *La ligue des rouquins*, *Les hommes dansants*, *Le problème final*, *Un scandale en Bohême*, *La maison vide*, *Les cinq pépins d'orange*, *La deuxième tache*, *L'aventure du pied du diable*, *L'école du prieuré*, *Le rituel des Musgrave* et *Les propriétaires de Reigate*. Il ajoute finalement à sa liste *L'illustre Client* puis *L'aventure de la crinière du lion*, dont l'intrigue lui semble l'une des meilleures de la série. Ce bilan prouve s'il est besoin qu'Arthur Conan Doyle a depuis longtemps fait la paix avec son détective, et qu'il salue en lui un vrai compagnon littéraire, malgré l'ombre qu'il a parfois pu jeter sur le reste de son œuvre : « Je ne voudrais pas paraître ingrat envers Holmes, qui a été pour moi un bon ami à bien des égards. Si parfois j'ai été enclin à me lasser de lui, la faute en incombe à son caractère sans nuances. » Cette année 1927 offre une salve d'enquêtes inédites du détective ; la toute dernière jamais publiée, *L'aventure de Shoscombe old Place*, paraît dans le *Liberty Magazine* en mars. La préface des *Archives de Sherlock Holmes*, recueil présenté au public cette même année, sonne comme un adieu aux armes. Reconnaissant ne s'être jamais repenti d'avoir tiré Holmes des chutes du Reichenbach, Conan Doyle explique avec humour qu'il est toutefois temps pour lui de disparaître : « J'ai peur que M. Sherlock Holmes ne se mette à ressembler à l'un de ces chanteurs populaires » qui ont fait leur temps mais qui s'accrochent pathétiquement à la scène en multipliant leurs fausses sorties !

Une vie bien remplie

Comment résumer en quelques lignes le reste de l'existence de Conan Doyle ? Après 1890, les bonheurs littéraires se succèdent dans une vie familiale heureuse ; mais à peine Doyle débarrassé du gênant Sherlock Holmes dans les chutes du Reichenbach, son père décède et son épouse tant aimée tombe malade ; le diagnostic est impitoyable : Touie souffre de tuberculose. Le grand air des Alpes en Suisse, où s'installe la famille, permet à la malade de se rétablir en partie ; Conan Doyle, grand sportif, profitera de ces quelques années à Davos pour introduire et populariser le ski ainsi que la pratique du golf. Un séjour en Égypte pendant l'hiver 1895-1896 permet une agréable convalescence à Touie et offre à Conan Doyle une courte activité de correspondant de guerre pour la *Westminster Gazette*, le temps de couvrir le conflit du Soudan dans lequel les troupes britanniques sur place sont évidemment impliquées. Mais à son retour en Angleterre, Conan Doyle est frappé par la foudre : en 1897, il tombe fou amoureux de Jean Leckie, passion subite, profonde, et dont il se sentira coupable... Il finira par épouser Jean en 1907, très longtemps après le début de leur relation, un an après le décès de sa première femme. Trois enfants naîtront de cette union. Quand à la fin de l'année 1899 éclate en Afrique du Sud la guerre des Boers, Conan Doyle, âgé de quarante ans, se voit refusé au service actif ; il part finalement en février 1900 pour diriger pendant six mois un hôpital débordé par les ravages de la guerre et de la dysenterie. Au retour, il mène un nouveau combat forcené pour récuser les horribles exactions de crimes de guerre dont l'opinion internationale accuse les combattants anglais. « J'étais profondément convaincu de pouvoir servir la communauté. » En tout cas, ce ne sera pas dans la politique : Conan Doyle échoue par deux fois à des élections au Parlement, sans avoir démérité. Sans se décourager non plus, il s'active partout où l'injustice semble s'acharner, se démène pour la réhabilitation de victimes d'erreurs judiciaires et regrette de ne pas être enrôlé comme combattant actif pendant la Première Guerre mondiale – conflit qui coûtera la vie à ses deux fils.

Il s'est depuis longtemps déjà détourné du catholicisme de son enfance, selon lui source de tous les excès et extrémismes, et contre lequel il tient de durs propos. Bien avant 1900, il consacre une grande part de sa vie à son « déploiement spirituel » par les recherches psychiques. Convaincu par des expériences de télépathie et par des manifestations d'esprits frappeurs, il développe sa croyance en un spiritisme actif : « Peu à peu il devenait vraisemblable que la vie se poursuivait dans l'au-delà [...] dans des conditions qui n'étaient pas différentes de celles que nous rencontrons ici-bas. » Dès lors il rédige des essais, donne des conférences, convertit à sa croyance son héros le professeur Challenger, fonde une librairie spirite pour diffuser sa foi, jusqu'à être abusé par la photographie truquée de deux fillettes qui prétendent avoir rencontré des fées !

Arthur Conan Doyle tire sa révérence

À la fin de sa vie, en 1930, malade et alité à la suite d'une angine de poitrine qu'il a négligée pour mener une éprouvante tournée de conférences dans les pays nordiques, Arthur Conan Doyle représente son existence dans un dessin qu'il titre *THE OLD HORSE*. On y voit un vieux cheval traîner une charrette où s'amoncellent des paquets, chacun de ces bagages constituant une part de la vie et de l'œuvre de Conan Doyle : ses études à Édimbourg, sa pratique médicale, ses romans historiques, sa lutte pendant la guerre des Boers et le conflit de 1914-1918, ses voyages, le sport, la Société des recherches psychiques, l'Arctique, le Congo, la Suisse, l'Afrique du Sud, les États-Unis... et Sherlock Holmes. L'animal paraît fourbu, et Doyle légende ainsi la scène : « Le vieux cheval a tiré un lourd fardeau sur un long chemin, mais il est bien soigné et, après six mois à l'écurie et six mois aux champs, il pourra reprendre sa route. » La route hélas ! n'est plus très longue : le 7 juillet 1930, Arthur Conan Doyle s'éteint à soixante et onze ans d'une crise cardiaque, peu après ce spirituel bilan de sa riche existence.

The game is afoot !

Aujourd'hui, en cette première décennie du XXIe siècle, soit plus de cent ans après la création du détective, le duo qu'il forme avec le docteur Watson est loin d'être moribond. Car depuis ce temps-là, le cinéma s'est emparé en force de Sherlock Holmes – plus de deux cent cinquante films jusqu'à aujourd'hui ! – pour en immortaliser la silhouette, par des interprétations qui ont durablement marqué leur époque, celles d'Eille Norwood, dont Doyle apprécie le charme et les yeux rêveurs, de Basil Rathbone, de Peter Cushing ou de Jeremy Brett pour la télévision, tandis que plusieurs projets d'envergure sont actuellement en cours de production.

Aujourd'hui encore paraissent de multiples rééditions des aventures du détective, des pastiches et parodies, des bandes dessinées, même des jeux vidéo. Des centaines d'associations partout dans le monde s'emploient à perpétuer cette mémoire, les Baker Street Irregulars aux États-Unis, la Sherlock Holmes Society of London en Angleterre, comme bien d'autres en Suisse, en Espagne, au Japon... Ainsi dans l'Hexagone la très active Société Sherlock Holmes de France fait-elle vivre le maître-détective par des études, des réunions, des manifestations ; sur son site web très complet (www.sshf.com) les admirateurs francophones trouveront de quoi poursuivre leurs recherches et satisfaire leur passion.

Comme le disent les holmésiens citant une exclamation de leur héros préféré dans *Le Manoir de l'abbaye* :

The game is afoot! (« La partie reprend ! »)

Un scandale en Bohême

1

Pour Sherlock Holmes elle est toujours *la* femme. Je l'ai rarement entendu parler d'elle sous un autre nom. À ses yeux elle éclipse tout son sexe, elle est supérieure à toutes les femmes.

Non pas qu'il éprouvât pour Irène Adler un sentiment qui ressemblât à l'amour. Tous les sentiments, et celui-là en particulier, répugnaient à son esprit froid, lucide et admirablement équilibré. Étant, à mon sens, la machine à raisonner et à observer la plus parfaite que le monde eût jamais vue, il se serait, en tombant amoureux, placé dans une fausse position. Il ne parlait jamais des choses du cœur qu'avec une pointe de raillerie et un rire moqueur. Ces passions étaient des choses admirables pour l'observateur – excellentes pour dévoiler les mobiles et les actions des hommes. Mais, pour le logicien entraîné, admettre de telles intrusions dans son tempérament précis et bien organisé, c'était introduire un élément de trouble susceptible de jeter un doute sur tous les résultats obtenus par son intellect. Des grains de sable dans un instrument très délicat, une fêlure dans l'une de ses fortes et puissantes loupes ne l'auraient pas plus déconcerté que l'apparition dans son cœur d'un sentiment violent. Et cependant il n'y avait pour lui qu'une femme et cette femme, c'était feu Irène Adler, de douteuse et discutable mémoire.

Je n'avais pas vu Holmes depuis quelque temps. Mon mariage nous avait séparés. Les multiples préoccupations qui, lorsque nous nous créons un foyer, accaparent celui qui pour la première fois se trouve maître de sa propre installation, suffisaient en même temps que mon bonheur parfait à absorber toute mon attention. Quant à Holmes, dont l'âme de bohème était hostile à toute espèce de relations mondaines, il était resté dans notre appartement de Baker Street, enseveli parmi ses vieux livres, passant alternativement, de semaine en semaine, de la cocaïne à l'ambition, de la torpeur de la drogue à la fougueuse énergie de son ardente nature. Il était encore, et comme toujours, profondément attiré par l'étude du crime et il employait ses immenses facultés et son extraordinaire puissance d'observation à suivre telles pistes jusqu'au bout, éclaircir tels mystères que la police officielle avait abandonnés sans espoir. De temps en temps, par ouï-dire, j'avais quelques vagues aperçus de ce qu'il faisait : on l'avait appelé à Odessa pour l'affaire de l'assassinat de Tre-poff ; il avait débrouillé la singulière tragédie des frères Atkinson à Trincomalee et enfin il avait été chargé par la famille régnante de Hollande d'une mission qu'il avait rem-plie avec autant de délicatesse que de succès. Toutefois, en dehors de ces signes d'activité dont j'avais connaissance sim-plement, comme tous les lecteurs de la presse quotidienne, je savais bien peu de chose de mon ancien ami et compa-gnon.

Un soir – c'était le 20 mai 1888 – je rentrais d'une visite chez un malade (car j'étais revenu à la clientèle civile) quand mon chemin me fit passer par Baker Street. En passant devant cette porte que je me rappellerai toujours, car, dans ma pensée, elle demeurera toujours associée au prélude de mon mariage et aux sombres incidents de l'*Étude en rouge*, je fus pris d'un vif désir de revoir Holmes et de savoir de quelle manière il employait ses dons extraordinaires. Son logis était brillamment éclairé et même, en levant les yeux, je vis par deux fois son grand corps dégingandé se silhouetter au passage sur le rideau. Rapide, absorbé, il allait et venait dans la pièce, la tête inclinée vers sa poitrine, les mains jointes derrière le dos. Pour moi, qui connaissais toutes ses humeurs et ses habitudes, cette attitude et ce comportement étaient éloquents. Il avait repris son travail. Sorti des rêves nés de la drogue, il était lancé avec ardeur sur un nouveau problème. Je tirai la sonnette et l'on me conduisit à l'appar-tement qui avait autrefois été le mien.

Sa réception ne fut pas trop chaleureuse. Elle l'était rare-ment ; mais il était, je le crois, content de me voir. Ce fut à peine s'il dit un mot, mais avec un regard bienveillant, il m'indiqua un fauteuil, me passa par-dessus la table son étui à cigares et du doigt me montra dans le coin une cave à liqueurs et une bouteille d'eau gazeuse. Après quoi il se planta devant le feu et me regarda de haut en bas, de cette façon pénétrante qui lui était propre.

— Le mariage vous réussit, remarqua-t-il. Je crois, Watson, que vous avez pris sept livres et demie depuis que je ne vous ai pas vu.

— Sept, répondis-je.

— Vraiment ? j'aurais cru un peu plus. Juste un tout petit peu plus, je crois, Watson. Et vous refaites de la clientèle, à ce que je vois ? Vous ne m'aviez pas dit que vous aviez l'intention de reprendre le collier.

— Alors comment le savez-vous ?

— Je le vois. Je le déduis. Comment puis-je savoir que vous avez été trempé il n'y a pas longtemps et que vous avez une servante à la fois très maladroite et peu soigneuse ?

— Mon cher Holmes, ça, c'est trop fort. On vous aurait sûrement brûlé, si vous aviez vécu il y a quelques siècles. Il est vrai que j'ai parcouru la campagne jeudi et que je suis rentré chez moi en piteux état ; mais comme j'ai changé de vêtements, je ne conçois pas d'où vous déduisez cela. Quant à Marie-Jeanne, elle est incorrigible et ma femme lui a donné congé ; mais là encore, je ne vois pas comment vous y arrivez.

Il rit doucement et frotta ses longues mains nerveuses.

— C'est la simplicité même ; mes yeux me disent que sur le côté intérieur de votre soulier gauche, juste là où le frappe la lumière de l'âtre, le cuir a été marqué de six égratignures, parallèles ou presque. De toute évidence c'est le fait de quelqu'un qui a gratté sans soin autour des bords de la semelle pour en détacher une croûte de boue. De là, vous le voyez, ma double déduction que vous êtes sorti par un très vilain temps, et que vous aviez, pour nettoyer vos chaussures, un spécimen particulièrement mauvais de la domesticité londonienne. Quant à votre clientèle, si un monsieur qui entre dans mon appartement sent l'iodoforme, s'il a une marque noire de nitrate d'argent à l'index de la main droite, si une bosse d'un côté de son chapeau haut de forme révèle l'endroit où il cache son stéthoscope, il faudrait que je sois bien borné, en vérité, pour ne pas déclarer que c'est un membre actif de la profession médicale.

Je ne pus m'empêcher de rire devant l'aisance avec laquelle il expliquait la marche de ses déductions.

— Quand je vous entends exposer vos raisons, remarquai-je, la chose me semble toujours si ridiculement simple que je pourrais aisément en faire autant moi-même ; et pourtant à chaque nouvel exemple de votre raisonnement je reste déconcerté jusqu'à ce que vous expliquiez la façon dont vous faites vos déductions. Je crois cependant que mes yeux sont aussi bons que les vôtres !

— Très certainement, répondit-il tout en allumant une cigarette et en se laissant tomber dans un fauteuil. Vous voyez, mais vous n'observez pas. La distinction est claire. Par exemple, vous avez fréquemment vu les marches d'escalier qui montent du vestibule à cette pièce.

— Fréquemment.

— Combien de fois ?

— Eh bien ! quelques centaines de fois.

— Alors, combien y en a-t-il ?

— Combien ? Je ne sais pas.

— C'est bien cela ! Vous n'avez pas observé et cependant vous avez vu. Toute la question est là. Or je crois qu'il y a dix-sept marches parce que je les ai à la fois vues et observées. À propos, puisque vous prenez intérêt à ces menus problèmes et que vous êtes assez bon pour relater une ou deux de ces aventures sans portée, il se peut que vous vous intéressiez à ceci. (Il me lança une feuille de papier à lettres épais et rose qui se trouvait ouverte sur la table.) Ceci m'est venu par le dernier courrier. Lisez-le à haute voix.

La lettre n'était pas datée et ne portait ni signature ni adresse d'expéditeur. Elle disait :

« On vous rendra visite ce soir à huit heures moins le quart. C'est un monsieur qui désire vous consulter sur une affaire de la plus haute importance. Les services que vous avez récemment rendus à l'une des maisons royales d'Europe ont montré que vous êtes un homme à qui on peut en toute sécurité confier des choses d'une importance qu'on ne saurait que difficilement s'exagérer. Ces renseignements à votre égard nous sont de différentes sources venus. Soyez donc chez vous à cette heure-là et ne prenez pas ombrage du fait que votre visiteur sera masqué. »

— Voilà, en vérité, un mystère... dis-je. Qu'imaginez-vous que cela signifie ?

— Je n'ai encore aucune donnée. C'est une erreur capitale que de bâtir des théories tant qu'on n'a pas de données.

Insensiblement, on se met à torturer les faits pour les faire cadrer avec les théories, au lieu d'adapter les théories aux faits. Mais de la lettre elle-même, que déduisez-vous ?

J'examinai soigneusement l'écriture et le papier sur lequel on avait écrit.

— L'homme qui a écrit ceci jouit probablement d'une belle aisance, remarquai-je. Un tel papier ne saurait coûter moins d'une demi-couronne le paquet. Il est tout particulièrement fort et solide.

— Particulièrement est bien le mot, dit Holmes. Ce n'est pas du tout du papier anglais. Regardez-le en transparence.

J'obéis et je vis, dans le corps du papier, un grand *E* avec un petit *g*, un grand *P* et un grand *G* suivis de deux petits *t*.

— Qu'y voyez-vous ? demanda Holmes.

— Le nom du fabricant, sans doute, ou plutôt son monogramme.

— Ce n'est pas tout. Le grand *G* avec le petit *t* signifie Gesellschaft, le mot allemand pour « Compagnie ». C'est l'abréviation ordinaire équivalente à notre « Cie ». *P*, bien entendu, veut dire « Papier ». Et maintenant à l'*Eg*. Jetons un coup d'œil sur notre « Informateur continental ». (Il prit, sur un des rayons, un lourd volume brun.) Eglow-Eglonites, nous y voici : Eger. Ça se trouve dans un pays de langue allemande, en Bohême, non loin de Karlsbad. Notable parce qu'elle fut la scène de la mort de Wallenstein et aussi pour ses nombreuses verreries et papeteries. Ah ! ah ! mon cher, qu'en dites-vous ?

Ses yeux étincelaient et il tira de sa cigarette un gros nuage, triomphal et bleu.

— Ce papier, dis-je, a été fabriqué en Bohême.

— Précisément. Et l'homme qui a écrit la lettre est un Allemand. Observez-vous la construction particulière de la phrase : « Ces renseignements à votre égard nous sont de différentes sources venus » ? Un Français ou un Russe n'aurait pu écrire cela. C'est l'allemand qui est si peu courtois envers ses verbes. Il nous reste donc à savoir ce que veut cet Allemand qui écrit sur du papier de Bohême et qui aime mieux porter un masque que montrer son visage. Le voici qui vient, si je ne me trompe, dissiper tous nos doutes.

Pendant qu'il parlait, on entendit le bruit clair de sabots de chevaux, puis un grincement de roues contre la bordure du trottoir, suivis enfin d'un vif coup de sonnette. Holmes siffla.

— Deux chevaux, à en juger d'après le son, dit-il. Oui, continua-t-il, en regardant par la fenêtre. Un joli petit landau et une paire de beautés qui valent cent cinquante guinées pièce. Il y a de l'argent dans cette affaire, Watson, à supposer qu'il n'y ait rien d'autre.

— Je crois que je ferais mieux de m'en aller, Holmes.

— Pas du tout, docteur. Restez où vous êtes. Je suis perdu sans mon historiographe. Et ça promet d'être intéressant. Ce serait dommage de rater cela.

— Mais votre client…

— Ne vous en occupez pas. Je peux avoir besoin de votre concours, et lui aussi. Le voici qui vient. Asseyez-vous dans ce fauteuil, docteur, et prêtez-nous toute votre attention.

Un pas lourd et lent que l'on avait entendu dans l'escalier et dans le couloir s'arrêta net devant notre porte. Puis on frappa, un coup bruyant et autoritaire.

— Entrez ! dit Holmes.

Un homme entra ; sa taille n'était guère inférieure à deux mètres et il avait le torse et les muscles d'un hercule. Ses vêtements étaient riches, d'une opulence qu'en Angleterre on considérait comme voisine du mauvais goût. De lourdes bandes d'astrakan barraient ses manches et le devant de son veston croisé, tandis que le manteau bleu foncé qu'il avait jeté sur ses épaules était doublé d'une soie couleur de feu et retenu au cou par une broche faite d'une aigue-marine flamboyante. Des demi-bottes qui montaient jusqu'au mollet et dont le haut était garni de riche fourrure brune complétaient l'impression d'opulence barbare que suggérait tout l'aspect de l'individu. Il tenait à la main un chapeau à large bord et portait sur la partie supérieure de son visage un masque noir qui descendait jusqu'en bas des pommettes. Sans doute venait-il de l'ajuster à l'instant, car sa main était encore levée vers sa figure quand il entra. À en juger par le bas de son visage il avait l'air d'un homme au caractère volontaire, et même davantage, car la lèvre épaisse et pendante et le menton long et droit suggéraient la résolution portée jusqu'à l'entêtement.

— Vous avez reçu ma lettre ? demanda-t-il d'une voix profonde et dure, empreinte d'un fort accent allemand. Je vous ai dit que je vous rendrais visite.

Il nous regardait l'un après l'autre, comme s'il ne savait auquel s'adresser.

— Je vous en prie, dit Holmes, prenez un siège. Voici mon ami et collègue, le docteur Watson, qui veut bien, à l'occasion, m'aider dans mes recherches. À qui ai-je l'honneur de parler ?

— Vous pouvez me parler comme au comte von Kramm, gentilhomme bohémien. J'entends que ce monsieur, votre ami, est un homme d'honneur et discret, en qui je puis avoir confiance pour une affaire de la plus haute importance. S'il n'en était pas ainsi je préférerais ne m'entretenir qu'avec vous seul.

Je me levai pour sortir, mais Holmes me saisit le poignet et me repoussa dans mon fauteuil.

— Ce sera tous les deux ou personne, dit-il. Vous pouvez dire devant monsieur tout ce que vous pouvez me dire à moi-même.

Le comte haussa ses larges épaules.

— Je dois donc commencer, dit-il, par vous demander, sur l'honneur, le secret absolu pour une période de deux ans, au bout desquels la chose n'aura plus aucune importance. En ce moment on peut dire sans exagérer qu'elle est d'une telle portée qu'elle peut influer sur l'histoire même de l'Europe.

— Je promets, dit Holmes.

— Et moi aussi.

— Vous excuserez ce masque, continua notre étrange visiteur. L'auguste personnage qui m'emploie désire que son agent vous soit inconnu et je puis avouer tout de suite que le titre par lequel je viens de me nommer n'est pas exactement le mien.

— Je le savais, dit Holmes sèchement.

— Les circonstances sont extrêmement délicates et il faut prendre toutes les précautions pour étouffer ce qui pourrait devenir un grand scandale et compromettre sérieusement une famille régnante d'Europe. Pour vous parler franchement, la chose concerne la grande maison d'Ormstein, héritière des rois de Bohême.

— Je le savais aussi, murmura Holmes en s'installant dans son fauteuil et en fermant les yeux.

Notre visiteur regarda avec une surprise évidente le long corps apathique et nonchalant de l'homme qu'on lui avait dépeint sans doute comme un logicien mordant et comme le policier le plus dynamique d'Europe. Lentement Holmes rouvrit les yeux et regarda avec impatience son gigantesque client.

— Si Votre Majesté voulait condescendre à exposer son cas, dit-il, je serais plus en état de la conseiller.

L'homme bondit de sa chaise et fit quelques pas dans la chambre ; il était fort agité et ne parvenait pas à se maîtriser. Alors, avec un geste de désespoir, il arracha le masque qui couvrait son visage et le lança sur le plancher.

— Vous avez raison ! s'écria-t-il, je suis le roi. Pourquoi essaierais-je de le cacher ?

— Pourquoi, en effet ? Votre Majesté n'avait pas encore parlé que je savais que je m'adressais à Wilhelm Gottsreich Sigismond von Ormstein, grand-duc de Cassel-Felstein et roi de Bohême.

— Mais vous pouvez comprendre, reprit notre étrange visiteur en se rasseyant et en passant la main sur son haut front blanc, vous pouvez comprendre que je n'ai pas l'habitude de traiter personnellement de pareilles affaires. Pourtant la chose était si délicate que je ne pouvais la confier à un agent sans me mettre en son pouvoir. Je suis donc venu de Prague incognito dans le but de vous consulter.

— Alors, je vous en prie, consultez, dit Holmes qui referma les yeux.

— En bref, voici les faits. Il y a quelque cinq ans, pendant une longue visite à Varsovie, j'ai fait la connaissance d'Irène Adler, l'aventurière bien connue. Le nom vous est sans doute familier.

— Docteur, voulez-vous bien consulter mon répertoire, murmura Holmes, sans ouvrir les yeux.

Depuis de longues années il avait adopté un tel système de classement de toutes sortes d'articles de presse concernant les gens et les choses, qu'il devenait difficile de nommer un sujet ou une personne sur lesquels il ne pût sur-le-champ fournir des renseignements. Dans le cas présent je trouvai la biographie de la dame entre celle d'un rabbin et celle d'un chef d'état-major qui avait écrit une monographie des poissons des grandes profondeurs.

— Voyons !... dit Holmes. Hum ! Née dans le New Jersey en 1858. Contralto. La Scala. Hum ! Prima donna à l'Opéra impérial de Varsovie. Oui ! A quitté le théâtre. Ah ! Fixée à

Londres, c'est bien cela ! Votre Majesté, à ce que je comprends, s'est trouvée prise dans les filets de cette jeune personne, lui a écrit quelques lettres compromettantes et désirerait maintenant ravoir ces lettres.

— Précisément, mais comment...

— Y a-t-il eu un mariage secret ?

— Non pas.

— Pas de papiers, de certificats légaux ?

— Aucun.

— Alors, je ne peux suivre Votre Majesté ; si cette jeune personne sortait ses lettres, pour vous faire chanter ou pour quelque autre but, comment pourrait-elle en prouver l'authenticité ?

— Il y a l'écriture.

— Bah ! Un faux !

— Mon papier à lettres particulier.

— Volé.

— Mon propre cachet !

— Imité.

— Ma photographie.

— Achetée.

— Nous étions tous les deux sur la photographie.

— Ah ! Diable ! C'est très mauvais, ça ! Votre Majesté a commis là, en vérité, une imprudence.

— J'étais fou, j'avais perdu la tête.

— Vous vous êtes compromis sérieusement.

— Je n'étais que prince héritier à l'époque. J'étais jeune. Je n'ai que trente ans à présent.

— Il faut la reprendre.

— Nous avons essayé et nous avons échoué.

— Votre Majesté sera obligée de payer. Il faut l'acheter.

— Elle ne veut pas la vendre.

— Il faut la voler, alors.

— On a essayé. Deux fois des cambrioleurs ont fouillé sa maison, une fois, pendant qu'elle voyageait, on a égaré ses bagages. Deux fois on lui a tendu un guet-apens et tout cela sans résultat.

— Aucune trace de la photographie ?

— Absolument aucune.

Holmes se mit à rire.

— C'est vraiment un joli petit problème.

— Mais c'est pour moi un problème très sérieux, expliqua le roi d'un ton de reproche.

— Très sérieux, en effet. Et que compte-t-elle faire de la photographie ?

— Ma ruine.

— Mais comment ?

— Je suis sur le point de me marier.

— C'est ce que j'ai entendu dire.

— J'épouse Clotilde Lothmann de Saxe Meiningen, seconde fille du roi de Scandinavie. Vous connaissez peut-être la rigidité de principes de cette famille. La jeune personne est, quant à elle, l'âme même de la délicatesse. L'ombre d'un doute à l'égard de ma conduite mettrait fin au projet.

— Et Irène Adler ?

— Elle menace de leur envoyer la photographie. Et elle le fera. Vous ne la connaissez pas, mais elle a une âme d'airain. Elle joint au visage de la plus belle des femmes la détermination du plus résolu des hommes. Plutôt que de me laisser épouser une autre femme, il n'y a pas une extrémité à laquelle elle ne se porterait. Pas une !

— Vous êtes sûr qu'elle ne l'a pas encore envoyée ?

— J'en suis sûr.

— Et pourquoi ?

— Parce qu'elle a déclaré qu'elle l'enverrait la veille du jour où les fiançailles seraient publiquement annoncées. Ce sera lundi prochain.

— Oh ! alors nous avons encore trois jours, dit Holmes en étouffant un bâillement. C'est très heureux, car j'ai pour le moment une ou deux affaires importantes à étudier. Votre Majesté, bien entendu, va maintenant rester à Londres ?

— Certainement. Vous me trouverez au *Langham*, sous le nom du comte von Kramm.

— Alors je vous enverrai deux mots pour vous informer de nos progrès.

— Faites-le, je vous en prie, je serai tout anxiété.

— Et quant à l'argent ?

— Vous avez carte blanche.

— Absolument ?

— Je vous dis que je donnerais une des provinces de mon royaume pour avoir cette photographie.

— Et pour les dépenses présentes ?

Le roi sortit de dessous son manteau une lourde sacoche en peau de chamois et la posa sur la table.

— Il y a là trois cents livres en or et sept cents en billets, dit-il.

Holmes griffonna un reçu sur une feuille de son carnet et le lui mit en main.

— Et l'adresse de mademoiselle ? demanda-t-il.

— Briony Lodge, Serpentine Avenue, St. John's Wood.

Holmes en prit note.

— Une question encore, dit-il d'un air soucieux. La photographie était-elle d'un format d'album ?

— Oui.

— Alors, bonne nuit, Majesté, et je crois que nous aurons bientôt de bonnes nouvelles pour vous. Bonne nuit aussi, Watson, ajouta-t-il, comme les roues du landau royal roulaient dans la rue. Si vous voulez bien venir demain après-midi, à trois heures, j'aimerais bavarder un peu avec vous de cette petite affaire.

2

À trois heures exactement j'étais à Baker Street, mais Holmes n'était pas encore rentré. La logeuse m'informa qu'il avait quitté la maison peu après huit heures du matin. Je m'assis, toutefois, près du feu, avec l'intention de l'attendre, quelque long qu'il pût être à revenir. J'étais déjà profondément intéressé par son enquête ; bien qu'elle n'offrît pas les aspects étranges et lugubres dont s'entouraient les deux grands crimes que j'ai déjà racontés, la nature de l'affaire et la situation élevée de son client lui donnaient cependant un caractère particulier. En vérité, en dehors de la nature de l'enquête prise en main par mon ami, il y avait dans sa façon de saisir et de dominer la situation et dans sa manière incisive et pénétrante de raisonner quelque chose qui faisait que j'éprouvais un vif agrément à étudier son système de travail et à suivre les méthodes rapides et subtiles grâce auxquelles il débrouillait les mystères les plus compliqués. J'étais si habitué à ses invariables succès que la seule possibilité d'un échec avait cessé de m'effleurer l'esprit.

Il me fallut attendre jusqu'à près de quatre heures avant que la porte ne s'ouvrît. Un palefrenier rougeaud, hirsute et qui portait des favoris, entra dans la pièce. Il semblait pris de boisson et, tout accoutumé que je fusse aux aptitudes étonnantes de mon ami à employer des déguisements, je dus y regarder à deux fois avant d'être certain que c'était bien lui. Il me fit un signe de tête et disparut dans sa chambre, d'où il sortit cinq minutes plus tard, vêtu d'un costume en drap écossais et aussi respectable que d'habitude. Ayant fourré les mains dans ses poches, il allongea ses jambes devant le feu et se mit à rire pendant quelques instants.

— Eh bien ! ça alors ! s'écria-t-il, suffoquant et se reprenant à rire au point d'en tomber à la renverse, quasi inerte, dans son fauteuil.

— Qu'y a-t-il ?

— C'est par trop drôle ! Je suis sûr que vous ne pourriez jamais deviner comment j'ai employé ma matinée ni ce que j'ai fini par faire. Je suis sorti un peu après huit heures du matin, déguisé en palefrenier sans travail. Il existe entre ces hommes de cheval une sympathie merveilleuse et une sorte de franc-maçonnerie. Devenez l'un d'eux et vous saurez bientôt tout ce qu'on peut savoir. J'ai donc trouvé Briony Lodge. C'est un bijou de villa avec un jardin par-derrière, mais bâtie en retrait en face de la route. Elle a deux étages. Et quelle serrure ! Un grand studio à droite, bien meublé, avec de hautes fenêtres qui descendent presque jusqu'au plancher et qui comportent de ces absurdes fermetures anglaises qu'un enfant même pourrait ouvrir. Derrière, il n'y avait rien de remarquable, si ce n'est que du sommet de la remise on pouvait atteindre la fenêtre du couloir. J'en ai fait le tour, et je l'ai examiné de près à tous les points de vue, mais sans rien observer d'autre qui fût intéressant.

« J'ai, alors, descendu la rue en flânant et j'ai trouvé, comme je m'y attendais, une écurie dans une ruelle qui court le long d'un des murs du jardin. J'ai donné un coup de main aux palefreniers pour bouchonner leurs chevaux et, en échange, j'ai reçu quatre sous, un verre de whisky, deux pipes de gros, et autant de renseignements que j'en pouvais désirer sur Mlle Adler, sans parler de ceux qu'on m'a fournis concernant une demi-douzaine d'autres personnes du voisinage auxquelles je ne m'intéressais pas le moins du monde, mais dont je fus contraint d'écouter les biographies.

— Et qu'avez-vous appris d'Irène Adler ?

— Oh ! Elle a tourné la tête de tous les hommes de là-bas. C'est la plus délicate créature qu'un béguin ait jamais coiffée sur cette planète. Elle mène une vie tranquille, chante dans des concerts, sort en voiture tous les jours à cinq heures et rentre à sept exactement pour le dîner. Elle sort rarement à d'autres heures, excepté quand elle chante. Un seul homme lui rend visite, mais elle le voit beaucoup. Il est brun, beau et élégant. Il vient toujours au moins une fois par jour et souvent deux fois. C'est un certain M. Godefroy Norton, membre du barreau. Et voyez l'avantage d'être dans les confidences d'un cocher : ceux-ci l'avaient, des écuries de Briony Lodge, ramené chez lui une douzaine de fois et ils n'ignoraient rien de ce qui le concerne. Quand j'ai eu écouté tout ce qu'ils avaient à dire, je me suis promené de nouveau du côté de la villa et j'ai médité mon plan de campagne.

« Ce Godefroy Norton était évidemment un facteur important dans l'affaire. C'était un homme de loi. Ça sonnait mal. Quelle relation y avait-il entre eux et quel était l'objet de ses fréquentes visites ? Était-elle sa cliente, son amie ou sa maîtresse ? Dans le premier cas, sans doute avait-elle confié la photographie à sa garde. Dans le dernier cas, c'était moins vraisemblable. Devais-je continuer de travailler à Briony Lodge ou bien devais-je tourner mon attention vers le logis du monsieur dans le quartier que hantent les avocats ? Cela dépendait de la réponse que je ferais à mes propres questions. C'était un point délicat et il élargissait le champ de mes recherches. J'ai peur de vous ennuyer avec ces détails, mais il faut que je vous fasse voir mes petites difficultés, si je veux que vous compreniez la situation.

— Je vous suis de très près.

— Je pesais encore la chose dans mon esprit quand un fiacre s'approcha de Briony Lodge et quand un monsieur en sortit vivement. C'était un garçon d'une grande beauté, brun, avec un nez aquilin et une moustache – évidemment l'homme dont on m'avait parlé. Il avait l'air très pressé, cria au cocher d'attendre et passa rapidement devant la bonne qui ouvrit la porte, en gaillard qui se sent tout à fait chez lui.

« Il resta dans la maison à peu près une demi-heure et je pus l'apercevoir aux fenêtres du studio, qui marchait de long en large et parlait avec animation en agitant les bras. D'elle,

43

je ne pus rien voir. Peu après il ressortit, l'air encore plus pressé que tout à l'heure. En montant dans le fiacre, il tira de sa poche une montre en or et la considéra très attentivement. "Allez comme le diable, cria-t-il, d'abord chez Gross et Hankey, dans Regent Street, et de là à l'église Sainte-Monique, dans Edgware Road. Une demi-guinée pour vous si vous y êtes en vingt minutes."

« Et les voilà partis, et je me demandais si je ne ferais pas bien de les suivre quand, remontant la ruelle, arrive un joli petit landau, le cocher avec son habit à moitié boutonné et sa cravate sous l'oreille, cependant que les ardillons des harnais étaient à peine assujettis. Il n'était pas arrêté qu'elle sortait comme un trait par la porte du vestibule et s'engouffrait dans la voiture. Je ne fis que l'apercevoir à ce moment-là, mais c'était une femme adorable, avec un visage pour lequel un homme se ferait tuer. "L'église Sainte-Monique, Jean, cria-t-elle, et un demi-souverain pour vous si vous y arrivez en vingt minutes."

« Ça, c'était trop bon pour le rater, Watson. J'hésitais, ne sachant si j'allais courir ou si je me percherais derrière son landau, quand un fiacre passa dans la rue. Le cocher regarda à deux fois le client déguenillé que j'étais, mais je sautai dans sa voiture avant qu'il pût me faire une objection. "Église Sainte-Monique, dis-je, et un demi-souverain si vous y arrivez en vingt minutes." Il était midi moins vingt-cinq et, naturellement, ce qui se manigançait était clair.

« Mon cocher arriva le dernier. Je ne pense pas avoir jamais roulé plus vite, mais les autres étaient là avant nous. Le fiacre et le landau, avec leurs chevaux fumants, se trouvaient devant la porte quand je suis arrivé. J'ai payé mon homme et je me suis précipité dans l'église. Il n'y avait pas âme qui vive, excepté les deux personnes que j'avais suivies et un prêtre en surplis qui semblait discuter avec elles. Tous trois formaient un groupe devant l'autel. Je flânais sur un des bas-côtés, comme un promeneur oisif entré dans l'église par accident. Soudain, à ma grande surprise, les trois personnages de l'autel se tournèrent de mon côté et Godefroy Norton vint en courant vers moi, aussi vite qu'il le pouvait.

« — Dieu merci ! s'exclama-t-il, vous ferez l'affaire. Venez ! Venez !

« — Mais quoi donc ? demandai-je.

« — Venez, l'ami, venez ! rien que trois minutes ou bien ça ne sera pas valable.

« Je fus à moitié entraîné vers l'autel et avant de savoir où j'étais, je me trouvais en train de marmonner des réponses qu'on me chuchotait à l'oreille, de me porter garant de choses dont j'ignorais tout et d'aider, d'une façon générale, à unir étroitement par les liens du mariage Irène Adler, demoiselle, à Godefroy Norton, célibataire. Ce fut fait en un instant et le monsieur était là à me remercier d'un côté, la dame de l'autre, tandis qu'en face le clergyman rayonnait en me regardant. C'est la situation la plus absurde dans laquelle je me suis jamais trouvé de ma vie et c'est cette pensée qui, tout à l'heure, me faisait rire encore. Il paraît qu'en raison d'un vice de forme quelconque dans leur licence de mariage, le clergyman refusait absolument de les marier sans témoin, de sorte que mon apparition providentielle épargna au fiancé le désagrément de sortir dans la rue à la recherche d'un garçon d'honneur. La fiancée m'a donné un souverain et je veux le porter toujours à ma chaîne de montre en souvenir de l'événement. »

— L'affaire, dis-je, a pris là une tournure très inattendue. Et après ?

— Eh bien ! j'ai trouvé mes plans très sérieusement menacés. Le couple semblait capable de partir sur-le-champ, ce qui allait nécessiter de ma part des mesures promptes et énergiques. Toutefois, à la porte de l'église, ils se quittèrent, lui retournait en voiture dans son quartier de légistes et elle à sa villa. « Je ferai ma promenade au parc comme d'habitude », dit-elle, et elle s'éloigna. Je n'en entendis pas davantage. Ils s'en allèrent chacun de leur côté, et je m'en fus prendre mes dispositions.

— C'est-à-dire ?

— Quelques tranches de bœuf froid et un verre de bière, répondit-il en sonnant. J'ai été trop occupé pour songer à manger et vraisemblablement je serai plus occupé encore ce soir. À propos, docteur, j'aurai besoin de votre concours.

— J'en serai enchanté.

— Ça vous est égal de violer la loi ?

— Absolument.

— Et de courir le risque d'être arrêté ?

— Oui, pour une bonne cause.

— Oh ! la cause est excellente !

— Alors je suis votre homme.

— J'étais sûr que je pourrais compter sur vous.

— Mais que désirez-vous ?

— Quand Mme Turner aura servi, je vous l'expliquerai. Maintenant, dit-il, tout en attaquant avec appétit la simple collation que notre hôtesse avait apportée, il faut que je vous expose les choses en mangeant, car je n'ai guère de temps. Il est presque cinq heures à présent. Dans deux heures il nous faudra être sur le lieu de l'action. Mlle Irène, ou plutôt Madame, rentre de promenade. Il faut que nous soyons à Briony Lodge pour la rencontrer.

— Et ensuite ?

— Il faut vous en remettre à moi. J'ai déjà arrangé ce qui doit arriver. Il n'y a qu'un point, un seul, sur lequel il faut que j'insiste. Vous ne devrez pas intervenir, quoi qu'il arrive. C'est compris ?

— Je dois rester neutre.

— Ne rien faire, absolument rien. Il y aura sans doute quelques incidents désagréables. Ne vous en mêlez point. Cela se terminera par mon transport dans la maison. Quatre ou cinq minutes après, la fenêtre du studio s'ouvrira. Vous devrez vous tenir tout près de cette fenêtre ouverte.

— Oui.

— Vous me surveillerez, car vous pourrez me voir.

— Oui.

— Et quand je lèverai la main – comme cela – vous jetterez dans la pièce ce que je vous donnerai à jeter et en même temps, vous crierez « au feu ! ». Vous me suivez bien ?

— Tout à fait.

— Ce n'est rien de bien terrible, dit-il, cependant qu'il tirait de sa poche un long rouleau qui avait la forme d'un cigare. C'est une banale fusée fumigène de plombier ; elle est garnie, à chaque extrémité, d'une capsule automatiquement inflammable. C'est à cela que se borne votre tâche. Quand vous pousserez le cri : « Au feu ! » il sera repris par bon nombre de gens. Vous pourrez alors vous en aller tout doucement jusqu'au bout de la rue et je vous y rejoindrai dix minutes plus tard. J'espère m'être fait bien comprendre ?

— Je dois demeurer neutre, m'approcher de la fenêtre, vous surveiller et, au signal, jeter à l'intérieur cet objet, puis crier « au feu ! » et vous attendre au bout de la rue.

— Exactement.

— Vous pouvez donc compter entièrement sur moi.

— Voilà qui est excellent. Je crois qu'il est temps de me préparer au nouveau rôle que je dois jouer.

Il disparut dans sa chambre à coucher et en revint quelques minutes après, sous l'aspect d'un clergyman non conformiste, aimable et débonnaire. Son grand chapeau noir, son pantalon ample, sa cravate blanche, son sourire sympathique et tout son air de curiosité évidente mais bienveillante étaient si bien imités que seul un grand acteur aurait pu rivaliser avec lui. Holmes n'avait pas seulement changé de costume. Son expression, son allure, son âme même semblaient changer avec tout nouveau rôle assumé. Le théâtre a perdu un bel acteur, tout comme la science a perdu un chercheur perspicace, quand il est devenu spécialiste du crime.

Il était six heures et quart quand nous sommes partis de Baker Street et sept heures moins dix quand nous nous sommes trouvés dans Serpentine Avenue. Il faisait déjà sombre et on commençait à allumer les lampes tandis que nous faisions les cent pas devant Briony Lodge en attendant le retour de la dame qui l'occupait. La maison était bien telle que je me l'étais représentée d'après la description succincte de Sherlock Holmes, mais le voisinage me parut moins bourgeois que je ne m'y attendais. Au contraire, pour une petite rue dans un quartier tranquille, elle était remarquablement animée. Il y avait là un groupe d'hommes aux vêtements usés qui fumaient et riaient, un rémouleur avec sa roue, deux soldats qui plaisantaient avec une nourrice et plusieurs jeunes gens qui flânaient, allant et venant, le cigare à la bouche.

— Vous voyez, observa Holmes, pendant que nous nous promenions en face de la maison, ce mariage simplifie plutôt les choses. La photographie devient à présent une arme à deux tranchants. Il y a des chances pour que la dame ne tienne pas plus à ce que M. Godefroy Norton voie la photographie que notre client ne tient à ce qu'elle vienne sous les yeux de sa princesse. À présent la question est : Où devons-nous chercher la photographie ?

— Oui, où, en effet ?

— Il est tout à fait invraisemblable qu'elle la porte sur elle. D'un format d'album elle est trop grande pour qu'il soit facile de la cacher dans un vêtement de femme. Elle sait que le roi est capable de lui tendre un guet-apens et de la faire fouiller. Deux tentatives de ce genre ont déjà été faites sans succès. Nous pouvons donc admettre qu'elle ne la porte pas sur elle.

— Où, alors ?

— Son banquier ou son homme de loi. C'est une double possibilité. Mais je suis porté à croire que ni l'un ni l'autre ne la détient. Les femmes ont naturellement tendance aux cachotteries et elles aiment garder elles-mêmes leurs choses secrètes. Pourquoi la confierait-elle à quelqu'un d'autre ? Elle peut avoir confiance en elle-même pour la garder, mais il lui est impossible de prévoir quelle pression indirecte ou politique on pourrait exercer sur un homme d'affaires. Rappelez-vous, en outre, qu'elle a pris la résolution de s'en servir d'ici quelques jours. Il faut donc que la photographie se trouve là où elle peut mettre la main dessus. Elle doit être dans la maison.

— Mais on l'a cambriolée deux fois.

— Bah ! Les cambrioleurs n'ont pas su chercher.

— Mais comment chercherez-vous ?

— Je ne chercherai pas.

— Comment, alors ?

— Je l'amènerai à me la montrer.

— Mais elle refusera.

— Elle ne le pourra pas. Mais j'entends un bruit de roues. C'est sa voiture. Exécutez maintenant mes ordres à la lettre.

Comme il prononçait ces mots, la lueur des lanternes d'une voiture apparut dans la courbe de l'avenue. C'était un coquet petit landau qui s'approcha bruyamment de la porte de Briony Lodge. Quand il s'arrêta, un des flâneurs qui se trouvaient dans le coin se précipita vivement pour ouvrir la portière dans l'espoir de gagner quelques sous, mais il fut bousculé par un autre qui accourait dans les mêmes intentions. Une vive querelle éclata qu'augmenta encore l'arrivée de deux soldats, qui prirent parti pour l'un des flâneurs, et le rémouleur qui ne fut pas moins prompt à prendre parti pour l'autre. Un coup fut porté et, en un instant, la dame, descendue de sa voiture, se trouva au centre d'un petit groupe d'hommes qui se battaient et qui se frappaient sauvagement à coups de poing et à coups de canne. Holmes se précipita dans la mêlée pour la protéger mais, juste au moment où il parvenait près d'elle, il poussa un cri et tomba par terre, le visage inondé de sang. À cette vue, les soldats s'enfuirent à toute vitesse dans une direction, les flâneurs dans une autre, tandis que des gens mieux habillés qui avaient regardé l'échauffourée sans y prendre part s'empressaient, nombreux, pour aider la dame et s'occuper du blessé. Irène Adler (comme je continuerai à l'appeler) avait, en toute hâte, gravi les marches du perron ; mais elle restait debout sur la dernière et, sa superbe silhouette se détachant devant les lumières du vestibule, elle regardait derrière elle dans la rue.

— Ce pauvre monsieur est-il gravement blessé ? demanda-t-elle.

— Il est mort ! s'écrièrent plusieurs voix.

— Non, non ! il vit encore, cria une autre, mais il passera avant qu'on puisse le transporter à l'hôpital.

— C'est un brave ! dit une femme. Sans lui, ils auraient pris le porte-monnaie et la montre de cette dame. C'était une bande et une rude, qui plus est ! Ah ! voilà qu'il respire, maintenant.

— Il ne peut pas rester couché là dans la rue. Pouvons-nous le porter à l'intérieur, madame ?

— Bien sûr. Apportez-le dans le studio. Il y a un divan confortable. Par ici, s'il vous plaît.

Lentement et solennellement on le porta dans Briony Lodge, on l'étendit dans la pièce principale tandis que, de mon poste à proximité de la fenêtre, j'observais ce qui se passait. On avait allumé les lampes, mais on n'avait pas tiré les stores, de sorte que je pouvais voir Holmes couché sur le divan. Je ne sais si, à ce moment-là, il éprouva du remords de la comédie qu'il jouait, mais je sais que, pour ma part, de ma vie je ne me suis jamais senti plus sincèrement honteux que lorsque je vis la splendide créature contre qui je conspirais s'occuper du blessé avec autant de grâce que de bonté. Pourtant c'eût été trahir bassement Holmes que de me soustraire au rôle qu'il m'avait confié. J'endurcis mon cœur et je sortis de dessous mon pardessus la fusée fumigène. « Après tout, pensai-je, nous ne lui faisons pas de tort, nous ne faisons que l'empêcher de nuire à autrui. »

Holmes s'était assis sur le divan, et je le vis esquisser le mouvement d'un homme qui suffoque. Une bonne traversa la pièce à la hâte et ouvrit vivement la fenêtre. Au même instant je vis Holmes lever la main et à ce signal je lançai ma fusée dans la chambre en criant : « Au feu ! » Les mots étaient à peine sortis de ma bouche que toute la foule des spectateurs, qu'ils fussent bien habillés ou guenilleux, hommes du monde, palefreniers ou servantes, s'unissaient pour hurler tous : « Au feu ! » D'épais nuages de fumée montaient, ondoyaient dans la pièce et sortaient par la fenêtre ouverte. J'aperçus des silhouettes qui se précipitaient et, un instant après, j'entendis la voix de Sherlock Holmes qui, de l'intérieur, assurait que c'était une fausse alerte. Je me faufilai alors parmi la foule hurlante et me dirigeai vers le coin de la rue. Dix minutes après, je vis avec satisfaction mon ami passer son bras sous le mien et nous nous éloignâmes du théâtre de tout ce vacarme. Pendant quelques minutes, il marcha d'un pas pressé et silencieux. Puis, lorsque nous eûmes tourné une des paisibles rues transversales qui mènent vers Edgware Road :

— Vous vous en êtes très bien tiré, docteur, remarqua-t-il. On n'aurait pu mieux faire. C'est très bien !

— Vous avez la photographie ?

— Je sais où elle est.

— Et comment l'avez-vous trouvée ?

— Elle me l'a montrée, comme je vous avais dit qu'elle le ferait.

— Je suis toujours dans le noir.

— Je ne veux pas vous en faire un mystère, dit-il en riant ; la chose était parfaitement simple. Vous avez vu, bien sûr, que tout le monde, dans la rue, était complice. Je les avais tous engagés pour la soirée.

— Ça, je l'avais deviné.

— Alors, quand la bagarre a éclaté, j'avais un peu de couleur fraîche dans la paume de ma main. Je me suis précipité en avant, je suis tombé, j'ai passé vivement ma main sur mon visage et je suis devenu bien piteux à voir. C'est une vieille ruse.

— De cela aussi j'ai pu me rendre compte.

— Ensuite on m'a porté à l'intérieur. Elle ne pouvait pas ne pas me faire entrer. Qu'aurait-elle pu faire d'autre ? Et me faire entrer dans son studio qui était la pièce même que je soupçonnais. C'était ou cette pièce-là, ou sa chambre à coucher, et j'étais résolu à savoir laquelle. On m'a déposé sur un divan, j'ai fait signe que je manquais d'air, il fallait bien ouvrir la fenêtre et alors vous avez eu votre chance.

— En quoi cela vous a-t-il aidé ?

— C'était très important. Quand une femme pense que sa maison brûle, son instinct la pousse à se précipiter vers ce à quoi elle tient le plus. C'est un élan qui l'emporte sur tout, et j'en ai plus d'une fois profité. Dans le cas du scandale de substitution de personne à Darlington, cela m'a servi et aussi dans l'affaire du château d'Arnsworth. Une femme mariée s'empare de son bébé, une femme qui ne l'est pas court à son coffret à bijoux. Or, il était clair pour moi que notre dame d'aujourd'hui n'avait dans la maison rien de plus précieux que ce que nous cherchions. Elle se précipiterait pour le sauver. L'alerte d'incendie a été admirablement donnée. La fumée et les cris auraient pu ébranler des nerfs d'acier. Elle a parfaitement répondu à mon attente. La photographie est dans une cachette, derrière un panneau à glissière, juste au-dessus du cordon de sonnette à droite. La dame y a bondi en un clin d'œil et j'ai aperçu l'image quand elle l'en a retirée. Quand j'ai crié que c'était une fausse alerte, elle l'a remise à sa place, elle a regardé la fusée, puis elle est sortie vivement de la pièce et je ne l'ai plus revue. Je me suis levé et, tout en faisant mes excuses, je me suis échappé de la maison. J'ai hésité, me demandant si je devais essayer de m'assurer de la photo sur-le-champ, mais le cocher était entré et, comme il me surveillait de près, il m'a paru plus sage d'attendre. Un peu trop de précipitation aurait tout gâché.

— Et maintenant ?

— Pratiquement, notre enquête est finie. Demain je lui rendrai visite avec le roi, et avec vous, s'il vous plaît de nous accompagner. On nous introduira dans le studio pour attendre la dame, mais il est probable que lorsqu'elle viendra, elle ne trouvera plus ni nous ni la photographie. Ce pourrait être une satisfaction pour le roi de la récupérer de ses propres mains.

— Et quand lui rendrez-vous visite ?

— À huit heures du matin. Elle ne sera pas levée, de sorte que nous aurons le champ libre. D'ailleurs il faut agir vite car ce mariage peut impliquer un changement complet dans sa vie et ses habitudes. Il faut que je télégraphie au roi sans retard.

Nous étions parvenus à Baker Street et nous nous étions arrêtés à la porte. Il cherchait ses clés dans sa poche quand quelqu'un passa et dit :

— Bonne nuit, monsieur Sherlock Holmes !

Il y avait plusieurs personnes sur le trottoir à ce moment-là, mais ce salut semblait venir d'un jeune homme svelte qui était passé très vite.

— J'ai déjà entendu cette voix, dit Holmes en regardant la rue faiblement éclairée. Je me demande qui diable ça pouvait bien être.

3

J'ai couché cette nuit-là à Baker Street et nous étions le matin en train de déguster notre café avec des rôties beur-rées quand le roi de Bohême est entré en trombe dans la pièce.

— Vous l'avez vraiment ? s'écria-t-il en saisissant Sherlock Holmes par les deux épaules et en le regardant anxieusement bien en face.

— Pas encore.

— Mais vous espérez l'avoir ?

— Je l'espère.

— Alors venez. Je ne tiens pas en place. Il me tarde de partir.

— Il nous faut un fiacre.

— Non, ma voiture attend.

— Ça simplifiera donc les choses.

Nous sommes descendus et tout de suite nous sommes partis pour Briony Lodge.

— Irène Adler est mariée, remarqua Holmes.

— Mariée ? Depuis quand ?

— Hier.

— Mais avec qui ?

— Avec un homme de loi anglais, du nom de Norton.

— Mais elle ne saurait l'aimer.

— J'espère qu'elle l'aime.

— Et pourquoi l'espérez-vous ?

— Parce que cela épargnerait à Votre Majesté toute crainte d'ennui à l'avenir. Si la dame aime son mari, elle n'aime pas Votre Majesté. Si elle n'aime pas Votre Majesté, il n'y a pas de raison qu'elle contrarie le projet de Votre Majesté.

— C'est vrai. Et pourtant... Ah ! j'aurais voulu qu'elle fût de mon propre sang. Quelle reine elle aurait fait !

Il retomba dans un silence maussade qu'il ne rompit que lorsque nous arrivâmes à Serpentine Avenue.

La porte de Briony Lodge était ouverte et une femme d'un certain âge était plantée en haut du perron. Elle nous regarda d'un œil ironique pendant que nous descendions de la voiture.

— Monsieur Sherlock Holmes, sauf erreur ? dit-elle.

— Je suis M. Holmes, répondit mon compagnon en la considérant avec un regard interrogateur et plutôt étonné.

— En effet ! Ma maîtresse m'a dit que très probablement vous lui rendriez visite. Elle est partie de Charing Cross ce matin pour le Continent, par le train de 5 h 15, en compagnie de son mari.

— Quoi ! (Sherlock Holmes, pâle de déception et de surprise, fit en arrière un pas incertain.) Est-ce à dire qu'elle a quitté l'Angleterre ?

— Pour n'y jamais revenir.

— Et les papiers ? demanda le roi d'une voix rauque. Tout est perdu !

— Nous verrons bien !

Holmes écarta la domestique et se précipita dans le salon, suivi du roi et de moi-même. Les meubles étaient dispersés de droite et de gauche, les étagères étaient dégarnies et les tiroirs ouverts, comme si la dame avait tout fouillé avant de fuir. Holmes se hâta de courir au cordon de sonnette, arracha brusquement le petit volet à glissière et, plongeant la main dans la cachette, en tira une photographie et une lettre. La photographie était celle d'Irène Adler elle-même en robe du soir ; la lettre était adressée à « *M. Sherlock Holmes – Poste restante* ». Mon ami déchira l'enveloppe et tous les trois nous la lûmes ensemble. Elle était datée de minuit cette nuit-là et ainsi rédigée :

« *Mon cher monsieur Sherlock Holmes,*

« *Vous avez vraiment bien joué. J'y ai été complètement prise. Ce n'est qu'après que fut donnée l'alerte de l'incendie que m'est venu un soupçon. Mais j'ai découvert alors en quoi je m'étais trahie et j'ai commencé à réfléchir. On m'avait mise en garde contre vous il y a des mois. On m'avait dit que si le roi employait un agent, ce serait sûrement vous et on m'avait* donné votre adresse. Pourtant, en dépit de tout cela, vous m'avez fait vous révéler ce que vous vouliez savoir. Même après que j'eus conçu des soupçons, j'éprouvais quelque scrupule à penser du mal d'un si gentil, si bon vieux clergyman. Mais, vous le savez, j'ai moi-même été rompue au métier d'actrice. Le costume masculin n'est pas une nouveauté pour moi. J'ai souvent profité de la liberté qu'il donne. J'ai donc envoyé Jean, mon cocher, vous surveiller, je suis montée au premier, j'ai revêtu ce que j'appelle mon costume de promenade, et je suis redescendue juste au moment où vous vous en alliez.

« Eh bien, je vous ai suivi jusqu'à votre porte et je me suis ainsi assurée que c'était bien l'illustre M. Sherlock Holmes qui s'intéressait à moi. Alors, assez imprudemment, je vous ai souhaité une bonne nuit et je suis allée au domicile de mon mari.

« Tous les deux nous avons pensé que ce qu'il y avait de mieux à faire quand un adversaire aussi formidable vous poursuit c'était de fuir ; vous trouverez donc le nid vide, quand vous viendrez demain. Quant à la photographie, votre client peut dormir en paix. Je suis aimée par un homme qui vaut mieux que lui. Le roi pourra faire ce qu'il lui plaira sans qu'une femme qu'il a cruellement offensée y mette obstacle. Je la garde seulement comme une protection et je conserve ainsi une arme qui me garantira toujours contre toute démarche qu'il pourrait faire à l'avenir. Je laisse une photographie qu'il aimera peut-être avoir et je reste, cher monsieur Sherlock Holmes, votre toute dévouée.

Irène NORTON, née ADLER. »

— Quelle femme ! Oh ! quelle femme ! s'écria le roi de Bohême quand nous eûmes tous les trois achevé la lecture de cette lettre. Ne vous avais-je pas dit à quel point elle était vive et résolue ! N'aurait-elle pas fait une reine admirable ? Quel dommage, hein, qu'elle n'ait pas été du même niveau social que moi ?

— D'après ce que j'ai vu de cette dame, elle semble, en effet, être d'un niveau différent de celui dc Votrc Majesté, dit Holmes avec froideur. Je suis désolé de n'avoir pu mener cette affaire de Votre Majesté à une fin plus heureuse.

— Au contraire, cher monsieur, nulle fin ne pouvait être plus heureuse. Je sais que sa parole sera tenue. La photographie est à présent si bien en sûreté que ce ne serait pas mieux si elle était brûlée.

— Je suis heureux d'entendre Votre Majesté parler ainsi.

— J'ai envers vous une dette immense. Je vous en prie, dites-moi comment je puis vous récompenser... Cet anneau...

Il fit glisser de son doigt une bague qui représentait un serpent enroulé et qu'enrichissait une émeraude. Il la prit dans le creux de sa main et la tendit à Holmes.

— Votre Majesté a un objet que j'apprécierai bien davantage, dit celui-ci.

— Vous n'avez qu'à le nommer.

— Cette photographie.

Étonné, le roi le regarda en s'écriant :

— La photographie d'Irène ? Certainement, si vous la désirez.

— Je remercie Votre Majesté. Voilà qui termine cette affaire. J'ai l'honneur de vous souhaiter le bonjour.

Il s'inclina et, se détournant sans paraître remarquer la main que le roi lui tendait, il partit en ma compagnie dans la direction de Baker Street.

Et voilà comment un grand scandale menaça de troubler la Bohême, comment les plans les plus habiles de M. Sherlock Holmes furent déjoués par l'astuce d'une femme. Il avait l'habitude de se moquer un peu de la rouerie des femmes mais, depuis quelque temps, il s'en est abstenu. Et lorsqu'il parle d'Irène Adler ou qu'il fait allusion à sa photographie, c'est toujours en lui décernant ce titre d'honneur : *La Femme*.

L'ESCARBOUCLE BLEUE

C'était le surlendemain de Noël. Je m'étais rendu chez mon ami Sherlock Holmes, afin de lui présenter les vœux d'usage en cette période de l'année. Je le trouvai en robe de chambre pourpre, allongé sur son divan, son râtelier à pipes à portée de la main. Sur le parquet, un tas de journaux, dépliés et froissés, indiquait qu'il avait dépouillé avec soin la presse du matin. On avait approché du divan une chaise, au dossier de laquelle était accroché un chapeau melon, graisseux et minable, bosselé par endroits et qui n'était plus neuf depuis bien longtemps. Une loupe et une pince, posées sur le siège, donnaient à penser que le triste objet n'avait été placé là qu'aux fins d'examen.

— Vous êtes occupé, dis-je. Je vous dérange ?

— Nullement, Watson ! Je suis au contraire ravi d'avoir un ami avec qui discuter mes conclusions. L'affaire n'a pas la moindre importance, mais ce vieux couvre-chef soulève quelques menus problèmes qui ne sont point dépourvus d'intérêt et qui pourraient être assez instructifs.

Je m'assis dans le fauteuil de Holmes et me réchauffai les mains devant le feu qui pétillait dans la cheminée. Il gelait sévèrement et les vitres étaient couvertes d'épaisses fleurs de givre.

— J'imagine, déclarai-je, que, malgré son innocente apparence, ce chapeau joue un rôle dans quelque tragique histoire, qu'il est l'indice qui vous permettra d'élucider quelque mystérieuse affaire et de provoquer le châtiment d'un odieux criminel.

— Il n'est nullement question de ça ! répondit Holmes en riant. Il ne s'agit pas d'un crime, mais d'un de ces petits incidents amusants qui arrivent nécessairement quand quatre millions d'individus se coudoient dans un espace de quelques miles carrés. Étant donné la multiplicité et la diversité des activités d'une telle foule, on peut s'attendre à rencontrer toutes les combinaisons d'événements possibles et bien des petits problèmes, intéressants parce que bizarres, mais qui ne relèvent pas pour autant de la criminologie. Nous en avons déjà fait l'expérience.

— C'est si vrai, fis-je observer, que, des six affaires qui font l'objet de mes dernières notes, trois au moins ne comportaient aucun crime, au sens légal du mot.

— Très juste ! Vous faites allusion à la récupération des papiers d'Irène Adler, à la curieuse affaire de Miss Mary Sutherland et à l'aventure de l'homme à la lèvre tordue. Je suis convaincu que la petite énigme qui m'intéresse en ce moment ressortit à la même catégorie. Vous connaissez Peterson, le commissionnaire ?

— Oui.

— C'est à lui qu'appartient ce trophée.

— C'est son chapeau ?

— Non, non ! Il l'a trouvé. Son propriétaire est inconnu. Je vous demanderai d'examiner ce chapeau, en le considérant, non pas comme un galurin qui n'en peut plus, mais comme un problème intellectuel. Auparavant, toutefois, je veux vous dire comment il est venu ici. Il est arrivé chez moi le matin de Noël, en compagnie d'une belle oie bien grasse, qui, je n'en doute pas, est à l'heure qu'il est en train de rôtir sur le feu de Peterson. Les faits, les voici. Le matin de Noël, vers quatre heures, Peterson – qui, comme vous le savez, est un garçon parfaitement honnête – rentrait chez lui après une petite fête quand, dans Tottenham Court Road, à la lumière des réverbères, il aperçut, marchant devant lui et zigzaguant un peu, un homme assez grand qui portait une oie sur l'épaule. Au coin de Goodge Street, une querelle éclata entre cet inconnu et une poignée de voyous, dont l'un lui fit sauter son chapeau. L'homme leva sa canne pour se défendre et, lui faisant décrire un moulinet au-dessus de sa tête, fracassa la glace du magasin qui se trouvait derrière lui. Peterson se mit à courir pour porter secours au bonhomme, mais celui-ci, stupéfait d'avoir fait voler une vitrine en éclats et peut-être inquiet de voir arriver sur lui un type en uniforme, laissa tomber son oie, tourna les talons et s'évanouit dans le labyrinthe des petites rues voisines. Les voyous ayant, eux aussi, pris la fuite à son apparition, Peterson restait maître du champ de bataille. Il ramassa le butin, lequel se composait de ce chapeau qui défie les qualificatifs et d'une oie à qui il n'y avait absolument rien à reprocher.

— Naturellement, il les a restitués, l'un et l'autre, à leur légitime propriétaire ?

— C'est là, mon cher ami, que gît le problème ! Il y avait bien, attachée à la patte gauche de l'oie, une étiquette en carton portant l'inscription : « Pour Mme Henry Baker », on trouve aussi sur la coiffe du chapeau les initiales « H.B. », mais, comme il y a dans notre bonne ville quelques milliers de Baker et quelques centaines de Henry Baker, il est difficile de trouver le bon pour lui rendre son bien.

— Finalement, quel parti Peterson a-t-il pris ?

— Sachant que la moindre petite énigme m'intéresse, il m'a, le jour de Noël, apporté ses trouvailles. Nous avons gardé l'oie jusqu'à ce matin. Aujourd'hui, malgré le gel, certains signes indiquaient qu'elle « demandait » à être mangée sans délai. Peterson l'a donc emportée vers ce qui est l'inéluctable destin des oies de Noël. Quant au chapeau, je l'ai gardé.

— Son propriétaire n'a pas mis deux lignes dans le journal pour le réclamer ?

— Non.

— De sorte que vous n'avez rien qui puisse vous renseigner sur son identité ?

— Rien. Mais nous avons le droit de faire quelques petites déductions...

— En partant de quoi ? Du chapeau ?

— Exactement.

— Vous plaisantez ! Qu'est-ce que ce vieux melon pourrait vous apprendre ?

— Voici ma loupe, Watson ! Vous connaissez ma méthode. Regardez et dites-moi ce que ce chapeau vous révèle sur la personnalité de son propriétaire.

Je pris l'objet sans enthousiasme et l'examinai longuement. C'était un melon noir très ordinaire, qui avait été porté – et pendant très longtemps – par un homme dont la tête ronde n'offrait aucune particularité de conformation. La garniture intérieure, en soie, rouge à l'origine, avait à peu près perdu toute couleur. On ne relevait sur la coiffe aucun nom de fabricant. Il n'y avait que ces initiales « H.B. » dont Holmes m'avait parlé. Le cordonnet manquait, qui aurait dû être fixé à un petit œillet percé dans le feutre du bord. Pour le reste, c'était un chapeau fatigué, tout bosselé, effroyablement poussiéreux, avec çà et là des taches et des parties décolorées qu'on paraissait avoir essayé de dissimuler en les barbouillant d'encre.

— Je ne vois rien, dis-je, restituant l'objet à mon ami.

— Permettez, Watson ! Vous voyez tout ! Seulement, vous n'osez pas raisonner sur ce que vous voyez. Vous demeurez d'une timidité excessive dans vos conclusions.

— Alors, puis-je vous demander ce que sont vos propres déductions ?

Holmes prit le chapeau en main et le considéra de ce regard perçant qui était chez lui très caractéristique.

— Il est peut-être, dit-il, moins riche en enseignements qu'il aurait pu l'être, mais on peut cependant de son examen tirer certaines conclusions qui sont incontestables et d'autres qui représentent à tout le moins de fortes probabilités. Que le propriétaire de ce chapeau soit un intellectuel, c'est évident, bien entendu, comme aussi qu'il ait été, il y a trois ans, dans une assez belle situation de fortune, encore qu'il ait depuis connu des jours difficiles. Il était prévoyant, mais il l'est aujourd'hui bien moins qu'autrefois, ce qui semble indiquer un affaissement de sa moralité, observation, qui, rapprochée de celle que nous avons faite sur le déclin de sa fortune, nous donne à penser qu'il subit quelque influence pernicieuse, celle de la boisson vraisemblablement. Ce vice expliquerait également le fait, patent celui-là, que sa femme a cessé de l'aimer.

— Mon cher Holmes !

Ignorant ma protestation, Holmes poursuivait :

— Il a pourtant conservé un certain respect de soi-même. C'est un homme qui mène une vie sédentaire, sort peu et se trouve en assez mauvaise condition physique. J'ajoute qu'il est entre deux âges, que ses cheveux grisonnent, qu'il est allé chez le coiffeur ces jours-ci et qu'il se sert d'une brillantine au citron. Tels sont les faits les plus incontestables que ce chapeau nous révèle. J'oubliais ! Il est peu probable que notre homme ait le gaz chez lui.

— J'imagine, Holmes, que vous plaisantez !

— Pas le moins du monde ! Vous n'allez pas me dire que, connaissant maintenant mes conclusions, vous ne voyez pas comment je les ai obtenues ?

— Je suis idiot, je n'en doute pas, mais je dois vous avouer, Holmes, que je suis incapable de vous suivre ! Par exemple, de quoi déduisez-vous que cet homme est un intellectuel ?

Pour toute réponse, Holmes mit le chapeau sur sa tête : la coiffure lui couvrit le front tout entier et vint s'arrêter sur l'arête de son nez.

— Simple question de volume, dit-il. Un homme qui a un crâne de cette dimension doit avoir quelque chose à l'intérieur.

— Et le déclin de sa fortune ?

— Ce chapeau est vieux de trois ans. C'est à ce moment-là qu'on a fait ces bords plats, relevés à l'extérieur. Il est de toute première qualité. Regardez le ruban et la garniture intérieure. Si le personnage pouvait se payer un chapeau de prix il y a trois ans, et s'il n'en a pas acheté un autre depuis, c'est évidemment que ses affaires n'ont pas été brillantes !

— Je vous accorde que c'est, en effet, très probable. Mais la prévoyance et l'affaissement de sa moralité ?

Sherlock Holmes se mit à rire.

— La prévoyance, tenez, elle est là !

Il posait le doigt sur le petit œillet métallique fixé dans le bord du chapeau.

Cet œillet, expliqua t il, le chapelier ne le pose que sur la demande du client. Si notre homme en a voulu un, c'est qu'il est dans une certaine mesure prévoyant, puisqu'il a songé aux jours de grand vent et pris ses précautions en conséquence. Mais nous constatons qu'il a cassé le cordonnet et ne s'est pas donné la peine de le faire remplacer. D'où nous concluons qu'il est maintenant moins prévoyant qu'autrefois, signe certain d'un caractère plus faible aujourd'hui qu'hier. Par contre, il a essayé de dissimuler des taches en les recouvrant d'encre, ce qui nous prouve qu'il a conservé un certain amour-propre.

— Votre raisonnement est certes plausible.

— Quant au reste, l'âge, les cheveux grisonnants, récemment coupés, l'emploi de la brillantine au citron, tout cela ressort d'un examen attentif de l'intérieur du chapeau, dans sa partie inférieure. La loupe révèle une quantité de bouts de cheveux minuscules, manifestement coupés par les ciseaux du coiffeur. Ils sont gras et l'odeur de la brillantine au citron est très perceptible. Cette poussière, vous le remarquerez, n'est pas la poussière grise et dure qu'on ramasse dans la rue, mais la poussière brune et floconneuse qui flotte dans les appartements. D'où nous pouvons conclure que ce chapeau restait la plupart du temps accroché à une patère.

Les marques d'humidité qu'on distingue sur la coiffe prouvent que celui qui le portait transpirait abondamment, ce qui donne à croire qu'il n'était pas en excellente condition physique.

— Mais vous avez aussi parlé de sa femme, allant jusqu'à dire qu'elle ne l'aimait plus !

— Ce chapeau n'a pas été brossé depuis des semaines. Quand votre femme, mon cher Watson, vous laissera sortir avec une coiffure sur laquelle je verrai s'accumuler la poussière de huit jours, je craindrai fort que vous n'ayez, vous aussi, perdu l'affection de votre épouse.

— Mais cet homme était peut-être célibataire ?

— Vous oubliez, Watson, qu'il rapportait une oie à la maison pour l'offrir à sa femme ! Rappelez-vous l'étiquette accrochée à la patte du volatile !

— Vous avez réponse à tout. Pourtant, comment diable pouvez-vous avancer que le gaz n'est pas installé chez lui ?

— Une tache de bougie peut être accidentelle. Deux, passe encore ! Mais, quand je n'en compte pas moins de cinq, je pense qu'il y a de fortes chances pour que le propriétaire du chapeau sur lequel je les relève se serve fréquemment d'une bougie... et je l'imagine, montant l'escalier, son bougeoir d'une main et son chapeau de l'autre. Autant que je sache, le gaz ne fait pas de taches de bougie ! Vous êtes content, maintenant ?

— Mon Dieu, répondis-je en riant, tout cela est fort ingénieux, mais, étant donné qu'il n'y a pas eu crime, ainsi que vous le faisiez vous-même remarquer tout à l'heure, et qu'il ne s'agit, en somme, que d'une oie perdue, j'ai bien peur que vous ne vous soyez donné beaucoup de peine pour rien !

Sherlock Holmes ouvrait la bouche pour répondre quand la porte s'ouvrit brusquement, livrant passage à Peterson, qui se rua dans la pièce, les joues écarlates et l'air complètement ahuri.

— L'oie, monsieur Holmes ! L'oie !

— Eh bien quoi, l'oie ? Elle est revenue à la vie et s'est envolée par la fenêtre de la cuisine ?

Holmes avait tourné la tête à demi pour mieux voir le visage congestionné du commissionnaire.

— Regardez, monsieur, ce que ma femme lui a trouvé dans le ventre !

La main ouverte, il nous montrait une pierre bleue, guère plus grosse qu'une fève, mais d'un éclat si pur et si intense qu'on la voyait scintiller au creux sombre de sa paume. Sherlock Holmes émit un petit sifflement.

— Fichtre, Peterson ! C'est ce qui s'appelle découvrir un trésor ! Je suppose que vous savez ce que vous avez là ?

— Un diamant, dame ! Une pierre précieuse ! Ça vous coupe le verre comme si c'était du mastic !

— C'est plus qu'une pierre précieuse, Peterson ! C'est *la* pierre précieuse !

— Tout de même pas l'escarboucle bleue de la comtesse de Morcar ? demandai-je.

— Précisément, si ! Je finis par savoir à quoi elle ressemble, ayant lu chaque jour, ces temps derniers, la description qu'en donne l'avis publié dans le *Times*. C'est une pierre unique, d'une valeur difficile à estimer, mais vingt fois supérieure, très certainement, aux mille livres de récompense promises.

— Mille livres ! Grands dieux !

Peterson se laissa tomber sur une chaise. Il nous dévisageait avec des yeux écarquillés.

— C'est effectivement le montant de la récompense, reprit Holmes. J'ai tout lieu de croire, d'ailleurs, que, pour des raisons de sentiment, la comtesse abandonnerait volontiers la moitié de sa fortune pour retrouver sa pierre.

— Si je me souviens bien, dis-je, c'est au *Cosmopolitan Hotel* qu'elle l'a perdue ?

— C'est exact. Précisons : le 22 décembre. Il y a donc cinq jours. John Horner, un plombier, a été accusé de l'avoir volée dans la boîte à bijoux de la comtesse. Les présomptions contre lui ont paru si fortes que l'affaire a été renvoyée devant la cour d'assises. Il me semble bien que j'ai ça là-dedans...

Holmes, fourrageant dans ses journaux, jetait un coup d'œil sur la date de ceux qui lui tombaient sous la main. Il finit par en retenir un, qu'il déplia, cherchant un article, dont il nous donna lecture à haute voix :

Le Vol du Cosmopolitan Hotel

« *John Horner, 26 ans, plombier, a comparu aujourd'hui. Il était accusé d'avoir, le 22 décembre dernier, volé, dans le* coffret à bijoux de la comtesse de Morcar, la pierre célèbre connue sous le nom d'"'Escarboucle bleue". Dans sa déposition, James Ryder, chef du personnel de l'hôtel, déclara qu'il avait lui-même, le jour du vol, conduit Horner à l'appartement de la comtesse, où il devait exécuter une petite réparation à la grille de la cheminée. Ryder demeura un certain temps avec Horner, mais fut par la suite obligé de s'éloigner, du fait de ses occupations professionnelles. À son retour, il constata que Horner avait disparu, qu'un secrétaire avait été forcé et qu'un petit coffret – dans lequel, on devait l'apprendre ultérieurement, la comtesse rangeait ses bijoux – avait été vidé de son contenu. Ryder donna l'alarme immédiatement et Horner fut arrêté dans la soirée. La pierre n'était pas en sa possession et une perquisition prouva qu'elle ne se trouvait pas non plus à son domicile.

« Catherine Cusack, femme de chambre de la comtesse, fut entendue ensuite. Elle déclara être accourue à l'appel de Ryder et avoir trouvé les choses telles que les avait décrites le précédent témoin. L'inspecteur Bradstreet, de la Division B, déposa le dernier, disant que Horner avait essayé de s'opposer par la violence à son arrestation et protesté de son innocence avec énergie.

« Le prisonnier ayant déjà subi une condamnation pour vol, le juge a estimé que l'affaire ne pouvait être jugée sommairement et ordonné son renvoi devant la cour d'assises. Horner, qui avait manifesté une vive agitation durant les débats, s'est évanoui lors de la lecture du verdict et a dû être emporté, encore inanimé, hors de la salle d'audience. »

— Parfait, dit Holmes, posant le journal. Pour le juge de première instance, l'affaire est terminée. Pour nous, le problème consiste à établir quels sont les événements qui se placent entre l'instant où la pierre est sortie du coffret et celui où elle est entrée à l'intérieur de l'oie. Vous voyez, mon cher Watson, que nos petites déductions prennent brusquement une certaine importance. Voici l'escarboucle bleue. Elle provient du ventre d'une oie, laquelle appartenait à un certain M. Henry Baker, le propriétaire de ce vieux chapeau avec lequel je vous ai importuné. Il faut que nous nous mettions sérieusement à chercher ce monsieur, afin de découvrir le rôle exact qu'il a joué dans toute cette histoire. Nous aurons recours, pour commencer, au procédé le plus simple, qui est de publier un avis de quelques lignes dans les journaux du soir. Si nous ne réussissons pas comme ça, nous aviserons.

— Cet avis, comment allez-vous le rédiger ?

— Donnez-moi un crayon et un morceau de papier ! Merci… Voyons un peu ! « Trouvés, au coin de Goodge Street, une oie et un chapeau melon noir. M. Henry Baker les récupérera en se présentant ce soir, à six heures et demie, au 221 B, Baker Street. » C'est simple et c'est clair.

— Très clair. Mais, ces lignes, les verra-t-il ?

— Aucun doute là-dessus. Il doit surveiller les journaux, étant donné qu'il est pauvre et que cette perte doit l'ennuyer. Après avoir eu la malchance de casser la glace d'une devanture, il a pris peur quand il a vu arriver Peterson et n'a songé qu'à fuir. Mais, depuis, il a dû regretter amèrement d'avoir suivi son premier mouvement, qui lui coûte son oie. C'est à dessein que je mets son nom dans l'avis : s'il ne le voyait pas, les gens qui le connaissent le lui signaleront. Tenez, Peterson, portez ça à une agence de publicité et faites-le publier dans les feuilles du soir.

— Lesquelles, monsieur ?

— Eh bien toutes ! Le *Globe*, le *Star*, le *Pall Mall*, le *Saint James'Gazette*, l'*Evening News*, l'*Evening Standard*, l'*Écho*, et les autres, toutes celles auxquelles vous penserez.

— Bien, monsieur. Pour la pierre ?

— La pierre ? Je vais la garder. Merci… À propos, Peterson, en revenant, achetez-moi donc une oie ! Il faut que nous en ayons une à remettre à ce monsieur pour remplacer celle que votre famille se prépare à dévorer…

Le commissionnaire parti, Holmes prit la pierre entre deux doigts et l'examina à la lumière.

— Joli caillou, dit-il. Regardez-moi ces feux ! On comprend qu'il ait provoqué des crimes. Il en va de même de toutes les belles pierres : elles sont l'appât favori du diable. On peut dire que toutes les facettes d'un diamant ancien, pourvu qu'il soit de grande valeur, correspondent à quelque drame. Cette pierre n'a pas vingt ans. Elle a été trouvée sur les rives de l'Amoy, un fleuve du sud de la Chine, et ce qui la rend remarquable, c'est qu'elle a toutes les caractéristiques de l'escarboucle, à ceci près que sa teinte est bleue, au lieu d'être d'un rouge de rubis. Malgré sa jeunesse, elle a une histoire sinistre : deux assassinats, un suicide, un attentat au vitriol et plusieurs vols, voilà ce que représentent déjà ces quarante grains de charbon cristallisé. À voir un objet si éblouissant, croirait-on qu'il n'a jamais été créé que pour expédier les gens en prison ou à l'échafaud ? Je vais toujours le mettre dans mon coffre et envoyer un mot à la comtesse pour lui dire qu'il est en ma possession.

— Croyez-vous à l'innocence de Horner ?

— Pas la moindre idée !

— Et pensez-vous que l'autre, ce Baker, soit pour quelque chose dans le vol ?

— Il est infiniment probable, je pense, que cet Henry Baker ne sache rien et qu'il ne se doutait guère que l'oie qu'il avait sous le bras valait beaucoup plus que si elle avait été en or massif. Nous serons fixés là-dessus par une petite épreuve très simple, si notre annonce donne un résultat.

— Jusque-là vous ne pouvez rien faire ?

— Rien.

— Dans ces conditions, je vais reprendre ma tournée et rendre visite à mes malades. Je m'arrangerai pour être ici à six heures et demie, car je suis curieux de connaître la solution de ce problème, qui me semble terriblement embrouillé.

— Je serais ravi de vous voir. Le dîner est à sept heures et Mme Hudson cuisine, je crois, un coq de bruyère. Compte tenu des récents événements, je ferais peut-être bien de la prier de s'assurer de ce qu'il a dans le ventre !

Une de mes visites s'étant prolongée plus que je ne pensais, il était un peu plus de six heures et demie quand je me retrouvai dans Baker Street. Comme j'approchais de la maison, je vis, éclairé par la lumière qui tombait de la fenêtre en éventail placée au-dessus de la porte, un homme de haute taille, qui portait une toque écossaise et qui attendait, son pardessus boutonné jusqu'au menton. La porte s'ouvrit comme j'arrivais et nous entrâmes ensemble dans le bureau de mon ami.

— Monsieur Henry Baker, je présume ? dit Sherlock Holmes, quittant son fauteuil et saluant son visiteur avec cet air aimable qu'il lui était si facile de prendre. Asseyez-vous près du feu, monsieur Baker, je vous en prie ! La soirée est froide et je remarque que votre circulation sanguine s'accommode mieux de l'été que de l'hiver. Bonsoir, Watson ! Vous arrivez juste. Ce chapeau vous appartient, monsieur Baker ?

— Sans aucun doute, monsieur !

L'homme était solidement bâti, avec des épaules rondes et un cou puissant. Il avait le visage large et intelligent. Sa barbe, taillée en pointe, grisonnait. Une touche de rouge sur le nez et les pommettes ainsi qu'un léger tremblement des mains semblaient justifier les hypothèses de Holmes quant à ses habitudes. Il avait gardé relevé le col de son pardessus élimé et ses maigres poignets sortaient des manches. Il ne portait pas de manchettes et rien ne prouvait qu'il eût une chemise. Il parlait d'une voix basse et saccadée, choisissait ses mots avec soin et donnait l'impression d'un homme instruit, et même cultivé, que le sort avait passablement maltraité.

— Ce chapeau et cette oie, dit Holmes, nous les avons conservés pendant quelques jours, parce que nous pensions qu'une petite annonce finirait par nous donner votre adresse. Je me demande pourquoi vous n'avez pas fait paraître quelques lignes dans les journaux.

Le visiteur rit d'un air embarrassé.

— Je vois maintenant bien moins de shillings que je n'en ai vu autrefois, expliqua-t-il. Comme j'étais convaincu que les voyous qui m'avaient attaqué avaient emporté et le chapeau et l'oie, je me suis dit qu'il était inutile de gâcher de l'argent dans l'espoir de les récupérer.

— C'est bien naturel ! À propos de l'oie, je dois vous dire que nous nous sommes vus dans l'obligation de la manger.

— De la manger !

L'homme avait sursauté, jaillissant presque de son fauteuil.

— Oui, reprit Holmes. Si nous ne l'avions fait, elle n'aurait été d'aucune utilité à personne. Mais je veux croire que l'oie que vous voyez sur cette table remplacera la vôtre avantageusement : elle est à peu près du même poids... et elle est fraîche !

Baker poussa un soupir de satisfaction.

— Évidemment !

— Bien entendu, poursuivit Holmes, nous avons toujours les plumes, les pattes et le gésier, et si vous les voulez...

L'homme éclata d'un rire sincère.

— Je pourrais les conserver en souvenir de cette aventure, s'écria-t-il, mais, pour le surplus, ces *disjecta membra* ne me serviraient de rien. Avec votre permission, je préfère m'en tenir au substitut que vous voulez bien me proposer, lequel me semble fort sympathique.

Sherlock Holmes me jeta un regard lourd de sens et eut un imperceptible haussement des épaules.

— Dans ce cas, monsieur, dit-il, voici votre chapeau et voici votre oie ! À propos de l'autre, celle que nous avons mangée, serait-il indiscret de vous demander où vous vous l'étiez procurée ? Je suis assez amateur de volaille et j'avoue avoir rarement rencontré une oie aussi grassement à point.

— Il n'y a aucune indiscrétion, répondit Baker, qui s'était levé et qui, son oie sous le bras, s'apprêtait à se retirer. Nous sommes quelques camarades qui fréquentons l'*Alpha Inn*, un petit café qui est tout près du British Museum, où nous travaillons. Cette année, le patron, un certain Windigate, un brave homme, avait créé ce qu'il appelait un « club de Noël » : chacun de nous payait quelques *pence* par semaine, et à Noël, se voyait offrir une oie par Windigate. J'ai versé ma cotisation avec régularité, le cafetier a tenu parole... et vous connaissez la suite. Je vous suis, monsieur, très reconnaissant de ce que vous avez fait, d'autant plus qu'une toque écossaise ne convient ni à mon âge, ni à mon allure.

Ayant dit, notre visiteur s'inclina cérémonieusement devant nous et se retira avec une dignité fort comique.

— Terminé, en ce qui concerne M. Henry Baker ! dit Holmes, une fois la porte refermée. Il est incontestable que le bonhomme n'est au courant de rien. Vous avez faim, Watson ?

— Pas tellement !

— Alors, nous transformerons notre dîner en souper et nous suivrons la piste tandis qu'elle est chaude.

— Tout à fait d'accord !

Nous passâmes nos pardessus et, la gorge protégée par des foulards, nous nous mîmes en route. La nuit était froide. Les étoiles brillaient dans un ciel sans nuages et une buée sortait de la bouche des passants. Nos pas sonnant haut sur le trottoir, nous traversâmes le quartier des médecins, suivant Wimpole Street, Harley Street, puis Wigmore Street, pour gagner Oxford Street. Un quart d'heure plus tard, nous étions dans Bloomsbury et pénétrions dans l'*Alpha Inn*, un petit café faisant le coin d'une des rues qui descendent vers Holborn. Holmes s'approcha du bar et, avisant un homme à figure rougeaude et à tablier blanc, qui ne pouvait être que le patron, lui commanda deux verres de bière.

— Votre bière doit être excellente, ajouta-t-il, si elle est aussi bonne que vos oies !

— Mes oies ?

Le cafetier paraissait fort surpris.

— Oui. Nous parlions d'elles, il n'y a pas une demi-heure, avec M. Henry Baker, qui était membre de votre « club de Noël ».

— Ah ! je comprends. Seulement, voilà, monsieur, ce ne sont pas du tout mes oies !

— Vraiment ? Alors, d'où viennent-elles ?

— J'en avais acheté deux douzaines à un marchand de Covent Garden.

— Ah, oui ! J'en connais quelques-uns. Qui était-ce ?

— Un certain Breckinridge.

— Je ne le connais pas. À votre santé, patron, et à la prospérité de la maison !

Peu après, nous nous retrouvions dans la rue.

— Et maintenant, reprit Holmes, boutonnant son pardessus, allons voir M. Breckinridge ! N'oubliez pas, Watson, que si, à l'une des extrémités de la chaîne, nous avons cette oie qui n'évoque que des festins familiaux, à l'autre bout nous avons un homme qui récoltera certainement sept ans de travaux forcés, si nous ne démontrons pas qu'il est innocent. Il se peut que notre enquête confirme sa culpabilité, mais, dans un cas comme dans l'autre, nous tenons, par l'effet du hasard, une piste qui a échappé à la police. Il faut la suivre. Donc, direction plein sud !

Nous traversâmes Holborn pour nous engager, après avoir descendu Endell Street, dans le dédale des allées du marché de Covent Garden. Nous découvrîmes le nom de Breckinridge au fronton d'une vaste boutique. Le patron, un homme au profil chevalin, avec des favoris fort coquettement troussés, aidait un de ses commis à mettre les volets. Holmes s'approcha.

— Bonsoir ! dit-il. Il ne fait pas chaud.

Le commerçant répondit d'un signe de tête et posa sur mon ami un regard interrogateur. Holmes montra de la main les tables de marbre vides de marchandises.

— Vous n'avez plus d'oies, à ce que je vois !

— Il y en aura cinq cents demain matin.

— Ça ne m'arrange pas !

— Il m'en reste une, là-bas. Vous ne la voyez pas ?

— J'oubliais de vous dire que je viens vers vous avec une recommandation.

— Ah ! De qui ?

— Du patron de l'*Alpha*.

— Ah, oui ?... Je lui en ai vendu deux douzaines.

— Et des belles ! D'où venaient-elles ?

À ma grande surprise, la question provoqua chez le marchand une véritable explosion de colère. Il se campa devant Holmes, les poings sur les hanches et la tête levée dans une attitude de défi.

— Ah ! Ça, dit-il, où voulez-vous en venir ? Dites-le franchement et tout de suite !

— C'est tout simple ! répondit Holmes. J'aimerais savoir qui vous a vendu les oies que vous avez procurées au patron de l'*Alpha*.

— Eh bien, je ne vous le dirai pas. Ça vous gêne ?

— Pas le moins du monde, car la chose n'a pas grande importance. Ce qui m'étonne, c'est que vous montiez sur vos grands chevaux pour si peu !

— Que je monte sur mes grands chevaux ! Je voudrais bien voir ce que vous feriez, si on vous embêtait comme on m'embête avec cette histoire-là ! Lorsque j'achète de la belle marchandise et que je la paie avec mon bel argent, je pourrais croire que c'est terminé ! Eh bien, pas du tout ! C'est des questions à n'en plus finir ! « Ces oies, qu'est-ce qu'elles sont devenues ? » – « À qui les avez-vous vendues ? » – « Combien en demanderiez-vous ? », etc. ! Parole ! Quand on voit le potin fait autour de ces bestioles, on croirait qu'il n'y a pas d'autres oies au monde !

— Je n'ai rien à voir avec les gens qui ont pu vous poser ces questions, répondit Holmes sur un ton de parfaite insouciance. Puisque vous ne voulez pas nous renseigner, nous annulerons le pari et on n'en parlera plus ! Malgré ça, je sais ce que je dis et je suis toujours prêt à parier ce qu'on voudra que l'oie que j'ai mangée ne peut pas avoir été engraissée ailleurs qu'à la campagne !

— Dans ce cas-là, répliqua le marchand, vous avez perdu ! Elle était de Londres.

— Impossible !

— Je vous dis que si.

— Je ne vous crois pas.

— Est-ce que vous vous figurez, par hasard, que vous connaissez la volaille mieux que moi, qui la manipule depuis le temps où je portais des culottes courtes ? Je vous répète que toutes les oies que j'ai livrées à l'*Alpha* avaient été engraissées à Londres.

— Vous ne me ferez jamais croire ça !

— Voulez-vous parier ?

— C'est comme si je vous prenais de l'argent dans la poche, étant donné que je suis sûr d'avoir raison, mais je veux bien vous parier un souverain, histoire de vous apprendre à être moins têtu !

Le marchand ricana et interpella son commis :

— Bill, apporte-moi mes livres !

Une demi-minute plus tard, M. Breckinridge allait se placer dans la lumière de la lampe pendue au plafond de la boutique. Il tenait ses livres à la main : un petit carnet, mince et graisseux, et un grand registre au dos fatigué.

— Et maintenant, dit-il, à nous deux, Monsieur la Certitude ! Je crois bien qu'il me reste encore une oie de plus que je ne pensais. Vous voyez ce carnet ?

— Oui.

— C'est là-dessus que je note le nom de mes fournisseurs. Sur cette page, vous avez les noms de tous ceux qui habitent hors de Londres, avec, à la suite de chacun, un chiffre qui renvoie à la page du registre où se trouve leur compte. Sur cette autre page, voici, à l'encre rouge, la liste complète de mes fournisseurs de Londres. Voulez-vous lire vous-même le nom porté sur la troisième ligne ?

Holmes obéit.

— Mme Oakshott, 117 Brixton Road, 249.

— Bon ! Voulez-vous prendre le registre et l'ouvrir à la page 249 ?... Voulez-vous lire ?

— Mme Oakshott, volailles, 117 Brixton Road.

— Donnez-moi l'avant-dernière ligne du compte !

— 22 décembre. Vingt-quatre oies à sept shillings six pence.

— Parfait ! La suivante ?

— Vendues à M. Windigate, de l'*Alpha*, à douze shillings pièce.

— Et alors ? Qu'est-ce que vous dites de ça ?

Sherlock Holmes avait l'air consterné. Il tira un souverain de son gousset, le jeta sur une table, avec la mine de quelqu'un qui est trop écœuré pour ajouter quoi que ce soit, et se retira sans un mot. Nous fîmes quelques pas, puis, sous un réverbère, il s'arrêta, riant de ce rire silencieux que je n'ai jamais connu qu'à lui.

— Quand vous rencontrez un type qui porte de tels favoris et qui a un journal de courses dans la poche, me dit-il, il y a toujours moyen de faire un pari avec lui ! J'aurais offert cent livres à ce bonhomme, il ne m'aurait pas donné des renseignements aussi complets que ceux qu'il m'a fournis spontanément, uniquement parce qu'il croyait me prendre de l'argent à la faveur d'un pari. J'ai l'impression, Watson, que notre enquête touche à sa fin. Toute la question est de savoir si nous rendons visite à Mme Oakshott ce soir ou si nous attendons demain matin. D'après ce que nous a dit ce bourru personnage, il est évident que nous ne sommes pas les seuls à nous intéresser à cette affaire et je devrais…

Il s'interrompit, des éclats de voix frappant nos oreilles qui paraissaient provenir de la boutique même que nous venions de quitter. Nous nous retournâmes. Un petit homme, dont le visage faisait songer à un rat, affrontait Breckinridge qui, debout dans l'encadrement de sa porte, secouait son poing sous le nez de son visiteur, tout en l'envoyant au diable.

— J'en ai assez de vous et de vos oies ! hurlait-il. Si vous continuez à m'embêter avec vos boniments, je lâcherai mon chien à vos trousses ! Amenez-moi Mme Oakshott et je lui répondrai ! Mais vous, en quoi tout cela vous regarde-t-il ? Est-ce que je vous ai acheté des oies ?

— Non ! Seulement, il y en avait tout de même une qui était à moi !

— Réclamez-la à Mme Oakshott !

— C'est elle qui m'a dit de venir vous trouver !

— Allez trouver le roi de Prusse, si ça vous amuse, mais, ici, vous vous trompez de porte ! J'en ai par-dessus la tête, de cette histoire-là ! Fichez-moi le camp !

Il avança d'un pas, menaçant. Le petit homme disparut dans l'obscurité.

— Voilà qui nous épargne sans doute une visite à Brixton Road ! dit Holmes, revenant sur ses pas. Il y a peut-être quelque chose à tirer de ce petit bonhomme !

Nous le rattrapâmes sans trop de difficulté. Il fit un véritable bond quand Holmes lui frappa sur l'épaule. Tournant vers mon ami un visage d'où toute couleur avait brusquement disparu, il demanda, d'une voix blanche, qui il était et ce qu'il voulait. Holmes s'expliqua avec douceur.

— Je m'en excuse, dit-il, mais je n'ai pu faire autrement que d'entendre, sans le vouloir, la petite discussion que vous venez d'avoir avec le marchand d'oies et je crois que je pourrais vous être utile.

— Vous ? Mais qui êtes-vous ? Et qu'est-ce que vous savez de cette histoire-là ?

— Je m'appelle Sherlock Holmes et c'est mon métier de savoir ce que les autres ne savent pas.

— Mais, cette affaire-là, vous en ignorez tout !

— Permettez ! Je la connais à fond, au contraire. Vous essayez d'apprendre ce que sont devenues des oies qui furent vendues par Mme Oakshott, de Brixton Road, à un commerçant du nom de Breckinridge, lequel les a revendues à M. Windigate, de l'*Alpha Inn*, qui les a lui-même réparties entre ses clients, parmi lesquels se trouve un certain M. Henry Baker.

— Monsieur, s'écria le petit homme, vous êtes évidemment la personne que je souhaitais le plus rencontrer !

Il tremblait. Il ajouta :

— Il m'est impossible de vous dire quelle importance cette affaire représente pour moi !

Sherlock Holmes héla un fiacre qui passait.

— Dans ce cas, dit-il, nous poursuivrons mieux cet entretien dans une pièce bien close que dans les courants d'air de ce marché. Cependant, avant d'aller plus loin, puis-je vous demander à qui j'ai le plaisir d'être agréable ?

L'homme hésita un instant. Guettant Holmes du coin de l'œil, il répondit :

— Je m'appelle John Robinson.

— Non, dit Holmes de son ton le plus aimable. C'est votre nom véritable que je vous demande. Il est toujours gênant de traiter avec quelqu'un qui se présente à vous sous un pseudonyme.

L'autre rougit.

— Alors, je m'appelle James Ryder.

— C'est ce que je pensais. Vous êtes le chef du personnel au *Cosmopolitan Hotel*. C'est bien ça ? Montez en voiture, je vous prie ! Je serai bientôt en mesure de vous dire tout ce que vous désirez savoir.

Le petit homme nous regardait, hésitant, visiblement partagé entre la crainte et l'espérance, comme quelqu'un qui ne sait pas très bien s'il est près du triomphe ou au bord de la catastrophe. Il se décida enfin à monter dans le fiacre. Une demi-heure plus tard, nous nous retrouvions à Baker Street, dans le bureau de Sherlock Holmes. Pas un mot n'avait été prononcé durant le trajet. Mais la respiration pénible de notre compagnon et l'agitation de ses mains, dont les doigts étaient en perpétuel mouvement, trahissaient sa nervosité.

— Nous voici chez nous ! dit Holmes avec bonne humeur en pénétrant dans la pièce. On a plaisir à voir du feu par un temps pareil ! Vous avez l'air gelé, monsieur Ryder. Prenez ce fauteuil, voulez-vous ? Je vais enfiler mes pantoufles et nous nous occuperons de cette affaire qui vous intéresse. Voilà ! Maintenant, je suis à vous. Vous voulez savoir ce que sont devenues ces oies ?

— Oui, monsieur.

— Ou plutôt, j'imagine, *cette* oie ! Je ne crois pas me tromper si je dis que l'oie en question était toute blanche, avec une barre transversale noire à la queue. C'est bien ça ?

— Oui, monsieur. Vous savez où elle est ?

Ryder était si ému que sa voix s'étranglait.

— Je l'ai eue ici.

— Ici ?

— Oui. C'était une oie remarquable... et je ne m'étonne pas de l'intérêt que vous lui portez. Après sa mort, elle a pondu un œuf... le plus beau petit œuf bleu qu'on ait jamais vu. Il est ici, dans mon musée...

Notre visiteur s'était levé en chancelant. Accroché d'une main au manteau de la cheminée, il regardait Holmes qui ouvrait son coffre-fort pour en extraire l'escarboucle bleue. Mon ami, la tenant entre le pouce et l'index, la fit voir à Ryder. La pierre étincelait. Ryder, le visage contracté, n'osait ni réclamer l'objet ni dire qu'il ne l'avait jamais vu.

— La partie est jouée, Ryder ! dit Holmes d'un ton calme. Cramponnez-vous, mon garçon, sinon vous allez tomber dans le foyer ! Watson, aidez-le donc à se rasseoir ! Il n'a pas assez de cran pour commettre des crapuleries et s'en tirer sans dommage. Donnez-lui une gorgée de cognac... Il reprend figure humaine, mais c'est une chiffe tout de même !

Ryder, qui avait failli s'écrouler sur le plancher, s'était un peu ressaisi. L'alcool lui avait mis quelque couleur aux joues. Il levait vers son accusateur un regard craintif.

— J'ai en main à peu près tous les maillons de la chaîne, reprit Holmes, et toutes les preuves dont je pourrais avoir besoin. Vous n'avez donc pas grand-chose à me raconter. Cependant, pour qu'il n'y ait pas de « trous » dans mon histoire, ce peu que vous pourriez me dire, j'aimerais l'entendre. Naturellement, cette escarboucle bleue, on vous avait parlé d'elle ?

Ryder balbutia une réponse.

— Oui... Catherine Cusack...

— Compris ! La femme de chambre de la comtesse. L'idée qu'il vous était possible d'acquérir d'un seul coup une véritable fortune a été pour vous une tentation trop forte, comme elle l'a déjà été pour bien d'autres. Seulement, vous n'avez pas été très scrupuleux sur le choix des moyens et j'ai l'impression, Ryder, qu'il y a en vous l'étoffe d'une jolie crapule ! Vous saviez que ce Horner, le plombier, avait été impliqué autrefois dans une vilaine affaire et que les soupçons s'arrêteraient volontiers sur lui. Vous n'avez pas hésité. Avec Catherine Cusack, votre complice, vous vous êtes arrangé pour qu'il y ait une petite réparation à faire dans l'appartement de la comtesse et vous avez veillé personnellement à ce qu'elle soit confiée à Horner, et non à un autre. Après son départ, vous avez forcé le coffret à bijoux, donné l'alarme et fait arrêter le pauvre type qui ne se doutait de rien. Après quoi...

Ryder, brusquement, se jeta à genoux. Les mains jointes, geignant et pleurnichant, il suppliait mon ami de l'épargner.

— Pour l'amour de Dieu, ayez pitié de moi ! J'ai un vieux père et une vieille maman ! Ils ne survivront pas à ça ! C'est la première fois que je suis malhonnête et je ne recommencerai jamais ! Je vous le jure sur la Bible ! Ne me traînez pas devant les tribunaux, je vous en conjure !

Holmes restait très calme.

— Regagnez votre fauteuil ! ordonna-t-il d'un ton sec. C'est très joli de demander aux gens d'avoir pitié, mais il semble qu'il vous a été assez égal d'envoyer ce pauvre Horner devant les juges pour un méfait dont il ignorait tout !

— Je m'en irai, monsieur Holmes, je quitterai le pays ! À ce moment-là, ce n'est plus lui qu'on accusera !

— Hum ! Nous verrons ça. En attendant, parlez-nous un peu du second acte ! Cette pierre, comment est-elle entrée dans l'oie ? Et, cette oie, comment est-elle arrivée sur le marché ? Dites-nous la vérité, c'est la seule chance de vous en sortir !

Ryder passa sa langue sur ses lèvres sèches.

— Monsieur Holmes, dit-il enfin, je vais vous raconter les choses exactement comme elles se sont passées. Quand Horner a été arrêté, je me suis dit que ce que j'avais de mieux à faire, c'était de me débarrasser de la pierre sans plus attendre, étant donné qu'il n'était pas prouvé du tout que la police n'aurait pas l'idée de me fouiller et de perquisitionner dans ma chambre. Il n'y avait pas de cachette sûre dans l'hôtel. Je suis donc sorti, comme si j'avais à faire dehors, et je me suis rendu chez ma sœur. Elle est mariée à un certain Oakshott, avec qui elle exploite, dans Brixton Road, un commerce de volailles. Durant tout le trajet, j'ai eu l'impression que chaque passant que je rencontrais était un agent de police ou un détective et, bien qu'il fît très froid, j'étais en nage quand j'arrivai chez ma sœur. Elle me trouva si pâle qu'elle me demanda si je n'étais pas souffrant. Je lui répondis que j'étais seulement bouleversé par un vol de bijoux qui avait été commis à l'hôtel et je passai dans la cour de derrière pour y fumer une pipe et réfléchir à la situation.

« Je me souvins d'un de mes vieux amis, qui s'appelait Maudsley et qui avait mal tourné. Il venait de sortir de Pentonville, après un long séjour en prison. Un jour, nous avions eu ensemble une longue conversation sur les procédés utilisés par les voleurs pour se débarrasser de leur butin. J'en savais assez long sur son compte pour être sûr qu'il ne me trahirait pas. Je venais de décider d'aller le voir à Kilburn, où il habite, et de me confier à lui, certain qu'il m'indiquerait le meilleur moyen de tirer de l'argent de la pierre que j'avais dans la poche, quand je songeai à cette peur qui me tenaillait depuis que j'étais sorti de l'hôtel. Le premier flic venu pouvait m'interpeller, me fouiller… et trouver l'escarboucle dans mon gousset ! Je pensais à tout ça, adossé au mur, tout en regardant les oies qui se dandinaient dans la cour. Et, soudain, une idée me traversa l'esprit, une idée dont j'étais sûr qu'elle me permettrait de tenir en échec tous les détectives du monde, et le plus fort d'entre eux !

« Ma sœur m'avait dit, quelques semaines plus tôt, que je pourrais choisir dans ses oies celle dont j'aimerais qu'elle me fît cadeau à Noël. Elle a toujours été de parole et il me suffisait donc de choisir mon oie tout de suite et de lui faire avaler ma pierre. Après ça, je pourrais m'en aller tranquillement à Kilburn, ma bête sous le bras. Il y avait dans la cour une petite remise, derrière laquelle je fis passer une des oies, une volaille bien grasse, toute blanche, avec la queue barrée de noir. Je l'attrapai et, l'obligeant à ouvrir le bec, je lui fis entrer la pierre dans le gésier. L'opération ne fut pas facile et cette maudite oie se débattit tellement qu'elle finit par m'échapper, s'envolant avec de grands cris, qui attirèrent ma sœur, laquelle me demanda ce qui se passait.

« — Tu m'as dit, lui répondis-je, que tu me donnerais une oie pour Noël. J'étais en train de chercher la plus grasse !

« Elle haussa les épaules.

« — Ton oie est choisie depuis longtemps ! C'est la grosse, toute blanche, que tu vois là-bas. Il y en a vingt-six en tout. Une pour toi, une pour nous, et vingt-quatre pour la vente !

« — Tu es très gentille, Maggie, répliquai-je, mais, si ça ne te fait rien, j'aimerais mieux avoir celle que je tenais il y a un instant.

« Elle protesta.

« — L'autre pèse au moins trois livres de plus et nous l'avons engraissée spécialement pour toi !

« Naturellement, je m'entêtai.

« — Ça ne fait rien ! Je préfère l'autre et, si tu n'y vois pas d'inconvénient, je vais l'emporter tout de suite.

« Ma sœur ne savait plus que répliquer.

« — Très bien ! dit-elle. Laquelle est-ce ?

« Je la lui montrai.

« — La blanche, avec un trait noir sur la queue !

« — Parfait ! Tu n'as qu'à la tuer et l'emporter !

« C'est ce que je fis, monsieur Holmes. Mon oie sous le bras, je m'en allai à Kilburn. Je racontai mon histoire au copain en question, qui était de ceux qu'elle ne pouvait indigner, et elle le fit bien rire. Après quoi, nous prîmes un couteau et nous ouvrîmes la bestiole. La pierre n'était pas à l'intérieur ! Je crus que j'allais m'évanouir. Il était évident que je m'étais trompé… et l'erreur avait quelque chose de tragique. Je retournai chez ma sœur en courant : il n'y avait plus une oie chez elle !

« — Où sont-elles ? m'écriai-je.

« — Vendues ! me répondit-elle.

« — À qui ?

« — À Breckinridge, de Covent Garden.

« — Mais il y en avait donc deux qui avaient une barre noire sur la queue ? demandai-je.

« — Oui. Nous n'avons jamais pu les distinguer l'une de l'autre.

« À ce moment-là, je compris tout ! Mais il était trop tard. Je courus chez ce Breckinridge. Toutes ses oies étaient déjà vendues et impossible de savoir à qui ! Vous avez pu voir vous-même comment il répond aux questions qu'on lui pose ! J'ai insisté, je n'ai rien pu obtenir de lui. Ma sœur, elle, a cru que je devenais fou... et je me demande parfois si elle n'avait pas raison. Je suis un voleur et je me suis déshonoré pour rien ! Mon Dieu ! mon Dieu ! »

La tête dans les mains, l'homme pleurait.

Il y eut un long silence, troublé seulement par ses sanglots et par le martèlement rythmé des doigts de Holmes, pianotant sur le bord de la table. Au bout d'un instant, mon ami se leva et alla ouvrir la porte.

— Allez-vous-en ! dit-il.

Ryder sursauta.

— Oh ! Monsieur, merci ! Dieu vous bénisse !

— On ne vous demande rien. Filez !

Ryder ne se le fit pas dire deux fois. Il se précipita vers la sortie, dégringola l'escalier quatre à quatre et j'entendis la porte de la rue claquer derrière lui. Holmes se rassit dans son fauteuil et, tout en bourrant une pipe en terre, tira en quelques mots la conclusion de l'aventure.

— Après tout, Watson, me dit-il, je ne suis pas chargé par la police de suppléer à ses déficiences. Si Horner risquait quelque chose, le problème se présenterait différemment, mais, étant donné que Ryder n'osera jamais se présenter à la barre, l'affaire tournera court, c'est évident. Sans doute, on peut estimer que je ne fais pas mon devoir. Seulement, j'ai peut-être sauvé une âme. Ce type ne se risquera plus à être malhonnête, alors que, si nous l'envoyons en prison, il deviendra un gibier de potence. Enfin, nous sommes en cette époque de l'année où il convient de pardonner. Le hasard nous a saisis d'un petit problème à la fois curieux et amusant, nous l'avons résolu et la solution suffit à nous payer de nos peines. Si vous voulez bien, docteur, appuyer sur la sonnette, nous commencerons avant qu'il ne soit longtemps une autre enquête, où un coq de bruyère jouera cette fois un rôle de première importance...

L'homme à la lèvre tordue

Isa Whitney, frère de feu Elias Whitney, docteur en théologie, principal du collège de théologie Saint-George, s'adonnait fort à l'opium. Cette habitude prit possession de lui, à ce que l'on m'a dit, à la suite d'une sotte fantaisie, alors qu'il était au collège. Il avait lu la description que fait De Quincey de ses sensations et de ses rêves de fumeur d'opium et il avait imprégné son tabac de laudanum pour essayer d'obtenir les mêmes effets. Il trouva, comme tant d'autres, qu'il est plus facile de contracter cette habitude que de s'en défaire, et pendant de longues années il continua d'être esclave de la drogue, en même temps qu'il était, pour ses amis et pour les siens, l'objet d'un mélange de pitié et d'horreur. Même à présent, il me semble le voir encore, épave et ruine d'un noble caractère, tout recroquevillé dans son fauteuil, avec sa face jaune et pâteuse, ses paupières tombantes et ses pupilles réduites comme des pointes d'épingle.

Un soir, c'était en juin 1889, quelqu'un sonna à ma porte, à cette heure où l'on commence à bâiller et à regarder l'horloge. Je me redressai sur ma chaise et ma femme posa sur ses genoux son travail à l'aiguille, avec une grimace de déception.

— Un malade ! dit-elle. Tu vas être obligé de sortir !

Je ronchonnai, car je venais de rentrer après une dure journée.

Nous entendîmes la porte s'ouvrir, puis quelques mots précipités et enfin des pas rapides sur le linoléum. Notre porte s'ouvrit brusquement et une dame, vêtue de sombre et avec un voile noir, entra dans la pièce.

— Vous m'excuserez de venir si tard, commença-t-elle.

Et soudain, perdant toute maîtrise d'elle-même, elle courut vers ma femme, lui jeta les bras autour du cou et se mit à sangloter sur son épaule :

— Oh ! j'ai tant de peine ! s'écria-t-elle. J'ai tant besoin qu'on m'aide un peu !

— En quoi ? dit ma femme et, relevant le voile : C'est Kate Whitney. Comme vous m'avez fait peur ! Je n'avais, à votre entrée, pas idée de qui vous étiez.

— Je ne savais que faire ; et alors, je suis venue tout droit vers vous.

C'était toujours comme cela. Les gens en peine venaient vers ma femme comme les oiseaux vers un phare.

— C'est très gentil d'être venue. Maintenant vous allez prendre un peu de vin et d'eau, vous asseoir confortablement et nous raconter tout ça, à moins que vous n'aimiez mieux que j'envoie James se coucher.

— Oh ! non, non ! J'ai aussi besoin de l'avis et de l'aide du docteur. C'est à propos d'Isa. Il n'est pas rentré depuis deux jours et j'ai si peur pour lui !

Ce n'était pas la première fois qu'elle nous parlait des ennuis que lui causait son mari, à moi comme médecin, à ma femme comme à une vieille amie et camarade de classe. Nous la calmâmes et la réconfortâmes avec les meilleures paroles que nous pûmes trouver. Savait-elle où était son mari ? Nous était-il possible de le lui ramener ?

Cela semblait possible. Elle avait des renseignements très précis. Depuis quelque temps, quand la crise le prenait, son mari se rendait dans un bouge, une fumerie d'opium, tout à fait à l'est de la Cité. Jusqu'ici, ses débauches s'étaient bornées à une seule journée et il était toujours rentré le soir, chancelant et épuisé. Mais cette fois la crise avait duré quarante-huit heures et, sans doute, il était là-bas, prostré parmi la lie des docks, en train d'aspirer le poison ou de dormir pour en dissiper les effets. C'était là qu'on le trouverait, elle en était sûre, à *La Barre d'Or*, dans Upper Swandam Lane. Mais que faire ? Comment une femme jeune et timide comme elle pouvait-elle s'introduire dans un tel endroit pour arracher son mari à ce monde de gens sans aveu ?

Telle était la situation et, naturellement, il n'y avait qu'une issue : ne pourrais-je pas l'accompagner là-bas ? Puis, en y réfléchissant, pourquoi même viendrait-elle ? J'étais le médecin consultant d'Isa Whitney et, en cette qualité, j'avais sur lui quelque influence. Je pourrais m'en tirer, moi, si j'étais seul. Je fis la promesse formelle que je le renverrais chez lui en fiacre d'ici à deux heures au plus s'il était bien à l'adresse qu'elle m'avait donnée. Dix minutes plus tard, ayant quitté mon fauteuil et mon confortable studio, je roulais à toute vitesse en fiacre vers l'est de la ville, chargé, à ce qu'il me semble, d'une étrange mission, encore que l'avenir seul pût me montrer à quel point elle allait être étrange.

Mais il ne se présenta guère de difficultés dans la première étape de mon aventure. Upper Swandam Lane est une ignoble ruelle tapie derrière les quais élevés qui longent le côté nord de la rivière, à l'est du pont de Londres. Entre un magasin de confection et un assommoir dont on approche par un perron qui conduit à un passage noir comme la bouche d'un four, j'ai trouvé le bouge que je cherchais. Donnant à mon cocher l'ordre de m'attendre, j'ai descendu les marches creusées au centre par le piétinement incessant des ivrognes et, à la lumière vacillante d'une lampe à huile placée au-dessus de la porte, j'ai trouvé le loquet et je me suis avancé dans une longue pièce basse, toute remplie de la fumée brune, épaisse et lourde de l'opium, avec de chaque côté des cabines en bois formant terrasse, comme le poste d'équipage sur un vaisseau d'émigrants. À travers l'obscurité, on distinguait vaguement des corps gisant dans des poses étranges et fantastiques, des épaules voûtées, des genoux repliés, des têtes rejetées en arrière, des mentons qui se dressaient vers le plafond et çà et là un œil sombre, vitreux, qui se retournait vers le nouveau venu. De ces ombres noires scintillaient de petits cercles de lumière rouge, tantôt brillants, tantôt pâlissants, suivant que le poison brûlait avec plus ou moins de force dans les fourneaux des pipes métalliques. La plupart de ces têtes restaient sans rien dire ; quelques-uns marmottaient pour eux-mêmes et d'autres s'entretenaient d'une voix basse, étrange et monocorde, émettant par saccades des propos qui soudain se perdaient dans le silence ; chacun, en fait, mâchonnait ses propres pensées et ne faisait guère attention aux paroles de son voisin. Tout au bout se trouvait un petit brasier de charbon de bois, à côté duquel était assis, sur un trépied de bois, un vieillard grand et mince, dont la mâchoire reposait sur ses poings et les coudes sur ses genoux. Fixement, il regardait le feu.

À mon entrée, un domestique malais au teint jaunâtre s'était précipité vers moi, avec une pipe et la drogue nécessaire, tout en me désignant d'un geste une cabine vide.

— Merci ! dis-je, je ne viens pas pour rester. Il y a ici un de mes amis, M. Isa Whitney, et je désire lui parler.

Je perçus un mouvement, j'entendis une exclamation à ma droite et, en tendant les yeux dans l'obscurité, je vis Whitney pâle, hagard, échevelé, qui me regardait fixement.

— Mon Dieu ! c'est Watson, dit-il.

Il était dans un lamentable état de réaction ; tous ses nerfs tremblaient.

— Dites, Watson, quelle heure est-il ?

— Bientôt onze heures.

— De quel jour ?

— Vendredi 10 juin.

— Dieu du ciel ! Je croyais que nous étions mercredi. Mais nous sommes mercredi. Pourquoi voulez-vous me faire peur comme ça ?

Il laissa tomber son visage sur ses bras et se mit à sangloter d'une façon aiguë.

— Je vous dis que c'est aujourd'hui vendredi. Votre femme vous attend depuis deux jours. Vous devriez avoir honte.

— J'en ai honte aussi. Mais vous vous trompez, Watson, car il n'y a que quelques heures que je suis ici ; trois pipes, quatre pipes... Je ne sais plus combien. Mais je rentrerai avec vous, Watson. Je ne voudrais pas faire peur à Kate – pauvre petite Kate. Donnez-moi la main ! Avez-vous un fiacre ?

— Oui, j'en ai un qui attend.

— Alors je le prendrai, mais je dois sans doute quelque chose. Demandez ce que je dois, Watson. Je ne suis pas en train du tout. Je ne peux rien faire.

Je m'avançai dans l'étroit passage qui courait entre les deux rangées de dormeurs, et, tout en retenant mon souffle pour me préserver des ignobles vapeurs de la drogue, je cherchai de-ci, de-là, le tenancier. Comme je passais près de l'homme grand et mince qui était assis près du brasier, je me sentis soudain tiré par le pan de mon habit et une voix murmura tout bas :

— Passez votre chemin, puis retournez-vous et regardez-moi.

Les mots frappèrent tout à fait distinctement mon oreille. Je baissai les yeux. Ces paroles ne pouvaient venir que de l'individu qui était à côté de moi, et pourtant il était toujours assis, aussi absorbé que jamais, très mince, très ridé, courbé par la vieillesse, et une pipe à opium se balançait entre ses genoux, comme tombée de ses doigts par pure lassitude. J'avançai de deux pas et me retournai. Il me fallut toute ma maîtrise de moi-même pour ne pas pousser un cri d'étonnement. L'homme avait pivoté de telle sorte que personne d'autre que moi ne pouvait le voir. Ses vêtements s'étaient remplis, ses rides avaient disparu, les yeux ternes avaient retrouvé leur éclat et c'était Sherlock Holmes qui, assis là, près du feu, riait doucement de ma surprise. Il me fit signe de m'approcher de lui et, en même temps, tandis qu'il tournait à demi son visage vers les autres, il redevenait l'être sénile et décrépit de tout à l'heure.

— Holmes ! murmurai-je, que diable faites-vous dans ce bouge ?

— Aussi bas que possible, répondit-il, j'ai d'excellentes oreilles. Si vous aviez la bonté de vous débarrasser de votre imbécile d'ami, je serais enchanté de causer un peu avec vous.

— J'ai un fiacre à la porte.

— Alors, je vous en prie, renvoyez-le avec ce fiacre. Vous pouvez l'y mettre en toute sécurité, car il me semble trop flasque pour faire des bêtises. Je vous recommande aussi d'envoyer un mot par le cocher à votre femme pour lui dire que vous avez lié votre sort au mien. Si vous voulez bien m'attendre dehors, je vous rejoindrai dans cinq minutes.

Il était difficile de répondre par un refus à n'importe quelle demande de Holmes, car elles étaient toujours très expressément formulées avec un air de profonde autorité. Je sentais d'ailleurs qu'une fois Whitney enfermé dans le fiacre, ma mission était pratiquement remplie ; et quant au reste, je ne pouvais rien souhaiter de mieux que de me trouver associé avec mon ami pour une de ces singulières aventures qui étaient la condition normale de son existence. En quelques minutes, j'avais écrit mon billet, payé les dépenses de Whitney, j'avais conduit celui-ci au fiacre et je l'avais vu emmener dans l'obscurité. Quelques instants après, un être en piteux état sortait de la fumerie d'opium et je m'en allais dans la rue avec Sherlock Holmes. Dans les deux premières rues, il marcha le dos voûté en traînant la jambe d'un pas incertain. Puis, après un rapide regard aux alentours, il se redressa et partit soudain d'un cordial éclat de rire.

— Je suppose, Watson, que vous vous imaginez qu'outre mes injections de cocaïne, je me suis mis à fumer l'opium et que cela s'ajoute à toutes ces autres petites faiblesses à propos desquelles vous m'avez éclairé de vos vues professionnelles.

— J'ai certes été surpris de vous trouver là.

— Pas plus que moi de vous y trouver.

— Je venais chercher un ami.

— Et moi chercher un ennemi.

— Un ennemi ?

— Oui, un de mes ennemis naturels, ou, dirais-je mieux, de mes proies naturelles. En bref, Watson, je suis au beau milieu d'une enquête très remarquable et j'ai espéré trouver une piste dans les divagations incohérentes de ces abrutis, comme je l'ai fait auparavant. Si l'on m'avait reconnu dans ce bouge, ma vie n'aurait pas valu qu'on l'achetât pour une heure, car je me suis servi de ce bouge dans le passé pour mes propres fins et cette canaille de Lascar, qui en est le tenancier, a juré de se venger de moi. Il existe, à l'arrière du bâtiment, près du coin du quai de Saint-Paul, une trappe qui pourrait raconter d'étranges histoires sur tout ce à quoi elle a livré passage par des nuits sans lune.

— Quoi ! vous ne parlez pas de cadavres ?

— Si, des corps, Watson. Nous serions riches, Watson, si nous avions autant de milliers de livres qu'on a mis à mort de pauvres diables dans ce bouge. C'est le plus abject piège à assassinats sur tout le cours de la rivière et je crains fort que Neville Saint-Clair n'y soit entré pour n'en jamais ressortir. Mais notre voiture doit être ici.

Il mit ses deux index entre ses dents et siffla d'une façon aiguë, signal auquel, dans le lointain, on répondit par un sifflement pareil et qui fut bientôt suivi d'un bruit de roues et du trot des sabots d'un cheval.

— Et maintenant, Watson, dit Holmes, tandis qu'une charrette s'avançait rapidement dans l'obscurité en projetant, par ses lanternes latérales, deux tunnels de lumière jaune, vous venez avec moi, hein ?

— Si je peux vous être utile.

— Un ami loyal est toujours utile. Et un chroniqueur plus encore. Ma chambre aux *Cèdres* a deux lits.

— *Les Cèdres* ?

— Oui, c'est la maison de M. Saint-Clair. J'y demeure pendant que je mène mon enquête.

— Où est-ce donc ?

— Près de Lee, dans le Kent. Nous avons une course de sept milles devant nous.

— Mais je n'y comprends toujours rien.

— Exact, mais vous allez tout savoir. Sautez là. Ça va, Jean, nous n'aurons pas besoin de vous. Prenez cette demi-couronne. Venez me chercher demain vers onze heures. Laissez aller ; au revoir.

Il toucha le cheval avec son fouet et nous partîmes au grand galop, à travers une interminable succession de rues sombres et désertes qui s'élargirent graduellement. Nous nous trouvâmes bientôt emmenés comme le vent sur un large pont garni de parapets ; la rivière boueuse coulait paresseusement au-dessous. Plus loin s'étendait un autre désert de briques et de mortier ; le silence n'en était rompu que par le pas lourd et régulier de l'agent de police ou par les chants et les cris de fêtards attardés. Des nuages déchiquetés flottaient lentement dans le ciel et une étoile ou deux scintillaient çà et là, entre les déchirures des nuages. Holmes conduisait en silence, la tête inclinée sur la poitrine, de l'air d'un homme perdu dans ses pensées ; cependant, assis auprès de lui, j'étais curieux de savoir ce que pouvait bien être cette nouvelle enquête qui semblait si fort lui occuper l'esprit. Nous avions couvert plusieurs milles et nous allions parvenir aux abords de la ceinture de villas de la banlieue quand il se secoua, haussa les épaules et alluma sa pipe avec toute l'apparence d'un homme qui s'est rendu compte qu'il a agi pour le mieux.

— Vous avez une grande faculté de silence, Watson, dit-il. Cela fait de vous un compagnon inappréciable ; ma parole, c'est une grande chose d'avoir quelqu'un à qui ne pas parler, car mes pensées ne sont pas toujours des plus plaisantes. J'étais en train de me demander ce que je dirais à cette chère petite femme, tout à l'heure, quand elle viendrait à notre rencontre à la porte.

— Vous oubliez que je ne suis au courant de rien.

— J'aurai juste le temps de vous donner les faits de l'affaire avant d'arriver à Lee. Tout semble absurdement simple et pourtant, malgré tout, je ne peux rien trouver qui me permette le moindre progrès. Il y a une quantité de fils, sans doute, mais je suis incapable d'en saisir le bout. Maintenant je vais vous exposer le cas avec netteté et concision, Watson, et peut-être percevrez-vous une étincelle là où tout est obscur pour moi.

— Allez-y donc.

— Il y a quelques années – pour être précis, en mai 1884 – vint à Lee un monsieur du nom de Neville Saint-Clair qui paraissait avoir beaucoup d'argent. Il prit une grande villa, en fit très joliment arranger les jardins et, d'une façon générale, y vécut sur un grand pied. Peu à peu, il se fit des amis dans le voisinage et, en 1887, il épousa la fille d'un brasseur de la ville ; il a eu d'elle, à ce jour, deux enfants. Il n'avait pas d'occupation permanente, mais, détenant des intérêts dans plusieurs sociétés, il allait à Londres, en général le matin, pour rentrer chaque soir par le train qui part de la gare de Cannon Street à cinq heures quatorze. M. Saint-Clair a maintenant trente-sept ans, c'est un homme aux habitudes sobres, bon mari, père très affectueux, et très estimé de tous ceux qui le connaissent. Je peux ajouter que ses dettes, à l'heure présente, s'élèvent, autant que nous avons pu nous en rendre compte, à quatre-vingt-huit livres et dix shillings, alors qu'il a sur son compte deux cent vingt livres, à la Banque de la Ville et des Comtés. Il n'y a donc aucune raison de penser que ce sont des ennuis d'argent qui l'ont tracassé.

« Lundi dernier, M. Neville Saint-Clair s'est rendu à Londres un peu plus tôt que d'ordinaire et, avant de partir, il avait fait la remarque qu'il avait à faire deux commissions importantes et qu'il rapporterait à son petit garçon, en rentrant, une boîte de cubes. Or, par le plus grand des hasards, sa femme, ce même lundi, très peu de temps après son départ, reçut un télégramme l'informant qu'un petit paquet, d'une très grande valeur, qu'elle avait attendu, était à sa disposition dans les bureaux de la Compagnie de Navigation d'Aberdeen. Or, si vous connaissez bien votre Londres, vous savez que le siège de cette Compagnie se trouve dans Fresne Street, une rue qui bifurque d'Upper Swandam Lane, où vous m'avez trouvé ce soir. Mme Saint-Clair déjeuna, partit pour la Cité, fit quelques achats et se dirigea vers le siège de la Compagnie ; elle retira son paquet et à quatre heures trente-cinq exactement elle se trouvait en train de remonter Swandam Lane pour retourner à la gare. M'avez-vous bien suivi jusqu'ici ?

— C'est très clair.

— Si vous vous rappelez, il faisait très chaud lundi dernier. Mme Saint-Clair marchait lentement, regardait à droite et à gauche dans l'espoir de voir un fiacre, car elle n'aimait guère le voisinage où elle se trouvait. Tandis qu'elle allait ainsi dans Swandam Lane, elle entendit tout à coup une exclamation ou un cri perçant et son sang se glaça à la vue de son mari qui la regardait et, à ce qu'il lui sembla, lui faisait des signes d'une fenêtre du second étage. La fenêtre était ouverte et elle vit distinctement son visage, qu'elle décrit comme terriblement bouleversé. Il agitait ses mains frénétiquement dans sa direction à elle, puis il disparut de la fenêtre, si rapidement qu'il semblait avoir été attiré à l'intérieur par une force irrésistible. Une chose singulière qui frappa cette femme observatrice, ce fut que, bien que son mari fût vêtu de sombre, comme le matin en partant, il n'avait ni col ni cravate.

« Convaincue qu'il lui était arrivé quelque chose, elle dégringola les marches – car la maison n'était autre que cette fumerie d'opium où vous m'avez trouvé. Elle traversa en courant la pièce du devant et tenta de grimper l'escalier qui menait au premier étage. Au pied de l'escalier, toutefois, elle rencontra cette canaille de Lascar dont je vous ai parlé. Il l'écarta et, aidé d'un Danois qui lui sert d'employé, la rejeta dans la rue. En proie aux craintes et aux doutes les plus affolants, elle courut en toute hâte dans la ruelle et, par un heureux hasard, elle rencontra dans Fresne Street quelques agents de police qui, avec un brigadier, partaient faire leur ronde. Le brigadier et deux hommes revinrent avec elle et, malgré la résistance obstinée du propriétaire, ils se dirigèrent vers la pièce où M. Saint-Clair avait été aperçu en dernier lieu. Là, aucune trace de lui. En fait, dans tout l'étage on ne put trouver personne, à part un misérable estropié, hideux d'aspect, qui, paraît-il, logeait là. Et celui-ci et Lascar jurèrent avec force que, de tout l'après-midi, il n'y avait eu personne d'autre dans la pièce du devant. Leurs dénégations étaient si fermes que le brigadier en fut ahuri et en était presque arrivé à croire que Mme Saint-Clair s'était trompée quand, en poussant un cri, elle s'élança vers une petite boîte en bois blanc posée sur la table et en souleva brusquement le couvercle. Il en tomba une cascade de cubes d'enfant. C'était le jouet qu'il avait promis de rapporter à la maison.

« Cette découverte et la confusion de l'estropié firent que le brigadier se rendit compte que l'affaire était sérieuse. On examina soigneusement les pièces et tous les résultats concluaient à un crime abominable. La première pièce, simplement meublée, communiquait avec une petite chambre à coucher qui donnait sur l'arrière d'un des quais. Entre le quai et la fenêtre de la chambre à coucher se trouve une bande de terrain étroite qui, à sec à marée basse, est recouverte à marée haute de plus d'un mètre trente d'eau. La fenêtre de la chambre à coucher, assez large, s'ouvrait du bas. En l'examinant, on découvrit des traces de sang sur le seuil de la fenêtre et on voyait des gouttes de sang çà et là sur le plancher de la chambre à coucher. Jetés derrière un rideau de la première pièce, on trouva tous les vêtements de M. Neville Saint-Clair, exception faite de son costume. Ses chaussures, ses chaussettes, son chapeau, sa montre – tout était là. Ailleurs, aucune trace de violence sur tous ces vêtements et nulle autre trace de M. Neville Saint-Clair. Selon toute apparence, il avait dû sortir par la fenêtre, car on n'a pu découvrir d'autre sortie, et les taches de sang sur le seuil font mal augurer d'une éventuelle fuite à la nage, car la marée était à son plus haut au moment de la tragédie.

« Et maintenant, que je vous parle des canailles qui semblaient directement impliquées dans l'affaire. On connaissait Lascar par ses antécédents lamentables, mais comme on savait par le récit de Mme Saint-Clair qu'il se trouvait au pied de l'escalier quelques secondes après l'apparition de son mari à la fenêtre, il était difficile de le considérer comme autre chose que complice du crime. Sa défense fut qu'il ignorait absolument tout et il déclara énergiquement ne rien savoir des faits et gestes de Hugh Boone, son locataire, et ne pouvoir en aucune façon expliquer la présence des vêtements du disparu.

« Suffit pour Lascar, le tenancier. Parlons maintenant du sinistre estropié qui occupe le second étage de la fumerie et qui fut certainement le dernier à voir Neville Saint-Clair. Son nom est Hugh Boone et sa face hideuse est familière à tous ceux qui fréquentent la Cité. C'est un mendiant professionnel, bien que, pour éluder les ordonnances de la police, il prétende exercer un petit commerce d'allumettes-bougies. À quelque distance, en descendant Threadneedle Street, du côté gauche, le mur fait un angle, comme vous avez pu le remarquer. C'est là que cet individu vient s'asseoir tous les jours, les jambes croisées, sa minuscule provision d'allumettes sur les genoux. Comme c'est un spectacle pitoyable, une petite pluie d'aumônes tombe dans la casquette de cuir graisseuse qu'il pose sur le trottoir à côté de lui. J'ai plus d'une fois observé le bonhomme – sans penser jamais que j'aurais à faire sa connaissance par nécessité professionnelle – et j'ai toujours été surpris de la moisson qu'il récoltait en peu de temps. Son aspect, voyez-vous, est si remarquable, que personne ne peut passer près de lui sans y prêter attention. Une touffe de cheveux jaunes, un visage pâle défiguré par une horrible cicatrice qui, en se contractant, a retourné le bord externe de sa lèvre supérieure, un menton de bouledogue, une paire d'yeux très perçants et noirs qui offrent un contraste singulier avec la couleur de ses cheveux, tout cela le distingue de la foule ordinaire des mendiants, comme l'on distingue aussi son esprit, car il a toujours une réplique toute prête à n'importe quelle plaisanterie que les passants peuvent lui lancer. Tel est l'homme qui, nous venons de l'apprendre, est le locataire de la fumerie et qui a été le dernier à voir le père de famille honorable que nous cherchons.

— Mais un estropié ! dis-je. Qu'aurait-il pu faire tout seul contre un homme dans la force de l'âge ?

— C'est un estropié en ce sens qu'il boite, mais sous tous les autres rapports, il semble très fort et en bonne forme. Sûrement, Watson, votre expérience médicale vous dirait que la faiblesse d'un membre est souvent compensée par la force exceptionnelle des autres.

— Je vous en prie, continuez votre récit.

— Mme Neville Saint-Clair s'était évanouie à la vue des taches de sang sur la fenêtre et la police l'accompagna jusque chez elle en fiacre, puisque sa présence ne pouvait en aucune façon être utile à l'enquête. Le brigadier Barton, chargé de l'affaire, a examiné très soigneusement les lieux, mais sans rien trouver qui jetât quelque lumière sur l'affaire. On avait pourtant commis une faute en n'arrêtant pas Boone sur-le-champ, car cela lui laissa quelques minutes pendant lesquelles il put communiquer avec son ami Lascar ; toutefois cette faute fut vite réparée, et il fut appréhendé et fouillé sans qu'on trouvât rien qui permît de l'incriminer. Il y avait, c'est vrai, quelques traces de sang sur la manche droite de sa chemise, mais il fit voir que son annulaire avait une coupure près de l'ongle, et il expliqua que le sang venait de là et ajouta qu'il s'était approché de la fenêtre peu auparavant et que, sans doute, les taches de sang que l'on avait relevées provenaient de la même source. Il proclama avec force qu'il n'avait jamais vu M. Neville Saint-Clair et jura que la présence des vêtements de celui-ci dans sa chambre était un mystère pour lui, tout autant que pour la police. Quant à l'affirmation de Mme Saint-Clair selon laquelle elle avait bel et bien vu son mari à la fenêtre, il prétendit qu'elle devait ou bien être folle ou bien avoir rêvé. On l'emmena au poste de police en dépit de ses bruyantes protestations, pendant que le brigadier demeurait sur les lieux dans l'espoir que la marée descendante fournirait peut-être quelque nouvel indice.

« Ce fut ce qui se produisit, mais on ne trouva guère sur la rive boueuse ce qu'on avait craint d'y trouver. Ce fut le vêtement de Neville Saint-Clair et non Neville Saint-Clair lui-même qu'on trouva là, gisant à découvert, quand la marée se fut retirée. Et qu'imaginez-vous qu'il y avait dans les poches ?

— Je ne saurais le dire.

— Non, je ne crois pas que vous le devinerez. Toutes les poches étaient bourrées de gros et de petits sous – quatre cent vingt et un gros sou et deux cent soixante-dix petits sous. Rien d'étonnant que l'habit n'eût pas été emporté par la marée. Mais un corps humain, c'est une autre affaire. Il existe, entre le quai et la maison, un remous impétueux. Il parut assez vraisemblable que l'habit ainsi lesté fût resté là, alors que le corps dépouillé avait été aspiré par le remous et entraîné dans le fleuve.

— Mais vous me dites que l'on avait trouvé tous les autres vêtements dans la chambre. Le corps aurait-il été vêtu de son seul costume ?

— Non, monsieur ; mais on pourrait expliquer les faits de manière assez spécieuse. Supposez que le dénommé Boone ait jeté Neville Saint-Clair par la fenêtre et qu'il n'y ait pas eu un seul témoin pour le voir. Que fera-t-il, alors ? Naturellement l'idée lui vient tout de suite qu'il faut se débarrasser des vêtements dénonciateurs. Alors il saisit le costume et, au moment de le jeter, il s'avise qu'il va flotter et ne coulera pas. Il n'a que peu de temps devant lui, car il a entendu la bagarre en bas quand la femme a tenté de monter de force ; peut-être aussi a-t-il su par son complice Lascar que la police accourt dans la rue. Il n'y a pas un moment à perdre. Il se précipite vers un magot caché où se trouve accumulé le produit de sa mendicité et il fourre toutes les pièces sur lesquelles il peut mettre la main dans les poches du costume, pour être sûr qu'il coulera. Il le lance au-dehors et il en aurait fait autant des autres vêtements s'il n'avait entendu en bas des pas précipités, mais il n'a eu que le temps de fermer la fenêtre quand la police a fait son apparition.

— Tout cela semble plausible.

— Eh bien ! faute de mieux, ce sera l'hypothèse sur laquelle nous travaillerons. Boone, je vous l'ai dit, a été arrêté et emmené au poste, mais on n'a pas pu prouver qu'on ait jamais eu auparavant quoi que ce soit à lui reprocher. Depuis des années on le connaissait comme un mendiant de profession, mais sa vie semblait avoir toujours été tranquille et inoffensive. Voilà où en sont les choses à l'heure présente et toutes les questions qu'il s'agit de résoudre : ce que Saint-Clair faisait dans le bouge, ce qui lui est arrivé quand il était là, et quel rôle a joué Boone dans sa disparition, toutes ces questions sont bien loin d'être résolues. J'avoue que je ne peux, dans ma carrière, me rappeler aucun cas qui, au premier abord, semblât si simple et qui cependant présentât tant de difficultés !

Pendant que Sherlock Holmes avait relaté cette singulière suite d'événements, nous avions traversé à toute vitesse la banlieue de la grande ville ; nous avions laissé derrière nous les dernières maisons disséminées çà et là et nous roulions bruyamment le long d'une route campagnarde bordée d'une haie de chaque côté. Sur la fin du récit, cependant, nous traversions deux villages aux maisons éparses et dont quelques lumières éclairaient encore les fenêtres.

— Nous sommes maintenant à la lisière de Lee, dit mon compagnon, et dans notre brève course nous avons touché trois comtés anglais partant du Middlesex, nous avons traversé un coin du Surrey et nous finissons dans le Kent. Voyez-vous cette lumière parmi les arbres ? C'est la villa *Les Cèdres*, et auprès de cette lumière est assise une femme dont les oreilles anxieuses ont déjà, je n'en doute point, perçu le bruit des sabots de notre cheval.

— Mais pourquoi ne menez-vous pas l'affaire depuis Baker Street ?

— Parce qu'il y a de nombreuses recherches qu'il faut faire ici. Mme Saint-Clair a eu l'amabilité de mettre deux pièces à ma disposition, et vous pouvez être assuré qu'elle ne saurait faire qu'un accueil cordial à mon ami et collègue. Cela me coûte fort de la rencontrer, Watson, alors que je n'apporte encore aucune nouvelle de son mari. Nous y voici. Holà ! là ! Holà !

Nous nous étions arrêtés en face d'une grande villa, située au centre de la propriété. Un petit valet d'écurie accourut à la tête du cheval et, ayant sauté de la voiture, je remontai, derrière Holmes, la petite allée de gravier qui serpentait jusqu'à la maison. Comme nous en approchions, la porte s'ouvrit brusquement et une petite femme blonde parut dans l'entrée. Elle était vêtue d'une sorte de mousseline de soie légère, avec un soupçon de peluche rose au cou et aux poignets. Sa silhouette se détachait contre le flot de la lumière ; une main sur la porte, l'autre à moitié levée dans son empressement, le buste légèrement incliné, la tête et le visage tendus vers nous, les yeux anxieux, les lèvres entrouvertes, tout son être semblait nous interroger.

— Eh bien ? s'écria-t-elle. Eh bien ?

Puis, en voyant que nous étions deux, elle poussa un cri d'espoir, mais celui-ci se changea en un gémissement quand elle vit mon compagnon hocher la tête et hausser les épaules.

— Pas de bonnes nouvelles ?

— Aucune.

— Pas de mauvaises non plus ?

— Non.

— Dieu merci pour cela. Mais entrez, vous devez être fatigué, car la journée a été longue, pour vous.

— Monsieur est mon ami, le docteur Watson. Il m'a été d'une aide vitale dans plusieurs affaires et un heureux hasard m'a permis de l'amener avec moi et de l'associer à cette enquête.

— Je suis enchantée de vous voir, dit-elle en me serrant chaleureusement la main. Vous pardonnerez, j'en suis sûre, tout ce qui peut être défectueux dans notre organisation, quand vous réfléchirez au coup qui nous a frappés si brusquement.

— Chère madame, dis-je, je suis un vieux soldat et même s'il n'en était pas ainsi, je peux très bien voir que vous n'avez pas besoin de vous excuser. Si je puis vous être utile, soit à vous, soit à mon ami, j'en serai, en vérité, très heureux.

— Maintenant, monsieur Sherlock Holmes, dit la dame pendant que nous entrions dans une salle à manger bien éclairée, sur la table de laquelle on avait préparé un souper froid, j'aimerais beaucoup vous poser une ou deux questions très précises auxquelles je vous prierai de faire une réponse également très précise.

— Certainement, madame.

— Ne vous occupez pas de ce que je ressens. Je ne suis pas hystérique et je ne m'évanouis point. Je désire simplement vous entendre exprimer votre opinion, mais votre opinion sincère.

— Sur quoi, madame ?

— Tout au fond de votre cœur, croyez-vous que Neville soit vivant ?

La question parut embarrasser Sherlock Holmes.

— Franchement donc !

Debout sur le tapis du foyer, elle répéta les deux mots, en regardant fixement Sherlock, renversée en arrière dans une bergère.

— Franchement donc, madame, je ne le crois pas.

— Vous pensez qu'il est mort ?

— Je le pense.

— Assassiné ?

— Je ne dis pas cela. Peut-être.

— Et quel jour est-il mort ?

— Lundi.

— Alors peut-être, monsieur Holmes, aurez-vous la bonté de m'expliquer comment il se fait que j'aie, aujourd'hui, reçu cette lettre de lui ?

Sherlock Holmes bondit de son fauteuil comme s'il avait été galvanisé.

— Quoi ? rugit-il.

— Oui, aujourd'hui.

Elle était debout et, souriante, tenait en l'air un petit carré de papier.

— Puis-je la voir ?

— Certainement.

Il lui prit le message avec fébrilité et, l'aplatissant sur la table, il en approcha la lampe et l'examina très attentivement. J'avais quitté ma chaise et je regardais par-dessus son épaule. L'enveloppe était très grossière, elle portait le cachet de la poste de Gravesend, avec la date même du jour ou plutôt de la veille, car il était déjà bien plus de minuit.

— Écriture bien lourde ! murmura Holmes. Sûrement ce n'est pas là l'écriture de votre mari, madame.

— Non, mais le contenu est de son écriture.

— Je vois aussi que celui, quel qu'il soit, qui a écrit l'enveloppe a dû aller s'informer de l'adresse.

— Comment pouvez-vous dire cela ?

— Le nom, vous le voyez, est écrit d'une encre parfaitement noire qui a séché toute seule. Le reste est d'une couleur grisâtre qui indique que l'on a employé un papier buvard. Si l'enveloppe avait été écrite tout d'un coup, puis passée au buvard, il n'y aurait point de mots d'un ton plus foncé. Cet homme a écrit le nom et puis il y a eu un arrêt, une pause avant d'écrire l'adresse, ce qui peut seulement signifier que l'adresse ne lui était pas familière. C'est une chose insignifiante, bien sûr, mais rien n'est plus important que les choses insignifiantes. Voyons la lettre, maintenant. Ah ! On a joint quelque chose à la lettre.

— Oui, il y avait un anneau : son cachet.

— Et vous êtes sûre que c'est l'écriture de votre mari ?

— Oui, une de ses écritures.

— Une ?

— Son écriture quand il est pressé. Elle diffère beaucoup de son écriture ordinaire, pourtant je la reconnais bien.

Holmes lut :

— *Chérie, n'aie pas peur. Tout ira bien. Il y a une grosse erreur, il faudra peut-être un certain temps pour la rectifier. Attends avec patience.* NEVILLE.

« Écrite au crayon sur la feuille de garde d'un livre in-octavo, sans filigrane ; a été mise à la poste aujourd'hui à Gravesend par quelqu'un qui avait le pouce sale. Ah ! et la gomme de la fermeture a été léchée (ou je me trompe beaucoup) par une personne qui avait chiqué. Et vous n'avez, madame, aucun doute que ce soit bien l'écriture de votre mari ?

— Pas le moindre doute. C'est Neville qui a écrit ces mots-là.

— Et ils ont été mis à la poste de Gravesend aujourd'hui. Eh bien, madame Saint-Clair, les nuages s'éclaircissent, bien que je ne me risquerais pas à dire que le danger soit passé !

— Mais il doit être vivant, monsieur Holmes.

— À moins que ce ne soit là un faux très habile pour nous lancer sur une fausse piste. La bague, après tout, ne prouve rien. On peut la lui avoir prise.

— Non, non ! c'est bien, absolument bien, son écriture.

— D'accord ! Pourtant ce billet a pu être écrit lundi et mis à la poste aujourd'hui seulement.

— C'est possible.

— S'il en est ainsi, bien des choses ont pu survenir depuis.

— Oh ! il ne faut pas me décourager, monsieur Holmes. Je sais qu'il ne court aucun danger. Il y a entre nous tant d'affinités que s'il lui arrivait malheur je le saurais, je le sentirais. Le jour même où je l'ai vu pour la dernière fois, il s'est coupé. Il était dans la chambre à coucher et moi, de la salle à manger où j'étais, je me suis sur-le-champ précipitée au premier, car j'étais certaine que quelque chose venait de lui arriver. Croyez-vous que j'aurais été sensible à une telle bagatelle et que, malgré cela, j'ignorerais sa mort ?

— J'ai vu trop de choses pour ne pas savoir que les impressions d'une femme peuvent être de plus de poids que les conclusions analytiques d'un logicien. Et vous avez certainement, en cette lettre, une preuve importante pour corroborer votre façon de voir. Mais si votre mari est vivant et s'il peut écrire, pourquoi resterait-il loin de vous ?

— Je ne saurais l'imaginer. C'est inconcevable.

— Et lundi, avant de vous quitter, il n'a fait aucune remarque ?

— Non.

— Et vous avez été surprise de le voir dans Swandam Lane ?

— Très surprise.

— La fenêtre était-elle ouverte ?

— Oui.

— Alors il aurait pu vous appeler ?

— C'est vrai.

— Et, d'après ce que je sais, il a seulement poussé un cri inarticulé ?

— Oui.

— C'était, pensiez-vous, un appel au secours ?

— Oui, il a agité les mains.

— Mais ce pouvait être un cri de surprise. L'étonnement en vous voyant de façon inattendue a pu lui faire jeter les bras en l'air.

— C'est possible.

— Et vous avez pensé qu'on le tirait en arrière.

— Il a disparu si brusquement.

— Il a pu faire un bond en arrière. Vous n'avez vu personne d'autre dans la pièce ?

— Non, mais cet homme horrible a avoué qu'il y était, et Lascar était au pied de l'escalier.

101

— Exactement. Votre mari, autant que vous avez pu voir, portait ses vêtements ordinaires ?

— À l'exception de son col ou de sa cravate. J'ai vu nettement sa gorge nue.

— Avait-il jamais parlé de Swandam Lane ?

— Jamais.

— Vous avait-il jamais laissé percevoir à certains signes qu'il avait fumé de l'opium ?

— Jamais.

— Merci, madame Saint-Clair ; ce sont là les points principaux sur lesquels je désirais être absolument renseigné. Nous allons maintenant souper légèrement et nous nous retirerons, car nous aurons peut-être demain une journée très occupée.

On avait mis à notre disposition une grande et confortable chambre à deux lits et je fus rapidement entre mes draps, car je me sentais fatigué après cette nuit d'aventures. Sherlock Holmes, cependant, était un homme qui, quand il avait en tête un problème à résoudre, passait des jours et même une semaine sans repos, à le tourner et retourner, à réarranger les faits, à les considérer sous tous les angles, jusqu'à ce qu'il en eût complètement pris la mesure ou qu'il se fût convaincu que ses données étaient insuffisantes. Pour moi, il fut bientôt évident qu'il se préparait en vue d'une veillée qui durerait toute la nuit. Il enleva son habit et son gilet, endossa une ample robe de chambre bleue, puis erra dans la pièce pour rassembler les oreillers du lit, les coussins du canapé et ceux des fauteuils. Il en construisit une sorte de divan oriental sur lequel il se percha, les jambes croisées, avec, devant lui, un paquet de tabac ordinaire et une boîte d'allumettes. Dans la vague lumière de la lampe, je le voyais là, assis, une vieille pipe de bruyère entre les dents, les yeux perdus attachés à un coin du plafond, la fumée bleue montant au-dessus de lui et la lumière mettant en relief ses traits aquilins. Tel il était, silencieux et immobile, quand je m'endormis, tel je le retrouvai quand un cri subit m'éveilla. Le soleil d'été brillait dans notre chambre. Sherlock Holmes avait toujours sa pipe entre les dents, la fumée montait toujours en volutes et la chambre était pleine d'un intense brouillard de tabac ; il ne restait d'ailleurs plus rien du paquet de tabac que j'avais vu la veille.

— Réveillé, Watson ? demanda-t-il.

— Oui.

— Dispos pour une course matinale ?

— Certainement.

— Alors, habillez-vous. Personne ne bouge encore, mais je sais où couche le garçon d'écurie et nous aurons bientôt la voiture.

Ce disant, il riait sous cape, ses yeux pétillaient et il avait l'air d'un homme totalement différent du sombre penseur de la veille.

Tout en m'habillant, j'ai regardé ma montre. Il n'y avait rien de surprenant que personne ne bougeât. Il était quatre heures vingt-cinq. J'avais à peine fini que Holmes revenait et m'annonçait que le garçon était en train d'atteler.

— Je vais mettre à l'épreuve une de mes théories, dit-il en enfilant ses chaussures. Je crois, Watson, que vous êtes en ce moment en présence d'un des plus parfaits imbéciles de l'Europe. Je mérite un coup de pied qui m'enverrait à tous les diables ; mais je crois que je tiens maintenant la clé de l'affaire.

— Et où est-elle ? demandai-je en souriant.

— Dans la salle de bains. Vraiment, je ne plaisante pas, continua-t-il devant mon air d'incrédulité. J'en viens et je l'ai prise, et je l'ai là dans mon sac de voyage. Venez, mon cher, et nous verrons si elle va dans la serrure.

Nous sommes descendus aussi doucement que possible et nous sommes sortis dans le pâle soleil du matin. Le cheval et la carriole étaient sur la route, avec, à la tête de la bête, le garçon d'écurie à moitié habillé. Nous avons sauté en voiture et à toute vitesse nous avons pris le chemin de Londres. Quelques charrettes seulement, chargées de légumes pour la capitale, s'avançaient sur la route, mais les villas qui la bordent de chaque côté étaient silencieuses et mortes comme celles d'une ville de rêve.

— Sous certains rapports, dit Holmes en touchant du fouet le cheval pour lui faire prendre le galop, j'avoue que j'ai été aussi aveugle qu'une taupe, mais quand il s'agit d'apprendre la sagesse, mieux vaut tard que jamais.

En ville, les tout premiers levés, encore à demi endormis, commençaient tout juste à mettre le nez à la fenêtre que nous roulions déjà le long des rues du côté du Surrey. Suivant la route du pont de Waterloo, nous avons traversé la rivière et, tournant brusquement à droite par Wellington

Street, nous nous sommes trouvés dans Bow Street. Sherlock Holmes était bien connu au commissariat central et les deux agents à la porte le saluèrent. L'un d'eux tint la bride du cheval pendant que l'autre nous faisait entrer.

— Qui est de service ? demanda Holmes.

— L'inspecteur Bradstreet, monsieur.

— Ah ! Bradstreet, comment allez-vous ?

Un fonctionnaire grand et corpulent s'était avancé dans le couloir dallé. Il avait sur la tête un calot pointu et était vêtu d'un habit à brandebourgs.

— Je voudrais vous dire deux mots, Bradstreet.

— Certainement, monsieur Holmes. Entrez dans ma pièce, ici.

C'était une petite pièce qui avait des airs de bureau avec un énorme registre sur la table et un téléphone à demi encastré dans le mur. L'inspecteur s'assit à son pupitre.

— Et que puis-je pour vous, monsieur Holmes ?

— C'est à propos de ce mendiant, Boone, celui qui est impliqué dans la disparition de M. Neville Saint-Clair, de Lee.

— Oui, on l'a amené ici hier et on le garde à notre disposition pour plus ample informé.

— C'est ce qu'on m'a dit. Vous l'avez ici ?

— En cellule.

— Est-il calme ?

— Oh ! il ne donne aucun embarras. Il est seulement d'une saleté !...

— Sale ?

— Oui, c'est tout ce que nous pouvons faire que de le faire se laver les mains, et son visage est aussi noir que celui d'un ramoneur. Ah ! une fois son affaire réglée, on lui fera prendre un de ces bains, je vous le promets, et je crois que si vous le voyiez, vous seriez d'accord avec moi pour dire qu'il en a besoin.

— Je voudrais bien le voir.

— Vraiment ? C'est facile. Venez par ici. Vous pouvez laisser votre sac.

— Non, je crois que je vais le prendre.

— Très bien. Venez par ici, s'il vous plaît.

Il nous guida le long d'un couloir, ouvrit une porte barricadée, descendit un escalier tournant et nous amena dans un corridor blanchi à la chaux avec une rangée de portes de chaque côté.

— La troisième à droite, c'est la sienne ! dit l'inspecteur. C'est ici !

Il fit sans bruit glisser un panneau dans la partie supérieure de la porte et regarda à l'intérieur.

— Il dort, dit-il. Vous pouvez très bien le voir.

Nous regardâmes tous les deux par le grillage. Le prisonnier était couché, le visage tourné vers nous, il dormait d'un sommeil très profond ; il respirait lentement, et avec bruit. C'était un homme de taille moyenne. Pauvrement habillé comme il convenait à sa profession, il portait une chemise de couleur qui sortait par une déchirure de son vêtement en guenilles. Il était, comme le policier nous l'avait dit, extrêmement sale ; toutefois la saleté qui couvrait son visage ne pouvait cacher sa laideur repoussante. Une large couture, résultant d'une vieille cicatrice, courait de l'œil au menton et, par sa contraction, avait retourné une partie de la lèvre supérieure de telle sorte que trois dents qui restaient perpétuellement visibles lui donnaient un air hargneux. Une tignasse de cheveux d'un rouge vif descendait sur ses yeux et sur son front.

— C'est une beauté, hein ? dit l'inspecteur.

— Il a certainement besoin qu'on le lave, observa Holmes. Je m'en doutais et j'ai pris la liberté d'en apporter avec moi les moyens.

Tout en parlant, il ouvrit son sac de voyage et en sortit, à mon grand étonnement, une très grosse éponge de bain.

— Hi ! Hi ! vous êtes un rigolo ! dit l'inspecteur en riant à demi.

— Maintenant, si vous voulez bien avoir la grande amabilité d'ouvrir cette porte tout doucement, nous lui ferons bientôt prendre une figure beaucoup plus respectable.

— Pourquoi pas, je n'y vois pas d'objection. Il ne fait pas honneur aux cellules de Bow Street, hein ?

Il glissa sa clé dans la serrure et, sans bruit, nous pénétrâmes dans la cellule. Le dormeur se retourna à demi et tout de suite se remit à dormir profondément. Holmes se pencha sur la cruche à eau, y mouilla son éponge, puis, à deux reprises, en frotta avec vigueur le visage du prisonnier de haut en bas et de droite à gauche.

— Permcttez-moi de vous présenter, cria-t-il, M. Neville Saint-Clair, de Lee, dans le comté de Kent !

Jamais de ma vie je n'ai vu pareil spectacle. Le visage de l'homme pela sous l'éponge comme l'écorce d'un arbre. Disparurent également l'horrible cicatrice qui couturait ce visage et la lèvre retournée qui lui donnait son hideux ricanement. Une légère secousse détacha les cheveux roux emmêlés et, assis devant nous, dans son lit, il ne resta plus qu'un homme pâle, au visage morose et à l'air distingué, qui se frottait les yeux et regardait autour de lui, abasourdi et encore endormi. Puis, se rendant tout à coup compte qu'il était démasqué, il poussa un cri perçant et se rejeta sur le lit, le visage contre l'oreiller.

— Bon Dieu ! s'écria l'inspecteur, en effet, c'est bien le disparu. Je le reconnais par sa photo.

Le prisonnier se retourna, avec l'air insouciant d'un homme qui s'abandonne à son destin.

— D'accord, dit-il, mais, je vous en prie, de quoi m'accuse-t-on ?

— D'avoir fait disparaître M. Neville Saint... Oh ! au fait, on ne peut pas vous accuser de ça, à moins qu'on ne vous poursuive pour tentative de suicide, dit l'inspecteur avec une grimace. Eh bien, il y a vingt-sept ans que je suis dans la police, mais ça, en vérité, ça décroche la timbale !

— Si je suis M. Neville Saint-Clair, il est évident alors qu'il n'y a pas eu de crime et que, par conséquent, on me détient illégalement.

— Il n'y a pas eu de crime, dit Holmes, mais une grosse erreur a été commise. Vous auriez mieux fait d'avoir confiance en votre femme.

— Ce n'était pas pour ma femme, c'était à cause des enfants... grommela le prisonnier. Seigneur ! Je ne voulais pas qu'ils eussent honte de leur père. Mon Dieu ! être ainsi démasqué ! Que faire ?

Sherlock Holmes s'assit à côté de lui sur la couchette et avec bonté lui tapa sur l'épaule.

— Si vous laissez un tribunal débrouiller la chose, dit-il, vous ne pourrez, bien entendu, éviter la publicité. D'autre part, si vous persuadez la police qu'il n'y a pas lieu d'intenter une action contre vous, il n'y a pas, que je sache, la moindre raison pour que les détails soient communiqués aux journaux. L'inspecteur Bradstreet, j'en suis sûr, prendrait note de tout ce que vous pourriez nous dire et le soumettrait aux autorités compétentes. En ce cas, votre affaire n'irait jamais devant un tribunal.

— Dieu vous bénisse ! s'écria le prisonnier avec véhémence. J'aurais enduré la prison, et davantage, la pendaison même, plutôt que de laisser mon misérable secret devenir une tare familiale aux yeux de mes enfants.

« Vous serez les premiers à connaître mon histoire. Mon père était maître d'école à Chesterfield où j'ai reçu une excellente éducation. J'ai voyagé dans ma jeunesse, j'ai fait du théâtre et finalement je suis devenu reporter dans un journal du soir de Londres. Un jour, mon rédacteur en chef désira avoir une série d'articles sur la mendicité dans la capitale, et je m'offris pour les faire. Ce fut le point de départ de toutes mes aventures. Ce n'était qu'en essayant de mendier en amateur que je pouvais entrer en possession des faits sur lesquels je bâtissais mes articles. Au temps où j'étais acteur, j'avais naturellement appris tous les secrets de l'art de se grimer, et mon habileté m'avait rendu célèbre dans la profession. Je me peignis donc le visage et pour me rendre aussi pitoyable que possible, je me fis une belle cicatrice tout en immobilisant un des côtés de ma lèvre, restaurée au moyen d'une petite bande de taffetas couleur de chair. Et puis, avec une perruque rousse et des vêtements de circonstance, je me suis installé dans le coin le plus fréquenté de la Cité, avec l'air de vendre des allumettes, mais, en fait, en demandant la charité. Pendant sept heures j'exerçai mon métier et quand je rentrai le soir chez moi, je découvris, à ma grande surprise, que je n'avais pas reçu moins de vingt-six shillings et quatre pence.

« J'écrivis mes articles et je ne pensais plus guère à cette aventure quand, un peu plus tard, après avoir endossé une traite pour un ami, je reçus une assignation d'avoir à payer trente-cinq livres. Je ne savais que faire ni où me procurer l'argent, quand une idée me vint. J'ai demandé un délai de quinze jours à mon créancier et un congé à mon journal et j'ai passé ce temps à mendier dans la Cité, déguisé comme vous savez. En dix jours j'avais l'argent et la dette était payée.

« Vous pouvez imaginer qu'il était dur de se remettre à un travail fatigant pour deux livres par semaine quand je savais que je pouvais gagner autant en une seule journée rien qu'en me barbouillant la face avec un peu de couleur, et en demeurant tranquillement assis à côté de ma casquette posée par terre. Il y eut un long débat entre mon orgueil et l'argent, mais les livres l'emportèrent en fin de compte. Je renonçai au reportage et, jour après jour, dans le coin que j'avais choisi d'emblée, je m'assis, inspirant la pitié par mon lugubre visage et remplissant mes poches de sous. Un seul homme connaissait mon secret. C'était le tenancier du bouge où je logeais dans Swandam Lane. Je pouvais chaque matin en sortir sous l'aspect d'un mendiant crasseux et, le soir, m'y transformer en un monsieur bien habillé. Cet individu – un certain Lascar –, je le payais si largement pour sa chambre que je savais que mon secret ne risquait rien en sa possession.

« J'ai bientôt constaté que je mettais de côté des sommes considérables. Je ne prétends pas que n'importe quel mendiant des rues de Londres peut gagner sept cents livres par an – et c'est là moins que je ne me faisais en moyenne – mais j'avais des avantages exceptionnels, grâce à ma science du maquillage et aussi grâce à une facilité de repartie qui devint plus grande par l'habitude et qui fit de moi un type bien connu de la Cité. Toute la journée une pluie de sous, agrémentée de piécettes d'argent, tombait sur moi et c'était une bien mauvaise journée que celle où je ne recueillais pas mes deux livres.

« À mesure que je devenais plus riche, je devenais plus ambitieux ; je pris une maison à la campagne et un beau jour je me suis marié sans que personne soupçonnât mon véritable métier. Ma chère femme savait que j'étais occupé dans la Cité ; elle ne savait guère à quoi.

« Lundi dernier, j'avais fini ma journée et je m'habillais dans ma chambre au-dessus de la fumerie d'opium quand je regardai par la fenêtre et je vis, avec horreur et surprise, que ma femme était là, dans la rue, les yeux fixés sur moi. J'ai poussé un cri, j'ai levé les bras pour cacher mon visage et, me précipitant vers mon confident, Lascar, je l'ai supplié d'empêcher qui que ce fût de monter dans ma chambre. J'ai entendu en bas la voix de ma femme, mais je savais qu'elle ne pourrait pas monter. Rapidement j'ai enlevé mes vêtements, j'ai endossé ceux du mendiant, j'ai mis mes fards et ma perruque. Même les yeux d'une épouse ne pouvaient pas percer un déguisement aussi complet. Mais il me vint alors à la pensée qu'on pourrait fouiller la pièce et que mes vêtements risquaient de me trahir. J'ai vivement ouvert la fenêtre – mouvement violent qui fit se rouvrir une petite coupure que je m'étais faite dans notre chambre à coucher ce matin-là. Là-dessus, j'ai saisi mon habit qui était alourdi par les sous que je venais d'y mettre, en les déversant du sac de cuir dans lequel je fourrais mes gains. Je l'ai lancé par la fenêtre et il a disparu dans la Tamise. Les autres vêtements auraient suivi, mais à ce moment-là les agents grimpaient l'escalier quatre à quatre et, quelques minutes plus tard, je constatai – ce qui me fit plutôt plaisir, je l'avoue – qu'au lieu d'identifier en moi M. Neville Saint-Clair, on m'arrêtait comme son assassin.

« Je ne crois pas qu'il y ait autre chose à vous expliquer. J'étais bien résolu à garder mon déguisement aussi longtemps que possible, ce qui explique ma répugnance à me laver. Sachant que ma femme serait en proie à une terrible anxiété, j'ai enlevé ma bague et je l'ai confiée à Lascar à un moment où aucun agent ne me surveillait. J'ai griffonné en même temps quelques mots pour lui dire qu'il n'y avait aucune raison d'avoir peur.

— Ce billet ne lui est parvenu qu'hier, dit Holmes.

— Grand Dieu ! Quelle semaine elle a dû passer !

— La police surveillait Lascar, dit l'inspecteur Bradstreet, et je comprends sans peine qu'il ait trouvé quelque difficulté à expédier cette lettre sans qu'on le voie. Peut-être l'a-t-il passée à un de ses clients, à un marin qui l'aura complètement oubliée pendant quelques jours.

— C'est bien cela, dit Holmes, approuvant d'un signe de tête. Je n'en doute point. Mais vous n'avez donc jamais été poursuivi pour mendicité ?

— Que si ! maintes fois ; mais qu'était-ce qu'une amende pour moi ?

— Il va pourtant falloir que ça cesse, dit Bradstreet. Pour que la police consente à faire le silence sur cette affaire, il faudra qu'il n'y ait plus de Hugh Boone.

— Je l'ai juré par le serment le plus solennel que puisse faire un homme.

— En ce cas, je crois que ça n'ira probablement pas plus loin. Mais si on vous y reprend, alors tout se saura. Pour sûr, monsieur Holmes, que nous vous sommes fort obligés d'avoir éclairci cette affaire. Je voudrais bien savoir comment vous obtenez ces résultats-là !

— J'ai obtenu celui-ci, dit mon ami, en restant assis sur cinq coussins et en brûlant un paquet de tabac. Je crois, Watson, que si nous rentrons à Baker Street en voiture, nous y serons juste à temps pour le déjeuner.

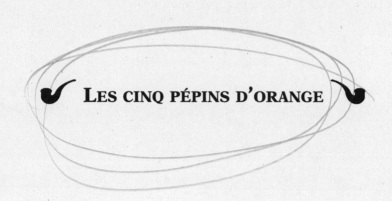

LES CINQ PÉPINS D'ORANGE

Quand je jette un coup d'œil sur les notes et les résumés qui ont trait aux enquêtes menées par Sherlock Holmes entre les années 1882 et 1890, j'en retrouve tellement dont les caractéristiques sont à la fois étranges et intéressantes qu'il n'est pas facile de savoir lesquelles choisir et lesquelles omettre. Quelques-unes, pourtant, ont déjà bénéficié d'une certaine publicité grâce aux journaux et d'autres n'ont pas fourni à mon ami l'occasion de déployer ces dons exceptionnels qu'il possédait à un si haut degré et que les présents écrits visent à mettre en lumière. Quelques-unes, aussi, ont mis en défaut l'habileté de son analyse et seraient, en tant que récits, des exposés sans conclusion. D'autres, enfin, n'ayant été élucidées qu'en partie, leur explication se trouve établie par conjectures et hypothèses plutôt qu'au moyen de cette preuve logique absolue à quoi Holmes attachait tant de prix. Parmi ces dernières, il en est une pourtant qui fut si remarquable en ses détails, si étonnante en ses résultats, que je cède à la tentation de la relater, bien que certaines des énigmes qu'elle pose n'aient jamais été résolues et, selon toute probabilité, ne le seront jamais entièrement.

L'année 1887 nous a procuré une longue série d'enquêtes d'intérêt variable dont je conserve les résumés. Dans la nomenclature de cette année-là, je trouve une relation de l'entreprise de la Chambre Paradol, un exposé concernant la Société des Mendiants amateurs, un cercle dont les locaux somptueux se trouvaient dans le sous-sol voûté d'un grand magasin d'ameublement, des précisions sur la perte de la barque anglaise *Sophie Anderson*, sur les singulières aventures de Grace Patersons aux îles d'Uffa et enfin sur l'affaire des poisons de Camberwell. Au cours de cette enquête, Sherlock Holmes, on ne l'a pas oublié, parvint, en remontant la montre du défunt, à prouver qu'elle avait été remontée deux heures auparavant, et que, par conséquent, la victime s'était couchée à un moment quelconque de ces deux heures-là — déduction qui fut de la plus grande importance dans la solution de l'affaire. Il se peut qu'un jour je retrace toutes ces enquêtes, mais aucune ne présente des traits aussi singuliers que l'étrange suite d'incidents que j'ai l'intention de narrer.

C'était dans les derniers jours de septembre et les vents d'équinoxe avaient commencé de souffler avec une rare violence. Toute la journée la bourrasque avait sifflé et la pluie avait battu les vitres, de telle sorte que, même en plein cœur de cet immense Londres, œuvre des hommes, nous étions temporairement contraints de détourner nos esprits de la routine de la vie, pour les hausser jusqu'à admettre l'existence de ces grandes forces élémentaires qui, tels des fauves indomptés dans une cage, rugissent contre l'humanité à travers les barreaux de sa civilisation. À mesure que la soirée s'avançait, la tempête se déchaînait de plus en plus, le vent pleurait en sanglotant dans la cheminée comme un enfant. Sherlock Holmes, pas très en train, était assis d'un côté de l'âtre, à feuilleter son répertoire criminel, tandis que, de l'autre côté, j'étais plongé dans un des beaux récits maritimes de Clark Russel, de telle sorte que les hurlements de la tempête au-dehors semblaient faire corps avec mon texte, et que la pluie cinglante paraissait se prolonger et se fondre dans le glapissement des vagues de la mer. Ma femme était en visite chez sa tante et, pour quelques jours, j'étais revenu habiter à Baker Street.

— Eh mais ! dis-je en regardant mon compagnon, il n'y a pas de doute, c'est la sonnette ! Qui donc pourrait venir ce soir ? Un de vos amis, peut-être ?

— En dehors de vous, je n'en ai point, répondit-il, je n'encourage pas les visiteurs.

— Un client, alors ?

— Si c'est un client, l'affaire est sérieuse. Sans cela, on ne sortirait pas par un tel temps et à une telle heure. Mais c'est vraisemblablement une des commères de notre logeuse, j'imagine.

Sherlock Holmes se trompait cependant, car nous entendîmes des pas dans le corridor et on frappa à notre porte. Sherlock étendit son long bras pour détourner de lui-même le faisceau lumineux de la lampe et le diriger sur la chaise libre où le nouveau venu s'assiérait.

— Entrez ! dit-il.

L'homme qui entra était jeune, vingt-deux ans peut-être ; très soigné et mis avec élégance, ses manières dénotaient une certaine recherche et une certaine délicatesse. Tout comme le parapluie ruisselant qu'il tenait à la main, son imperméable luisant disait le temps abominable par lequel il était venu. Dans la lumière éblouissante de la lampe, il regardait anxieusement autour de lui, et je pus voir que son visage était pâle et ses yeux lourds, comme ceux d'un homme qu'étreint une immense anxiété.

— Je vous dois des excuses, dit-il, tout en levant son lorgnon d'or vers ses yeux. J'espère que ça ne vous dérange pas, mais j'ai bien peur d'avoir apporté dans cette pièce confortable quelques traces de la tempête et de la pluie.

— Donnez-moi votre manteau et votre parapluie, dit Holmes. Ils seront fort bien là sur le crochet et vous les retrouverez secs tout à l'heure. Vous venez du sud-ouest de Londres à ce que je vois.

— Oui, de Horsham.

— Ce mélange d'argile et de chaux que j'aperçois sur le bout de vos chaussures est tout à fait caractéristique.

— Je suis venu chercher un conseil.

— C'est chose facile à obtenir.

— Et de l'aide.

— Ce n'est pas toujours aussi facile.

— J'ai entendu parler de vous, monsieur Holmes. J'en ai entendu parler par le commandant Prendergast que vous avez sauvé dans le scandale du Tankerville Club.

— Ah ! c'est vrai. On l'avait à tort accusé de tricher aux cartes.

— Il dit que vous êtes capable de résoudre n'importe quel problème.

— C'est trop dire.

— Que vous n'êtes jamais battu.

— J'ai été battu quatre fois – trois fois par des hommes et une fois par une femme.

— Mais qu'est-ce que cela, comparé au nombre de vos succès...

— C'est vrai que d'une façon générale, j'ai réussi.

— Vous pouvez donc réussir pour moi.

— Je vous en prie, approchez votre chaise du feu et veuillez me donner quelques détails au sujet de votre affaire.

— Ce n'est pas une affaire ordinaire.

— Aucune de celles qu'on m'amène ne l'est. Je suis la suprême cour d'appel.

— Et pourtant je me demande, monsieur, si, dans toute votre carrière, vous avez jamais eu l'occasion d'entendre le récit d'une suite d'événements aussi mystérieux et inexplicables que ceux qui se sont produits dans ma famille.

— Vous me passionnez, dit Holmes. Je vous en prie, donnez-moi depuis le début les faits essentiels et pour les détails je pourrai ensuite vous questionner sur les points qui me sembleront les plus importants.

Le jeune homme approcha sa chaise du feu et allongea vers la flamme ses semelles détrempées.

— Je m'appelle, dit-il, John Openshaw, mais ma personne n'a, si tant est que j'y comprenne quoi que ce soit, rien à voir avec cette terrible affaire. Il s'agit d'une chose héréditaire ; aussi, afin de vous donner une idée des faits, faut-il que je remonte tout au début.

« Il faut que vous sachiez que mon grand-père avait deux fils – mon oncle, Élias, et mon père, Joseph. Mon père avait à Coventry une petite usine qu'il agrandit à l'époque de l'invention de la bicyclette. Il détenait le brevet du pneu increvable Openshaw, et son affaire prospéra si bien qu'il put la vendre et se retirer avec une belle aisance.

« Mon oncle Élias émigra en Amérique dans sa jeunesse et devint planteur en Floride où, à ce qu'on apprit, il avait très bien réussi. Au moment de la guerre de Sécession, il combattit dans l'armée de Jackson, puis plus tard sous les ordres de Hood et conquit ses galons de colonel. Quand Lee eut déposé les armes, mon oncle retourna à sa plantation où il resta trois ou quatre ans encore. Vers 1869 ou 1870, il revint en Europe et prit un petit domaine dans le Sussex, près de Horsham. Il avait fait fortune aux États-Unis, mais il quitta ce pays en raison de son aversion pour les nègres et par dégoût de la politique républicaine qui leur accordait la liberté. C'était un homme singulier et farouche qui s'emportait facilement. Quand il était en colère, il avait l'injure facile et devenait grossier. Avec cela, il aimait la solitude. Pendant toutes les années qu'il a vécues à Horsham je ne crois pas qu'il ait jamais mis le pied en ville. Il avait un jardin, deux ou trois champs autour de sa maison, et c'est là qu'il prenait de l'exercice. Très souvent pourtant, et pendant des semaines de suite, il ne sortait pas de sa chambre.

Il buvait pas mal d'eau-de-vie, il fumait énormément et, n'ayant pas besoin d'amis et pas même de son frère, il ne voulait voir personne.

« Il faisait une exception pour moi ; en fait, il me prit en affection, car lorsqu'il me vit pour la première fois, j'étais un gamin d'une douzaine d'années. Cela devait se passer en 1878, alors qu'il était en Angleterre depuis huit ou neuf ans. Il demanda à mon père de me laisser venir habiter chez lui et, à sa manière, il fut très bon avec moi. Quand il n'avait pas bu, il aimait jouer avec moi au trictrac et aux dames, et il me confiait le soin de le représenter auprès des domestiques et des commerçants, de telle sorte qu'aux environs de ma seizième année, j'étais tout à fait le maître de la maison. J'avais toutes les clés et je pouvais aller où je voulais et faire ce qu'il me plaisait, à condition de ne pas le déranger dans sa retraite. Il y avait, pourtant, une singulière exception, qui portait sur une seule chambre, une chambre de débarras, en haut, dans les mansardes, qu'il gardait constamment fermée à clé, où il ne tolérait pas qu'on entrât, ni moi ni personne. Curieux, comme tout enfant, j'ai un jour regardé par le trou de la serrure, mais je n'ai rien pu voir d'autre que le ramassis de vieilles malles et de ballots qu'on peut s'attendre à trouver dans une pièce de ce genre.

« Un matin, au petit déjeuner – c'était en mars 1883 –, une lettre affranchie d'un timbre étranger se trouva devant l'assiette du colonel. Avec lui ce n'était pas chose courante que de recevoir des lettres, car il payait comptant toutes ses factures et n'avait aucun ami.

« — Des Indes ! dit-il en la prenant. Le cachet de Pondichéry ! Qu'est-ce que ça peut bien être ?

« Il l'ouvrit aussitôt et il en tomba cinq petits pépins d'orange desséchés qui sonnèrent sur son assiette. J'allais en rire, mais le rire se figea sur mes lèvres en voyant son visage. Sa lèvre pendait, ses yeux s'exorbitaient, sa peau avait la pâleur du mastic et il regardait fixement l'enveloppe qu'il tenait toujours dans sa main tremblante.

« — K.K.K., s'écria-t-il, puis : Seigneur ! mes péchés sont retombés sur moi !

« — Qu'est-ce donc, mon oncle ? m'écriai-je.

« — La mort, dit-il, et, se levant de table, il se retira dans sa chambre.

« Je restai seul tout frémissant d'horreur.

« Je ramassai l'enveloppe et je vis, griffonnée à l'encre rouge sur le dedans du rabat, juste au-dessus de la gomme, la lettre K trois fois répétée. À part les cinq pépins desséchés, il n'y avait rien d'autre à l'intérieur. Quel motif pouvait avoir la terreur qui s'était emparée de mon oncle ?... Je quittai la table et, en montant l'escalier, je le rencontrai qui redescendait. Il tenait d'une main une vieille clé rouillée, qui devait être celle de la mansarde, et, de l'autre, une petite boîte en cuivre qui ressemblait à un petit coffret à argent.

« — Qu'ils fassent ce qu'ils veulent, je les tiendrai bien encore en échec ! dit-il avec un juron. Dis à Marie qu'aujourd'hui je veux du feu dans ma chambre et envoie chercher Fordham, le notaire de Horsham.

« Je fis ce qu'il me commandait et quand le notaire fut arrivé, on me fit dire de monter dans la chambre de mon oncle. Un feu ardent brûlait et la grille était pleine d'une masse de cendres noires et duveteuses, comme si l'on avait brûlé du papier. La boîte en cuivre était à côté, ouverte et vide. En y jetant un coup d'œil, j'eus un haut-le-corps, car j'aperçus, inscrit en caractères d'imprimerie sur le couvercle, le triple K que j'avais vu, le matin, sur l'enveloppe.

« — Je veux, John, dit mon oncle, que tu sois témoin de mon testament. Je laisse ma propriété, avec tous ses avantages et ses désavantages, à mon frère, ton père, après qui, sans doute, elle te reviendra. Si tu peux en jouir en paix, tant mieux ! Si tu trouves que c'est impossible, suis mon conseil, mon garçon, et abandonne-la à ton plus terrible ennemi. Je suis désolé de te léguer ainsi une arme à deux tranchants, mais je ne saurais dire quelle tournure les choses vont prendre. Aie la bonté de signer ce papier-là à l'endroit où M. Fordham te l'indique.

« Je signai le papier comme on m'y invitait et le notaire l'emporta. Ce singulier incident fit sur moi, comme vous pouvez l'imaginer, l'impression la plus profonde et j'y songeai longuement, je le tournai et retournai dans mon esprit, sans pouvoir rien y comprendre. Pourtant, je n'arrivais pas à me débarrasser du vague sentiment de terreur qu'il me laissait ; mais l'impression devenait moins vive à mesure que les semaines passaient et que rien ne venait troubler le train-train ordinaire de notre existence. Toutefois, mon oncle changeait à vue d'œil. Il buvait plus que jamais et il était encore moins enclin à voir qui que ce fût. Il passait la plus grande partie de son temps dans sa chambre, la porte fermée à clé de l'intérieur, mais parfois il en sortait et, en proie à une sorte de furieuse ivresse, il s'élançait hors de la maison et, courant par tout le jardin, un revolver à la main, criait que nul ne lui faisait peur et que personne, homme ou diable, ne le tiendrait enfermé comme un mouton dans un parc. Quand pourtant ces accès étaient passés, il rentrait avec fracas et fermait la porte à clé, la barricadait derrière lui en homme qui n'ose regarder en face la terreur qui bouleverse le tréfonds de son âme. Dans ces moments-là, j'ai vu son visage, même par temps froid, luisant et moite comme s'il sortait d'une cuvette d'eau chaude.

« Eh bien ! pour en arriver à la fin, monsieur Holmes, et pour ne pas abuser de votre patience, une nuit arriva où il fit une de ces folles sorties et n'en revint point. Nous l'avons trouvé, quand nous nous sommes mis à sa recherche, tombé, la face en avant, dans une petite mare couverte d'écume verte qui se trouvait au bout du jardin. Il n'y avait aucune trace de violence et l'eau n'avait que deux pieds de profondeur, de sorte que le jury, tenant compte de son excentricité bien connue, rendit un verdict de suicide. Mais moi, qui savais comment il se cabrait à la pensée même de la mort, j'ai eu beaucoup de mal à me persuader qu'il s'était dérangé pour aller au-devant d'elle. L'affaire passa, toutefois, et mon père entra en possession du domaine et de quelque quatorze mille livres qui se trouvaient en banque au compte de mon oncle.

— Un instant, intervint Holmes. Votre récit est, je le vois déjà, l'un des plus intéressants que j'aie jamais écoutés. Donnez-moi la date à laquelle votre oncle a reçu la lettre et celle de son suicide supposé.

— La lettre est arrivée le 10 mars 1883. Sa mort survint sept semaines plus tard, dans la nuit du 2 mai.

— Merci ! Je vous en prie, continuez.

— Quand mon père prit la propriété de Horsham, il fit, à ma demande, un examen minutieux de la mansarde qui avait toujours été fermée à clé. Nous y avons découvert la boîte en cuivre, bien que son contenu eût été détruit. À l'intérieur du couvercle se trouvait une étiquette en papier qui portait les trois initiales répétées K.K.K. et au-dessous « Lettres, mémorandums, reçus et un registre ». Ces mots, nous le supposions, indiquaient la nature des papiers que le colonel Openshaw avait détruits. Quant au reste, il n'y avait rien de bien important dans la pièce, sauf, éparpillés çà et là, de nombreux journaux et des carnets qui se rapportaient à la vie de mon oncle en Amérique. Quelques-uns dataient de la guerre de Sécession et montraient qu'il avait bien fait son devoir et s'était acquis la renommée d'un brave soldat. D'autres dataient de la refonte des États du Sud et concernaient, pour la plupart, la politique, car il avait évidemment pris nettement position contre les politiciens d'antichambre que l'on avait envoyés du Nord.

« Ce fut donc au commencement de 1884 que mon père vint demeurer à Horsham et tout alla aussi bien que possible jusqu'à janvier 1885. Quatre jours après le Nouvel An, comme nous étions à table pour le petit déjeuner, j'entendis mon père pousser un vif cri de surprise. Il était là, avec dans une main une enveloppe qu'il venait d'ouvrir et dans la paume ouverte de l'autre cinq pépins d'orange desséchés. Il s'était toujours moqué de ce qu'il appelait mon histoire sans queue ni tête à propos du colonel, mais il paraissait très perplexe et très effrayé maintenant que la même chose lui arrivait.

« — Eh ! quoi ! Diable ! Qu'est-ce que cela veut dire, John ? balbutia-t-il.

« Mon cœur soudain devint lourd comme du plomb.

« — C'est K.K.K., dis-je.

« Il regarda l'intérieur de l'enveloppe.

« — C'est bien cela ! s'écria-t-il. Voilà les lettres ! Mais qu'y a-t-il d'écrit au-dessus ?

« Je lus en regardant par-dessus son épaule. Il y avait : *"Mettez les papiers sur le cadran solaire."*

« — Quels papiers ? Quel cadran solaire ? demanda-t-il.

« — Le cadran solaire du jardin. Il n'y en a pas d'autre, dis-je. Mais les papiers doivent être ceux qui ont été détruits.

« — Bah ! dit-il, faisant un effort pour retrouver du courage, nous sommes dans un pays civilisé, ici, et des niaiseries de ce genre ne sont pas de mise. D'où cela vient-il ?

« — De Dundee, répondis-je en regardant le cachet de la poste.

« — C'est une farce absurde, dit-il. En quoi les cadrans solaires et les papiers me concernent-ils ? Je ne veux tenir aucun compte de pareilles sottises.

« — J'en parlerais à la police, à ta place, dis-je.

« Il se moqua de moi pour ma peine. Pas de ça !

120

« — Alors, permets-moi de le faire.

« — Non, je te le défends. Je ne veux pas qu'on fasse des histoires pour une pareille baliverne.

« Il était inutile de discuter, car il était très entêté. Je m'en allai, le cœur lourd de pressentiments.

« Le troisième jour après l'arrivée de cette lettre, mon père quitta la maison pour aller rendre visite à un de ses vieux amis, le commandant Forebody qui commandait un des forts de Portsdown Hill. J'étais content de le voir s'en aller, car il me semblait qu'il s'écartait du danger en s'éloignant de notre maison. Je me trompais. Le second jour de son absence, je reçus un télégramme du commandant qui me suppliait de venir sur-le-champ : mon père était tombé dans une des profondes carrières de craie, qui sont si nombreuses dans le voisinage, et il gisait sans connaissance, le crâne fracassé. Je me hâtai de courir à son chevet, mais il mourut sans avoir repris connaissance. Il revenait, paraît-il, de Farham, au crépuscule, et comme le pays lui était inconnu et que la carrière n'était pas clôturée, le jury n'hésita pas à rapporter un verdict de "mort accidentelle". Bien que j'aie soigneusement examiné les circonstances dans lesquelles il mourut, je n'ai rien pu trouver qui suggérât l'idée d'un assassinat. Il n'y avait aucune trace de violence, aucune trace de pas, rien n'avait été volé, et on n'avait signalé la présence d'aucun inconnu sur les routes. Et pourtant, je n'ai pas besoin de vous dire que j'étais loin d'avoir l'esprit tranquille et que j'étais à peu près certain qu'il avait été victime d'une infâme machination.

« Ce fut en janvier 1885 que mon pauvre père mourut ; deux ans et huit mois se sont écoulés depuis. Pendant tout ce temps, j'ai coulé à Horsham des jours heureux et j'avais commencé à espérer que cette malédiction s'était éloignée de la famille et qu'elle avait pris fin avec la précédente génération. J'avais tort, toutefois, d'éprouver ce soulagement : hier matin, le coup s'est abattu sur moi sous la même forme qu'il s'est abattu sur mon père.

Le jeune homme tira de son gilet une enveloppe chiffonnée et la renversant au-dessus de la table, il la secoua et en fit tomber cinq pépins d'orange desséchés.

— Voici l'enveloppe, reprit-il. Le cachet de la poste est de Londres – secteur Est. À l'intérieur on retrouve les mêmes mots que sur le dernier message reçu par mon père : « K.K.K. », puis : « *Mettez les papiers sur le cadran solaire.* »

— Qu'avez-vous fait ? demanda Holmes.

— Rien.

— Rien !

— À vrai dire, expliqua-t-il en enfonçant son visage dans ses mains blanches, je me suis senti impuissant. J'ai ressenti l'impression que doivent éprouver les malheureux lapins quand le serpent s'avance vers eux en zigzaguant. Il me semble que je suis la proie d'un fléau inexorable et irrésistible, dont nulle prévoyance, nulle précaution ne saurait me protéger.

— Taratata ! s'écria Sherlock Holmes. Il faut agir, mon brave, ou vous êtes perdu. Du cran ! Rien d'autre ne peut vous sauver. Ce n'est pas le moment de désespérer.

— J'ai vu la police.

— Ah !

— Mais ils ont écouté mon histoire en souriant. Je suis convaincu que l'inspecteur est d'avis que les lettres sont de bonnes farces et que la mort des miens fut réellement accidentelle, ainsi que l'ont déclaré les jurys, et qu'elle n'avait rien à voir avec les avertissements.

Holmes agita ses poings en l'air.

— Incroyable imbécillité ! s'écria-t-il.

— Ils m'ont cependant donné un agent pour habiter si je veux la maison avec moi.

— Est-il venu avec vous ce soir ?

— Non, il a ordre de rester dans la maison.

De nouveau, Holmes, furieux, éleva les poings.

— Pourquoi êtes-vous venu à moi ? dit-il. Et surtout pourquoi n'êtes-vous pas venu tout de suite ?

— Je ne savais pas. Ce n'est qu'aujourd'hui que j'ai parlé à Prendergast de mes ennuis et qu'il m'a conseillé de m'adresser à vous.

— Il y a deux jours pleins que vous avez reçu la lettre. Nous aurions déjà agi. Vous n'avez pas d'autres renseignements que ceux que vous nous avez fournis, je suppose, aucun détail qui pourrait nous aider ?

— Il y a une chose, dit John Openshaw, une seule chose.

Il fouilla dans la poche de son habit et en tira un morceau de papier bleuâtre et décoloré qu'il étala sur la table.

— Je me souviens, dit-il, que le jour où mon oncle a brûlé ses papiers, j'ai remarqué que les petits bouts de marges non brûlés qui se trouvaient dans les cendres avaient tous cette couleur particulière. J'ai trouvé cette unique feuille sur le plancher de sa chambre et tout me porte à croire que c'est peut-être un des papiers qui, ayant volé loin des autres, avait, de la sorte, échappé à la destruction. Sauf qu'il y est question de « pépins », je ne pense pas qu'il puisse nous être d'une grande utilité. Je crois, pour ma part, que c'est une page d'un journal intime. Incontestablement, l'écriture est celle de mon oncle.

Holmes approcha la lampe et tous les deux nous nous penchâmes sur la feuille de papier dont le bord déchiré prouvait qu'on l'avait, en effet, arrachée à un carnet. Cette feuille portait en tête : « Mars 1869 », et en dessous se trouvaient les indications suivantes :

4. *Hudson est venu. Même vieille discussion.*

7. *Envoyé les pépins à Mac Cauley, Taramore et Swain, de St-Augustin.*

9. *Mac Cauley disparu.*

10. *John Swain disparu.*

12. *Visité Taramore. Tout bien.*

— Merci, dit Holmes en pliant le papier et en le rendant à notre visiteur. Et maintenant il ne faut plus, sous aucun prétexte, perdre un seul instant. Nous ne pouvons même pas prendre le temps de discuter ce que vous m'avez dit. Il faut rentrer chez vous tout de suite et agir.

— Mais que dois-je faire ?

— Il n'y a qu'une seule chose à faire, et à faire tout de suite. Il faut mettre ce papier que vous venez de nous montrer dans la boîte en cuivre que vous nous avez décrite. Il faudra aussi y joindre un mot disant que tous les autres papiers ont été brûlés par votre oncle et que c'est là le seul qui reste. Il faudra l'affirmer en des termes tels qu'ils soient convaincants. Cela fait, il faudra, sans délai, mettre la boîte sur le cadran solaire, comme on vous le demande. Est-ce compris ?

— Parfaitement.

— Ne pensez pas à la vengeance, ou à quoi que ce soit de ce genre, pour l'instant. La vengeance, nous l'obtiendrons, je crois, par la loi, mais il faut que nous tissions notre toile, tandis que la leur est déjà tissée. Le premier point, c'est d'écarter le danger pressant qui vous menace. Après on verra à élucider le mystère et à punir les coupables.

— Je vous remercie, dit le jeune homme en se levant et en remettant son pardessus. Vous m'avez rendu la vie en même temps que l'espoir. Je ne manquerai pas d'agir comme vous me le conseillez.

— Ne perdez pas un moment et, surtout, prenez garde à vous en attendant, car je ne pense pas qu'il y ait le moindre doute que vous ne soyez sous la menace d'un danger réel imminent. Comment rentrez-vous ?

— Par le train de Waterloo.

— Il n'est pas encore neuf heures. Il y aura encore foule dans les rues. J'espère donc que vous serez en sûreté, et pourtant vous ne sauriez être trop sur vos gardes.

— Je suis armé.

— C'est bien. Demain je me mettrai au travail sur votre affaire.

— Je vous verrai donc à Horsham ?

— Non, votre secret se cache à Londres. C'est là que je le chercherai.

— Alors, je reviendrai vous voir dans un jour ou deux, pour vous donner des nouvelles de la boîte et des papiers. Je ne ferai rien sans vous demander conseil.

Nous échangeâmes une poignée de main, et il s'en fut. Au-dehors, le vent hurlait toujours et la pluie battait les fenêtres. On eût dit que cette étrange et sauvage histoire nous avait été amenée par les éléments déchaînés, que la tempête l'avait charriée vers nous comme un paquet d'algues qu'elle venait maintenant de remporter.

Sherlock Holmes demeura quelque temps assis sans mot dire, la tête penchée en avant, les yeux fixant le feu qui flamboyait, rutilant. Ensuite, il alluma sa pipe et, se renversant dans son fauteuil, considéra les cercles de fumée bleue qui, en se pourchassant, montaient vers le plafond.

— Je crois, Watson, remarqua-t-il enfin, que de toutes les affaires que nous avons eues, aucune n'a jamais été plus fantastique que celle-ci.

— Sauf, peut-être, le Signe des Quatre.

— Oui, sauf peut-être celle-là. Et pourtant ce John Openshaw me semble environné de dangers plus grands encore que ceux que couraient les Sholto.

— Mais êtes-vous arrivé à une idée précise de la nature de ces dangers ?

— Il ne saurait y avoir de doute à cet égard.

— Et quels sont-ils ? Qui est ce K.K.K. et pourquoi poursuit-il cette malheureuse famille ?

Sherlock Holmes ferma les yeux et plaça ses coudes sur les bras de son fauteuil, tout en réunissant les extrémités de ses doigts.

— Le logicien idéal, remarqua-t-il, quand une fois on lui a exposé un fait sous toutes ses faces, en déduirait non seulement toute la chaîne des événements qui ont abouti à ce fait, mais aussi tous les résultats qui s'ensuivraient. De même que Cuvier pouvait décrire exactement un animal tout entier en en examinant un seul os, de même l'observateur qui a parfaitement saisi un seul maillon dans une série d'incidents devrait pouvoir exposer avec précision tous les autres incidents, tant antérieurs que postérieurs. Nous n'avons pas encore bien saisi les résultats auxquels la raison seule est capable d'atteindre. On peut résoudre dans le cabinet des problèmes qui ont mis en défaut tous ceux qui en ont cherché la solution à l'aide de leurs sens. Pourtant, pour porter l'art à son summum, il est nécessaire que le logicien soit capable d'utiliser tous les faits qui sont venus à sa connaissance, et cela implique en soi, comme vous le verrez aisément, une complète maîtrise de toutes les sciences, ce qui, même en ces jours de liberté de l'enseignement et d'encyclopédie, est un avantage assez rare. Il n'est toutefois pas impossible qu'un homme possède la totalité des connaissances qui peuvent lui être utiles dans ses travaux et c'est, quant à moi, ce à quoi je me suis efforcé d'atteindre. Si je me souviens bien, dans une certaine circonstance, aux premiers temps de notre amitié, vous aviez défini mes limites de façon assez précise.

— Oui, répondis-je en riant. C'était un singulier document. La philosophie, l'astronomie et la politique étaient notées d'un zéro, je me le rappelle. La botanique, médiocre ; la géologie, très sérieuse en ce qui concerne les taches de boue de n'importe quelle région située dans un périmètre de cinquante miles autour de Londres ; la chimie, excentrique ; l'anatomie, sans méthode ; la littérature, passionnelle, et les annales du crime, uniques. Je vous appréciais encore comme violoniste, boxeur, épéiste, homme de loi, et aussi pour votre auto-intoxication par la cocaïne et le tabac. C'étaient là, je crois, les principaux points de mon analyse.

La dernière remarque fit rire mon ami.

— Eh bien ! dit-il, je répète aujourd'hui, comme je le disais alors, « qu'on doit garder sa petite mansarde intellectuelle garnie de tout ce qui doit vraisemblablement servir et que le reste peut être relégué dans les débarras de la bibliothèque, où on peut le trouver quand on en a besoin ». Or, dans un cas comme celui que l'on nous a soumis ce soir, nous avons certainement besoin de toutes nos ressources ! Ayez donc la bonté de me passer la lettre K de l'*Encyclopédie américaine*, qui se trouve sur le rayon à côté de vous. Merci. Maintenant, considérons la situation et voyons ce qu'on en peut déduire. Tout d'abord, nous pouvons, comme point de départ, présumer non sans de bonnes raisons que le colonel Openshaw avait des motifs très sérieux de quitter l'Amérique. À son âge, les hommes ne changent pas toutes leurs habitudes et n'échangent point volontiers le charmant climat de la Floride pour la vie solitaire d'une cité provinciale d'Angleterre. Son grand amour de la solitude dans notre pays fait naître l'idée qu'il avait peur de quelqu'un ou de quelque chose ; nous pouvons donc supposer, et ce sera l'hypothèse d'où nous partirons, que ce fut la peur de quelqu'un ou de quelque chose qui le chassa d'Amérique. Quant à la nature de ce qu'il craignait, nous ne pouvons la déduire qu'en considérant les lettres terribles que lui-même et ses successeurs ont reçues. Avez-vous remarqué les cachets postaux de ces lettres ?

— La première venait de Pondichéry, la seconde de Dundee, et la troisième de Londres.

— De Londres, secteur Est. Qu'en déduisez-vous ?

— Ce sont tous les trois des ports. J'en déduis que celui qui les a écrites était à bord d'un vaisseau.

— Excellent, Watson. Nous avons déjà un indice. On ne saurait mettre en doute qu'il y a des chances – de très fortes chances – que l'expéditeur fût à bord d'un vaisseau. Et maintenant, considérons un autre point. Dans le cas de Pondichéry, sept semaines se sont écoulées entre la menace et son accomplissement ; dans le cas de Dundee, il n'y a eu que trois ou quatre jours. Cela ne vous suggère-t-il rien ?

— La distance est plus grande pour le voyageur.

— Mais la lettre aussi a un plus grand parcours pour arriver.

— Alors, je ne vois pas.

— Il y a au moins une présomption que le vaisseau dans lequel se trouve l'homme – ou les hommes – est un voilier. Il semble qu'ils aient toujours envoyé leur singulier avertissement ou avis avant de se mettre eux-mêmes en route pour leur mission. Vous voyez avec quelle rapidité l'action a suivi l'avis quand celui-ci est venu de Dundee. S'ils étaient venus de Pondichéry dans un steamer, ils seraient arrivés presque aussi vite que leur lettre. Mais, en fait, sept semaines se sont écoulées, ce qui représentait la différence entre le courrier postal qui a apporté la lettre et le vaisseau à voiles qui en a amené l'expéditeur.

— C'est possible.

— Mieux que cela. C'est probable. Et maintenant, vous voyez l'urgence fatale de ce nouveau cas, et pourquoi j'ai insisté auprès du jeune Openshaw pour qu'il prenne garde. Le coup a toujours été frappé à l'expiration du temps qu'il faut aux expéditeurs pour parcourir la distance. Mais, cette fois-ci, la lettre vient de Londres et par conséquent nous ne pouvons compter sur un délai.

— Grand Dieu ! m'écriai-je, que peut signifier cette persécution impitoyable ?

— Les papiers qu'Openshaw a emportés sont évidemment d'une importance capitale pour la personne ou les personnes qui sont à bord du voilier. Il apparaît très clairement, je crois, qu'il doit y avoir plus d'un individu. Un homme seul n'aurait pu perpétrer ces deux crimes de façon à tromper le jury d'un coroner. Il faut pour cela qu'ils soient plusieurs et que ce soient des hommes résolus et qui ne manquent pas d'initiative. Leurs papiers, il les leur faut, quel qu'en soit le détenteur. Et cela vous montre que K.K.K. cesse d'être les initiales d'un individu et devient le sigle d'une société.

— Mais de quelle société ?

— Vous n'avez jamais entendu parler du Ku Klux Klan ? Et Sherlock, se penchant en avant, baissait la voix.

— Jamais.

Holmes tourna les pages du livre sur ses genoux.

— Voici ! dit-il bientôt. « Ku Klux Klan. Nom dérivé d'une ressemblance imaginaire avec le bruit produit par un fusil qu'on arme. Cette terrible société secrète fut formée par quelques anciens soldats confédérés dans les États du Sud après la guerre civile et elle établit bien vite des branches locales dans différentes parties du pays, particulièrement dans le Tennessee, la Louisiane, les Carolines, la Géorgie et la Floride. Elle employait sa puissance à des fins politiques, principalement à terroriser les électeurs nègres et à assassiner ou à chasser du pays ceux qui étaient opposés à ses desseins. Ses attentats étaient d'ordinaire précédés d'un avertissement à l'homme désigné, avertissement donné d'une façon fantasque mais généralement aisée à reconnaître, quelques feuilles de chêne dans certains endroits, dans d'autres des semences de melon ou des pépins d'orange. Quand elle recevait ces avertissements, la victime pouvait ou bien renoncer ouvertement à ses opinions ou à sa façon de vivre, ou bien s'enfuir du pays.

« Si, par bravade, elle s'entêtait, la mort la surprenait infailliblement, en général d'une façon étrange et imprévue. L'organisation de la société était si parfaite, ses méthodes si efficaces, qu'on ne cite guère de personnes qui aient réussi à la braver impunément ou de circonstances qui aient permis de déterminer avec certitude les auteurs d'un attentat.

« Pendant quelques années, cette organisation prospéra, en dépit des efforts du gouvernement des États-Unis et des milieux les mieux intentionnés dans la communauté du Sud. Cependant, en l'année 1869, le mouvement s'éteignit assez brusquement, bien que, depuis lors, il y ait eu encore des sursauts spasmodiques.

— Vous remarquerez, dit Holmes en posant le volume, que cette soudaine éclipse de la société coïncide avec le moment où Openshaw est parti d'Amérique avec leurs papiers. Il se peut fort bien qu'il y ait là un rapport de cause à effet. Rien d'étonnant, donc, que lui et les siens aient eu à leurs trousses quelques-uns de ces implacables personnages. Vous pouvez comprendre que ce registre et ce journal aient pu mettre en cause quelques personnalités de tout premier plan des États du Sud et qu'il puisse y en avoir pas mal qui ne dormiront pas tranquilles tant qu'on n'aura pas retrouvé ces papiers.

— Alors, la page que nous avons vue...

— Est telle qu'on pouvait l'attendre. Si je me souviens bien, elle portait : « *Envoyé les pépins à A., B. et C.* » C'est-à-dire l'avertissement de la société leur a été adressé. Puis viennent les notes, indiquant que A. et B. ont ou disparu, ou quitté le pays, et enfin que C. a reçu une visite dont, j'en ai bien peur, le résultat a dû lui être funeste. Vous voyez, je pense, docteur, que nous pourrons projeter quelque lumière dans cet antre obscur et je crois que la seule chance qu'ait le jeune Openshaw, en attendant, c'est de faire ce que je lui ai dit. Il n'y a pas autre chose à dire, pas autre chose à faire ce soir. Donnez-moi donc mon violon et pendant une demi-heure, tâchons d'oublier cette misérable époque et les agissements plus misérables encore des hommes, nos frères.

Le temps s'était éclairci le matin et le soleil brillait d'un éclat adouci à travers le voile imprécis qui restait tendu au-dessus de la grande ville. Sherlock Holmes était déjà en train de déjeuner quand je suis descendu.

— Vous m'excuserez, dit-il de ne pas vous avoir attendu. J'ai devant moi, je le prévois, une journée copieusement occupée à étudier le cas du jeune Openshaw.

— Quelle marche allez-vous suivre ?

— Cela dépendra beaucoup des résultats de mes premières recherches. Il se peut qu'en fin de compte je sois obligé d'aller à Horsham.

— Vous n'irez pas en premier lieu ?

— Non, je commencerai par la Cité. Sonnez, la servante vous apportera votre café.

En attendant, je pris sur la table le journal non déplié encore et j'y jetai un coup d'œil. Mon regard s'arrêta sur un titre qui me fit passer un frisson dans le cœur.

— Holmes, m'écriai je, vous arrivez trop tard !

— Ah ! dit-il en posant sa tasse. J'en avais peur. Comment ça s'est-il passé ?

Sa voix était calme, mais je n'en voyais pas moins qu'il était profondément ému.

— Mes yeux sont tombés sur le nom d'Openshaw et sur le titre : « *Une tragédie près du pont de Waterloo* ». En voici le récit :

« *Entre neuf et dix heures du soir, l'agent de police Cook, de la Division H, de service près du pont de Waterloo, entendit crier "Au secours", puis le bruit d'un corps qui tombait à l'eau. La nuit, extrêmement noire, et le temps orageux rendaient tout sauvetage impossible, malgré la bonne volonté de plusieurs* » passants. L'alarme, toutefois, fut donnée et avec la coopération de la police fluviale, le corps fut trouvé un peu plus tard. C'était celui d'un jeune homme dont le nom, si l'on en croit une enveloppe qu'on trouva dans sa poche, serait John Openshaw, et qui habiterait près de Horsham. On suppose qu'il se hâtait afin d'attraper le dernier train qui part de la gare de Waterloo et que dans sa précipitation et dans l'obscurité il s'est trompé de chemin et s'est engagé sur l'un des petits débarcadères fluviaux, d'où il est tombé. Le corps ne portait aucune trace de violence et il ne fait pas de doute que le défunt a été la victime d'un malencontreux accident qui, espérons-le, attirera l'attention des autorités sur l'état fâcheux des débarcadères tout au long de la Tamise. »

Nous restâmes assis pendant quelques minutes sans proférer une parole. Holmes était plus abattu et plus ému que je ne l'avais jamais vu.

— C'est un rude coup pour mon orgueil, Watson, dit-il enfin. C'est là un sentiment bien mesquin, sans doute, mais c'est un rude coup pour mon orgueil ! J'en fais désormais une affaire personnelle et si Dieu me garde la santé, je mettrai la main sur cette bande. Penser qu'il est venu vers moi pour que je l'aide et que je l'ai envoyé à la mort !

Il bondit de sa chaise et, incapable de dominer son agitation, il se mit à parcourir la pièce à grands pas. Ses joues ternes s'empourpraient, en même temps que ses longues mains maigres se serraient et se desserraient nerveusement.

— Ces démons doivent être terriblement retors, s'écriat-il enfin. Comment ont-ils pu l'attirer là-bas ? Le quai n'est pas sur le chemin qui mène directement à la gare. Le pont, sans doute, était encore trop fréquenté, même par le temps qu'il faisait, pour leur projet. Eh bien ! Watson, nous verrons qui gagnera la partie, en fin de compte. Je sors.

— Vous allez à la police ?

— Non. Je serai ma propre police. Quand j'aurai tissé la toile, je leur laisserai peut-être capturer les mouches, mais pas avant…

Toute la journée je fus occupé par ma profession et ce ne fut que tard dans la soirée que je revins à Baker Street. Sherlock Holmes n'était pas encore rentré. Il était presque dix heures quand il revint, l'air pâle et épuisé. Il se dirigea vers le buffet et, arrachant un morceau de pain à la miche, il le dévora, puis le fit suivre d'une grande gorgée d'eau.

— Vous avez faim, constatai-je.

— Je meurs de faim. Je n'y pensais plus. Je n'ai rien pris depuis le petit déjeuner.

— Rien ?

— Pas une bouchée. Je n'ai pas eu le temps d'y penser.

— Et avez-vous réussi ?

— Fort bien.

— Vous avez une piste ?

— Je les tiens dans le creux de ma main. Le jeune Openshaw ne restera pas longtemps sans être vengé ! Watson, nous allons poser sur eux-mêmes leur diabolique marque de fabrique. C'est une bonne idée !

Il prit une orange dans le buffet, l'ouvrit et en fit jaillir les pépins sur la table. Il en prit cinq qu'il jeta dans une enveloppe. À l'intérieur du rabat il écrivit : « S. H. pour J. C. » Il la cacheta et l'adressa au capitaine James Calhoun. Trois-mâts *Lone Star*. Savannah. Géorgie.

— Cette lettre l'attendra à son arrivée au port, dit-il en riant doucement. Elle lui vaudra sans doute une nuit blanche. Il constatera que ce message lui annonce son destin avec autant de certitude que ce fut avant lui le cas pour Openshaw.

— Et qui est ce capitaine Calhoun ?

— Le chef de la bande. J'aurai les autres, mais lui d'abord.

— Comment l'avez-vous donc découvert ?

Il prit dans sa poche une grande feuille de papier couverte de dates et de notes.

— J'ai passé toute la journée, dit-il, à suivre sur les registres de Lloyd et sur des collections de journaux tous les voyages postérieurs des navires qui ont fait escale à Pondichéry en janvier et en février 1883. On en donnait, comme y ayant stationné au cours de ces deux mois, trente-six d'un bon tonnage. De ces trente-six, le *Lone Star* attira tout de suite mon attention, parce que, bien qu'on l'annonçât comme venant de Londres, son nom est celui que l'on donne à une province des États-Unis.

— Le Texas, je crois.

— Je ne sais plus au juste laquelle, mais je savais que le vaisseau devait être d'origine américaine.

— Et alors ?

— J'ai examiné le mouvement du port de Dundee et quand j'ai trouvé que le trois-mâts *Lone Star* était là en janvier 1883, mes soupçons se sont changés en certitude. Je me suis alors informé des vaisseaux qui étaient à présent à l'ancre dans le port de Londres.

— Et alors ?

— Le *Lone Star* est arrivé ici la semaine dernière. Je suis allé au Dock Albert et j'ai appris que ce trois-mâts avait descendu la rivière, de bonne heure ce matin, avec la marée. J'ai télégraphié à Gravesend d'où l'on m'a répondu qu'il venait de passer et, comme le vent souffle d'est, je ne doute pas qu'il ne soit maintenant au-delà des Goodwins et non loin de l'île de Wight.

— Qu'allez-vous faire, alors ?

— Oh ! je les tiens. Lui et les deux seconds sont, d'après ce que je sais, les seuls Américains à bord. Les autres sont des Finlandais et des Allemands. Je sais aussi que tous trois se sont absentés du navire hier soir. Je l'ai appris de l'arrimeur qui a embarqué leur cargaison. Au moment où leur bateau touchera Savannah, le courrier aura porté cette lettre et mon câblogramme aura informé la police de Savannah qu'on a grand besoin de ces messieurs ici pour y répondre d'une inculpation d'assassinat.

Mais les plans les mieux dressés des hommes comportent toujours une part d'incertitude. Les assassins de John Openshaw ne devaient jamais recevoir les pépins d'orange qui leur auraient montré que quelqu'un d'aussi retors et résolu qu'eux-mêmes était sur leur piste. Les vents de l'équinoxe soufflèrent très longuement et très violemment, cette année-là. Longtemps, nous attendîmes des nouvelles du *Lone Star* ; elles ne nous parvinrent jamais. À la fin, pourtant, nous avons appris que quelque part, bien loin dans l'Atlantique, on avait aperçu, ballotté au creux d'une grande vague, l'étambot fracassé d'un bateau ; les lettres « L. S. » y étaient sculptées, et c'est là tout ce que nous saurons jamais du sort du *Lone Star*.

LA BANDE MOUCHETÉE

En jetant un regard sur mes notes des soixante-dix et quelques affaires dans lesquelles j'ai, pendant les huit dernières années, étudié les méthodes de mon ami Sherlock Holmes, j'en trouve beaucoup qui sont tragiques, quelques-unes comiques et un grand nombre tout simplement étranges, mais il n'y en a aucune qui soit banale ; car travaillant, comme il le faisait, plutôt par amour de son art que par esprit de lucre, il refusait de s'associer à toute recherche qui ne présentait pas une certaine tendance à l'extraordinaire et même au fantastique. Parmi toutes ces affaires si diverses, toutefois, je ne me souviens pas qu'aucune ait présenté des traits plus singuliers que celle à laquelle on a associé la famille bien connue des Roylott de Stoke Moran, dans le Sussex. Les événements dont il s'agit se sont déroulés dans les premiers temps de mon association avec Holmes lorsque, célibataires, nous occupions ensemble notre appartement de Baker Street. J'aurais pu, sans doute, en faire déjà le récit, mais je m'étais alors engagé au secret, et je n'ai été délié de ma promesse que le mois dernier par la mort prématurée de la dame à qui je l'avais faite. Peut-être même vaut-il mieux que ces faits soient révélés maintenant ; j'ai en effet quelques raisons de croire que toutes sortes de bruits ont couru un peu partout concernant la mort du docteur Grimesby Roylott, tendant à rendre cette affaire encore plus terrible que la vérité.

Ce fut au début d'avril 1883 que je m'éveillai un matin pour trouver Sherlock Holmes, déjà tout habillé, debout près de mon lit. D'ordinaire il se levait tard et, comme la pendule sur ma cheminée me montrait qu'il n'était que sept heures et quart, je posai sur lui un regard incertain, un peu surpris et peut-être un peu fâché, car j'étais moi-même très régulier dans mes habitudes.

— Tout à fait désolé de vous réveiller, Watson, dit-il, mais c'est le lot de tous, ce matin. Mme Hudson a été réveillée, j'en ai subi le contrecoup, elle m'a réveillé et maintenant à votre tour.

— Qu'est-ce que c'est donc ? Un incendie ?

— Non. Une cliente. Il paraît qu'une jeune dame vient d'arriver dans un état de grande agitation et elle insiste pour me voir. Elle attend en ce moment dans le studio. Or, quand de jeunes dames errent par la capitale à cette heure matinale et font sortir de leur lit les gens endormis, je présume qu'elles ont quelque chose de très pressant à leur communiquer. Si cela se trouvait être une affaire intéressante, vous aimeriez, j'en suis sûr, la prendre à son début. Que ce soit ou non le cas, j'ai pensé vous appeler et vous en fournir la possibilité.

— Mon cher ami, pour rien au monde je ne voudrais rater cela.

Je n'avais pas de plaisir plus vif que de suivre Holmes dans ses recherches professionnelles et d'admirer ces déductions rapides, promptes comme des intuitions et pourtant toujours fondées sur la logique, grâce auxquelles il débrouillait les problèmes qu'on lui soumettait. J'endossai rapidement mes vêtements et, quelques minutes après, j'étais prêt à l'accompagner dans le studio. Une dame vêtue de noir, portant une épaisse voilette, était assise près de la fenêtre. Elle se leva à notre entrée.

— Bonjour, madame, dit Holmes d'un ton allègre. Mon nom est Sherlock Holmes. Monsieur est mon ami intime et mon associé, le docteur Watson ; devant lui, vous pouvez parler aussi librement que devant moi-même. Ah ! je suis content de voir que Mme Hudson a eu le bon sens d'allumer le feu. Je vous en prie, approchez-vous-en ; je vais demander pour vous une tasse de café bien chaud car je remarque que vous grelottez.

— Ce n'est pas le froid qui me fait grelotter, monsieur Holmes, c'est la terreur.

Ce disant, elle leva sa voilette et nous pûmes voir qu'elle était, en effet, dans un pitoyable état d'agitation ; son visage était tiré et gris, avec des yeux effrayés, toujours en mouvement, comme ceux d'un animal traqué. Ses traits et sa figure étaient ceux d'une femme de trente ans, mais ses cheveux étaient prématurément striés de gris et son expression était lasse et hagarde. Sherlock Holmes la dévisagea d'un de ses regards rapides auxquels rien n'échappait.

— Il ne faut pas avoir peur, dit-il d'une voix douce, en se penchant en avant et en lui tapotant l'avant-bras... Nous arrangerons bientôt tout cela, je n'en doute pas ; vous êtes venue par le train, ce matin, à ce que je vois.

— Vous me connaissez donc ?

— Non, mais je remarque qu'il vous reste la moitié d'un billet d'aller-retour dans la paume de votre gant gauche. Vous avez dû partir de bonne heure et avant d'arriver à la gare, il vous a fallu faire une assez longue course en charrette anglaise.

La dame tressaillit vivement et ouvrit de grands yeux en regardant mon compagnon.

— Il n'y a là aucun mystère, madame, dit celui-ci avec un sourire. Le bras gauche de votre jaquette est éclaboussé de taches de boue en sept endroits au moins. Les marques en sont toutes fraîches. Il n'y a pas d'autre véhicule, pour lancer ainsi de la boue, et cela uniquement à la personne qui est assise à la gauche du conducteur.

— Quelles que soient vos raisons, c'est tout à fait exact. Je suis partie de chez moi avant six heures, je suis arrivée à Leatherhead à six heures vingt, et je suis venue à la gare de Waterloo par le premier train... Monsieur, je ne peux pas endurer cette tension d'esprit plus longtemps, je deviendrai folle si ça continue. Je n'ai personne vers qui me tourner – personne, sauf un ami, qui m'aime, et lui, le pauvre, ne peut guère me venir en aide. J'ai entendu parler de vous, monsieur Holmes, par Mme Farmtoch, que vous avez secourue au temps où elle en avait tant besoin. C'est d'elle que je tiens votre adresse. Oh ! monsieur, ne croyez-vous pas que vous pourriez m'aider aussi, ou, du moins, jeter un rayon de lumière dans les ténèbres épaisses qui m'entourent ? Je ne saurais, à présent, vous récompenser de vos services, mais dans un mois ou deux je serai mariée avec la libre disposition de mes propres revenus et alors, du moins, vous ne me trouverez pas ingrate.

Holmes se dirigea vers son bureau et, l'ayant ouvert, en tira un petit répertoire de ses enquêtes qu'il consulta.

— Farmtoch, dit-il. Ah ! oui, je me rappelle le cas. Il s'agissait d'un diadème en opale. Je crois que c'était avant que vous ne fussiez là, Watson. Je ne puis que vous dire, madame, que je serai heureux de consacrer à votre cas les mêmes soins qu'à celui de votre amie. Pour ce qui est de la rétribution, ma profession est sa propre récompense, mais vous aurez tout loisir de payer les dépenses que je pourrais engager, quand cela vous conviendra le mieux. Et maintenant je vous prierai de vouloir bien nous exposer tout ce qui pourra nous aider à nous former une opinion sur votre affaire.

— Hélas ! reprit-elle, l'horreur de ma situation vient précisément de ce que mes craintes sont si vagues et de ce que mes soupçons se fondent sur des petits faits qui pourraient sembler si insignifiants que la seule personne au monde à qui j'ai le droit de demander aide et assistance, considère tout ce que je lui en dis comme des idées de femme nerveuse. Je le vois bien, tant à ses paroles, qui voudraient être consolantes, qu'à ses regards, qu'il détourne. Mais j'ai entendu dire, monsieur Holmes, que vous pouvez sonder au plus profond des multiples méchancetés du cœur humain. Vous pourrez par vos conseils guider ma marche parmi les dangers qui m'environnent.

— Je suis tout attention, madame.

— Mon nom est Hélène Stoner, et je demeure avec mon beau-père qui est le dernier survivant d'une des plus vieilles familles saxonnes de l'Angleterre, les Roylott de Stoke Moran, dans la marche occidentale du Surrey.

Holmes fit un signe de la tête.

— Le nom m'est familier, dit-il.

— La famille fut en un certain temps parmi les plus riches de l'Angleterre ; et le domaine s'étendait jusque de l'autre côté des marches du Berkshire, au nord, et du Hampshire, à l'ouest. Au siècle dernier, pourtant, quatre héritiers se montrèrent, l'un après l'autre, débauchés et prodigues, puis la ruine de la famille fut consommée par un joueur, au temps de la Régence. Il ne reste plus rien que quelques arpents de terre et la maison qui, vieille de deux cents ans, est elle-même grevée de lourdes hypothèques. Le dernier propriétaire y traîna toute son existence la vie horrible d'un aristocrate pauvre ; mais son fils unique, mon beau-père, voyant qu'il fallait s'adapter aux conditions nouvelles, obtint d'un ami une avance de fonds qui lui permit d'acquérir un diplôme de médecin. Il s'en alla à Calcutta où, grâce à son habileté professionnelle et à sa force de caractère, il se fit une grosse clientèle. Dans un accès de colère, toutefois, provoquée par quelques vols dans la maison, il rossa si bien son sommelier indigène que le domestique en mourut et que le maître n'échappa que tout juste à la peine de mort. Même ainsi, il demeura longtemps en prison et revint ensuite en Angleterre fort chagrin et déçu.

« Pendant qu'il était aux Indes, le docteur Roylott épousa ma mère, Mme Stoner, la jeune veuve du major général Stoner, de l'artillerie du Bengale. Ma sœur Julia et moi, nous étions jumelles et n'avions que deux ans quand ma mère se remaria. Elle possédait une assez belle fortune, au moins mille livres de revenus, et elle fit un testament par lequel elle la léguait tout entière au docteur Roylott pour aussi longtemps que nous résiderions avec lui, en spécifiant pourtant qu'une certaine somme serait allouée chaque année à l'une et à l'autre de nous au cas où elle se marierait. Peu de temps après notre retour en Angleterre, notre mère mourut – elle fut tuée il y a huit ans dans un accident de chemin de fer, près de Crewe. Le docteur Roylott renonça alors à ses efforts pour se créer une clientèle à Londres et il nous emmena vivre avec lui dans la demeure de ses ancêtres à Stoke Moran. L'argent que notre mère avait laissé suffisait à nos besoins et il ne semblait y avoir aucun obstacle à notre bonheur.

« Mais un changement terrible se produisit alors chez notre beau-père. Au lieu de se faire des amis parmi les voisins et de rendre visite à ces gens qui s'étaient tout d'abord réjouis de voir un Roylott de Stoke Moran revenir occuper la vieille demeure familiale, il s'enferma dans cette maison et n'en sortit que rarement pour se laisser aller à de féroces querelles avec ceux qu'il rencontrait. Une violence de caractère, voisine de la folie, a toujours été héréditaire dans la famille et, dans le cas de mon beau-père, je crois qu'elle a été accrue encore par son long séjour sous les tropiques. Une suite de honteuses bagarres survint, dont deux se terminèrent devant les tribunaux, tant et si bien qu'à la fin il devint la terreur du village et que les gens s'enfuyaient à son approche, car notre beau-père est à la fois d'une force considérable et totalement incapable de se maîtriser quand il est en colère.

« La semaine dernière il a jeté dans un cours d'eau, pardessus le parapet, le forgeron du village et ce n'est qu'en donnant tout l'argent que j'ai pu ramasser qu'il m'a été possible d'éviter un nouveau scandale. Il n'a absolument pas d'amis à part les bohémiens et il permet à ces vagabonds de camper sur les quelques arpents de terrain couvert de genêts qui constituent le domaine familial ; en retour, il accepte l'hospitalité de leurs tentes et, parfois, il s'en va à l'aventure avec eux pendant des semaines d'affilée. Il a une passion pour les animaux que lui envoie des Indes un correspondant et il a, en ce moment, un guépard et un babouin qui errent en liberté sur ses terres et que les villageois redoutent autant que leur maître.

« Vous pouvez imaginer par ce que je vous dis que ma pauvre sœur et moi n'avions pas grand plaisir dans l'existence. Aucune servante ne voulait rester chez nous et pendant longtemps c'est nous qui avons fait tout le travail de la maison. Elle n'avait que trente ans quand elle est morte, mais déjà ses cheveux avaient commencé à blanchir, comme font les miens.

— Votre sœur est morte, donc ?

— Elle est morte il y a deux ans, et c'est de sa mort que je désire vous parler. Vous pouvez comprendre que, menant la vie que j'ai décrite, il était peu vraisemblable que nous voyions quelqu'un de notre âge et de notre position. Nous avions, cependant, une tante, une sœur non mariée de notre mère, Mlle Honoria Westphail, et on nous permettait de temps en temps de lui rendre de courtes visites à sa maison, près de Harrow. Julia y est allée pour Noël, il y a deux ans, et elle y rencontra un commandant de l'infanterie de marine en demi-solde, à qui elle se fiança. Mon beau-père fut informé de ces fiançailles quand elle revint et ne fit aucune objection au mariage ; mais, moins d'une quinzaine avant le jour fixé pour la noce, survint le terrible événement qui m'a privée de ma seule compagne.

Sherlock Holmes était resté renversé dans son fauteuil, les yeux clos et la tête enfoncée dans un coussin, mais il entrouvrit alors les paupières et regarda sa visiteuse.

— Veuillez me préciser les dates, dit-il.

— C'est chose facile, car tous les événements de cette terrible époque sont gravés dans ma mémoire en lettres de feu. Le manoir est, comme je l'ai déjà dit, très vieux et une seule aile en est habitée à présent. Les chambres à coucher, dans cette aile, sont au rez-de-chaussée : le studio se trouve dans la partie centrale du bâtiment. De ces chambres, la première est celle du docteur Roylott, la seconde celle de ma sœur et la troisième la mienne. Il n'y a pas de communication entre elles, mais elles ouvrent toutes sur le même corridor. Est-ce que je me fais bien comprendre ?

— Très bien.

— Les fenêtres de ces chambres donnent sur la pelouse. Cette fatale nuit-là, le docteur Roylott était rentré dans sa chambre de bonne heure, mais nous savions qu'il ne s'était pas couché, car ma sœur était incommodée par l'odeur forte du tabac indien qu'il fume d'ordinaire. Quittant sa chambre, elle vint dans la mienne où elle demeura quelque temps à bavarder de son prochain mariage. À onze heures, elle se leva de sa chaise pour me quitter, mais elle s'arrêta à la porte et, se retournant, elle me dit :

« — À propos, Hélène, as-tu entendu quelqu'un siffler au milieu de la nuit ?

« — Jamais, dis-je.

« — Je suppose que tu ne saurais, quant à toi, siffler en dormant ?

« — Assurément non. Mais pourquoi ?

« — Parce que, toutes ces dernières nuits, vers trois heures du matin, j'ai entendu siffler, doucement mais nettement. J'ai le sommeil léger et ça m'a réveillée. Je ne peux dire d'où cela venait – peut-être de la chambre voisine, peut-être de la pelouse. Je me suis simplement dit que je te demanderais si tu l'avais entendu.

« — Non, je n'ai rien entendu. Ça doit être ces maudits bohémiens qui sont dans la plantation.

« — Probablement. Et pourtant, si c'était sur la pelouse, je m'étonne que tu ne l'aies pas entendu aussi.

« — Ah ! c'est que j'ai le sommeil plus lourd que toi.

« — Bon ! ça n'a pas grande importance, en tout cas.

« Elle m'a souri, elle a fermé ma porte et quelques instants après j'ai entendu sa clé tourner dans la serrure.

— Vraiment ! dit Holmes. Était-ce votre habitude de vous enfermer à clé la nuit ?

— Toujours.

— Et pourquoi ?

— Je crois avoir mentionné que le docteur gardait un guépard et un babouin. Nous ne nous sentions en sûreté qu'avec nos portes fermées à clé.

— Très juste. Je vous en prie, continuez votre exposé des faits.

— Cette nuit-là, je n'arrivais pas à dormir. Le vague sentiment d'un malheur imminent pesait sur moi. Ma sœur et moi, vous vous le rappelez, nous étions jumelles, et vous savez quels liens subtils unissent deux âmes qui ont été si étroitement associées. C'était une nuit sauvage. Le vent hurlait au-dehors, la pluie battait et claquait contre les fenêtres. Soudain, dans le vacarme de la tempête, éclata le cri perçant et sauvage d'une femme terrifiée. Je sus que c'était la voix de ma sœur ; je sautai de mon lit, m'enveloppai d'un châle et me précipitai dans le corridor. Comme j'ouvrais ma porte, il me sembla entendre un sifflement bas, analogue à celui que ma sœur m'avait décrit, puis, quelques minutes plus tard, un bruit tel qu'on eût dit qu'une masse de métal venait de tomber. Pendant que je courais dans le corridor, la porte de ma sœur s'ouvrit et tourna lentement sur ses gonds. Je la regardais fixement, frappée d'horreur, ne sachant ce qui allait en sortir. À la lumière de la lampe du couloir, je vis ma sœur paraître dans l'ouverture, le visage blanc de terreur, les mains à tâtons cherchant du secours, tout son corps vacillant à droite, à gauche, comme celui d'un ivrogne. Je courus à elle, je la serrai dans mes bras, mais, à ce moment, ses genoux parurent céder et elle tomba sur le sol. Elle se tordait comme quelqu'un qui souffre terriblement et ses membres étaient affreusement convulsés. Je pensai tout d'abord qu'elle ne m'avait pas reconnue, mais comme je me penchais au-dessus d'elle, elle cria soudain d'une voix que je n'oublierai jamais : « Ô mon Dieu ! Hélène ! C'était la bande ! La bande mouchetée ! » Il y avait autre chose qu'elle aurait voulu dire et de son doigt elle battait l'air dans la direction de la chambre du docteur, mais une nouvelle convulsion la saisit, étouffant ses paroles. Je me précipitai, appelant bien haut mon beau-père et il vint à ma rencontre, sortant en toute hâte de sa chambre. Il était en pyjama. Quand il arriva auprès de ma sœur, elle avait perdu conscience et, bien qu'il lui versât de l'eau-de-vie dans la gorge et qu'il envoyât tout de suite chercher le médecin du village, tous ses efforts demeurèrent inutiles, car elle s'affaiblit lentement et mourut sans avoir repris connaissance. Telle fut la terrible fin de ma sœur bien-aimée.

— Un instant, dit Holmes. Êtes-vous certaine d'avoir entendu ce sifflement et ce bruit métallique ? Pourriez-vous le jurer ?

— C'est ce que m'a demandé le coroner à l'enquête. J'ai la vive impression que je l'ai entendu et, cependant, dans le tumulte de la tempête et les craquements d'une vieille maison, il se pourrait que je me fusse trompée.

— Votre sœur était-elle habillée ?

— Non, elle était en toilette de nuit. Elle avait dans la main droite un bout d'allumette carbonisé et dans la gauche une boîte d'allumettes.

— Ce qui prouve qu'elle a frotté une allumette pour regarder autour d'elle quand l'alarme s'est produite. C'est important. Et à quelles conclusions le coroner est-il arrivé ?

— Il a mené l'enquête avec grand soin, car la conduite du docteur Roylott était depuis longtemps bien connue dans le comté ; toutefois il n'a pas réussi à trouver au décès une cause satisfaisante. Mon témoignage démontrait que la porte avait été fermée de l'intérieur et les fenêtres étaient bloquées par des volets anciens munis de grosses barres de fer dont on vérifiait la fermeture chaque soir. On sonda soigneusement les murs, on les trouva partout très solides, le plancher fut examiné avec le même résultat. La cheminée est large, mais elle est barrée par quatre gros crampons. Il est donc certain que ma sœur était toute seule quand elle mourut. En outre, elle ne portait sur elle aucune marque de violence.

A-t-on parlé de poison ?

— Les docteurs l'ont examinée à cet effet, mais sans succès.

— De quoi, alors, pensez-vous que cette malheureuse est morte ?

— Ma conviction, c'est qu'elle est sûrement morte d'une frayeur et d'un choc nerveux, dont je ne parviens pas à imaginer l'origine.

— Y avait-il des bohémiens à ce moment-là sur le domaine ?

— Ah ! il y en a presque toujours.

— Et qu'avez-vous conclu de cette allusion à une bande – une bande mouchetée ?

— J'ai quelquefois pensé que ce n'étaient là que des propos sans suite dus au délire ; quelquefois aussi que cela pouvait se rapporter à une bande de gens, peut-être même à ces bohémiens qui se trouvaient sur les terres du manoir. Je me demande si les mouchoirs à pois que tant d'entre eux portent sur la tête n'ont pas pu suggérer l'étrange adjectif que ma sœur employa.

Holmes hocha la tête comme un homme qui est loin d'être satisfait.

— Ce sont là des choses bien ténébreuses, dit-il, mais, je vous en prie, continuez votre récit.

— Deux années ont passé depuis lors et ma vie, jusque tout récemment, a été plus solitaire que jamais. Il y a un mois, cependant, un ami cher que je connais depuis de longues années m'a fait l'honneur de me demander ma main. Son nom est Armitage – Percy Armitage –, le fils cadet de M. Armitage, de Crane Water, près de Reading. Mon beau-père n'a fait aucune objection au mariage et nous devons nous marier dans le courant du printemps. Il y a deux jours, on a commencé des réparations dans l'aile ouest du bâtiment ; on a percé le mur de ma chambre à coucher, de sorte que j'ai dû déménager et occuper la chambre où ma sœur est morte, et coucher dans le lit même où elle a couché. Imaginez donc quel frisson d'horreur j'ai éprouvé quand, la nuit dernière, alors que j'étais éveillée et en train de penser à son terrible sort, j'ai tout à coup entendu, dans le silence de la nuit, ce sifflement bas qui avait été l'annonciateur de sa mort à elle. J'ai sauté de mon lit, j'ai allumé la lampe, mais il n'y avait dans la pièce rien d'anormal qu'on pût voir. J'étais néanmoins trop bouleversée pour me recoucher. Je me suis donc habillée et, dès qu'il a fait jour, j'ai quitté la maison sans bruit, j'ai loué, en face, une charrette à *L'auberge de la Couronne*, je me suis fait conduire à Leatherhead d'où je suis venue ce matin dans l'unique but de vous voir et de solliciter vos conseils.

— Vous avez agi avec sagesse, mais m'avez-vous bien tout dit ?

— Oui, tout.

— Non, mademoiselle Stoner, non : vous couvrez votre beau-père.

— Comment ? Que voulez-vous dire ?

En guise de réponse, Holmes repoussa la frange de dentelle noire qui entourait la main posée sur le genou de notre visiteuse. Cinq petites taches livides, les marques de quatre doigts et d'un pouce, étaient imprimées sur le poignet blanc.

— Vous avez été traitée avec cruauté, dit Holmes.

La dame rougit profondément et recouvrit son poignet meurtri.

— C'est un homme très dur, dit-elle, et qui peut-être ne connaît guère sa force.

Il y eut un silence pendant lequel Holmes, appuyant son menton sur sa main, regarda fixement le feu pétillant. Enfin il dit :

— C'est là une affaire très sérieuse, il y a mille détails que je voudrais connaître avant de décider de quelle façon nous devons agir. Pourtant, nous n'avons pas une minute à perdre. Si nous allions à Stoke Moran aujourd'hui, nous serait-il possible de voir ces chambres à l'insu de votre beau-père ?

— Il se trouve qu'il a parlé de venir en ville aujourd'hui pour une affaire très importante. Il est donc probable qu'il sera absent toute la journée et que rien ne vous dérangera. Nous avons une femme de charge à présent, mais comme elle est vieille et bébête, je pourrai aisément l'écarter.

— Excellent. Vous voulez bien être de l'excursion, Watson ?

— À tout prix.

— Nous viendrons donc tous les deux. Qu'allez-vous faire vous-même ?

— J'ai une ou deux petites courses que je voudrais faire, à présent que je suis en ville. Mais je rentrerai par le train de midi, de façon à être là quand vous viendrez.

— Et vous pouvez compter sur nous au début de l'après-midi. J'ai moi-même quelques petites choses dont je dois m'occuper. Vous ne voulez pas rester pour le petit déjeuner ?

— Non, il faut que je m'en aille. Mon cœur est allégé déjà, maintenant que je vous ai confié mes ennuis. J'attends avec impatience de vous revoir cet après-midi.

Elle tira sur son visage sa lourde voilette et sortit doucement de la pièce.

— Watson, que pensez-vous de tout cela ? demanda Holmes en se renversant dans son fauteuil.

— Ce me semble être une affaire bien obscure et bien sinistre.

— Oui, assez obscure et assez sinistre.

— Cependant, si cette dame a raison quand elle dit que le plancher et les murs sont intacts et qu'on ne peut passer par la porte, la fenêtre ou la cheminée, sa sœur devait donc, à n'en pas douter, être seule quand elle est morte de si mystérieuse façon.

— Que faites-vous alors de ces sifflements nocturnes et des paroles si étranges de la mourante ?

— Je n'y comprends rien.

— Quand vous rapprochez de ces sifflements nocturnes la présence d'une bande de bohémiens qui vivent sur un pied d'intimité avec ce vieux docteur, le fait que nous avons toutes les raisons de croire que ledit docteur a intérêt à empêcher le mariage de sa belle-fille, l'allusion de la mourante à une bande et, enfin, le fait que Mlle Hélène Stoner a entendu un bruit de métal, qui peut avoir été causé en retombant en place par une des barres de fer barricadant les volets, j'ai tout lieu de penser que le mystère peut être éclairci en partant de ces données.

— Mais qu'est-ce que les bohémiens faisaient là ?

— Je ne peux rien imaginer.

— Je vois de nombreuses objections à une telle théorie…

— Et moi aussi. C'est précisément pour cette raison que nous allons à Stoke Moran aujourd'hui. Je veux voir si les objections sont insurmontables ou si on peut en triompher. Mais que diable se passe-t-il ?

Cette exclamation de mon compagnon avait été provoquée par le fait que l'on avait tout à coup ouvert bruyamment notre porte et qu'un homme énorme s'encadrait dans l'ouverture. Son costume était un mélange singulier qui l'apparentait à la fois au médecin et au fermier. Il avait un chapeau haut de forme noir, une longue redingote, une paire de hautes guêtres et un stick de chasse qu'il balançait. Il était si grand que son chapeau effleura bel et bien le haut du chambranle et que sa carrure semblait en toucher les deux montants. Sa large figure, marquée de mille rides, que le soleil avait brûlée et jaunie, et où se lisaient tous les mauvais penchants, se tourna d'abord vers l'un, puis vers l'autre de nous ; avec ses yeux profondément enfoncés dans les orbites et tout injectés de bile, avec son nez busqué, mince et décharné, l'homme ressemblait assez à un vieil oiseau de proie plein de férocité.

— Lequel de vous est Holmes ? demanda cette apparition.

— C'est mon nom, monsieur, mais cette connaissance vous confère sur moi un avantage, monsieur, dit Holmes tranquillement.

— Je suis le docteur Grimesby, de Stoke Moran.

— Vraiment, docteur, dit Holmes d'un ton débonnaire. Je vous en prie, prenez un siège.

— Je n'en ferai rien. Ma belle-fille est venue ici. Je l'ai suivie. Que vous a-t-elle raconté ?

— Il fait un peu froid pour la saison, dit Holmes.

— Que vous a-t-elle raconté ? s'écria le vieux, furieux.

— Toutefois, j'ai entendu dire que les crocus promettent, continua mon compagnon, imperturbable.

— Ah ! vous éludez la question, s'écria notre visiteur, qui fit un pas en avant, en agitant son bâton. Je vous connais, canaille, j'ai déjà entendu parler de vous ; vous êtes Holmes, le touche-à-tout.

Mon ami sourit.

— Holmes l'officieux !

Le sourire d'Holmes s'accentua.

— Holmes ! l'homme à tout faire de Scotland Yard.

Holmes, cette fois, riait de bon cœur, bien qu'avec retenue.

— Votre conversation est tout à fait intéressante, dit-il. Quand vous sortirez, fermez la porte, car il y a, décidément, un courant d'air.

— Je ne sortirai que quand j'aurai dit ce que j'ai à dire. Ne vous mêlez pas de mes affaires. Je sais que Mlle Stoner est venue ici, je l'ai suivie. Je suis un homme qu'il est dangereux de rencontrer ! Voyez plutôt !

Il avança d'un pas, saisit le tisonnier et il le courba de ses énormes mains brunes.

— Tâchez de ne pas tomber entre mes griffes, grogna-t-il, et, lançant le tisonnier dans l'âtre, il sortit de la pièce à grandes enjambées.

— Voilà qui m'a tout l'air d'un très aimable personnage, dit Holmes en riant. Je ne suis pas tout à fait aussi massif que lui, mais, s'il était resté, je lui aurais montré que mes griffes ne sont guère plus faibles que les siennes.

Tout en parlant, il ramassa le tisonnier d'acier et, d'un effort brusque, le redressa.

— Dire qu'il a eu l'insolence de me confondre avec la police officielle ! Cet incident, toutefois, confère une certaine saveur à notre investigation. J'espère seulement que notre petite amie n'aura pas à souffrir de l'imprudence qu'elle a commise en permettant à cette brute de la suivre. Maintenant, Watson, nous allons commander notre petit déjeuner ; après quoi je me rendrai dans les bureaux compétents, en quête de quelques données susceptibles de nous aider dans cette affaire.

Il était presque une heure quand Sherlock Holmes revint de son excursion. Il avait en main une feuille de papier bleu, toute griffonnée de notes et de chiffres.

— J'ai vu, dit-il, le testament de la défunte épouse de notre homme. Pour en déterminer l'exacte portée, j'ai dû calculer la valeur actuelle des placements dont il s'agit. Le revenu total, qui, au moment de la mort de sa femme, n'était guère inférieur à mille cent livres, ne se monte plus guère au-dessus de sept cent cinquante livres, par suite de la baisse des valeurs agricoles. En cas de mariage, chacune des filles peut réclamer deux cent cinquante livres. Il est donc évident que si les deux filles s'étaient mariées, ce joli monsieur n'aurait plus conservé que sa pitance ; et que, déjà, même le mariage d'une seule rognerait sérieusement ses ressources. Le travail de cette matinée n'a pas été perdu, puisqu'il m'a prouvé que le docteur a de très solides raisons de faire obstacle à tout arrangement de ce genre. Et maintenant, Watson, la chose est trop sérieuse pour que nous flânions, surtout depuis que le vieux sait que nous nous intéressons à ses affaires ; si donc vous êtes prêt, nous hélerons un fiacre et nous nous ferons conduire à la gare de Waterloo. Je vous serais fort obligé de glisser un revolver dans votre poche. Un Eley N° 2 est un excellent argument avec les gentlemen qui sont de force à faire des nœuds avec des tisonniers d'acier. Ça et une brosse à dents, voilà, je crois, tout ce dont nous avons besoin.

À la gare, nous fûmes assez heureux pour attraper un train pour Leatherhead ; là, nous louâmes une carriole à l'auberge de la gare et, pendant quatre ou cinq miles, nous roulâmes le long des jolis chemins du Surrey. C'était un jour idéal, avec un ciel éclatant parsemé de quelques nuages floconneux. Les arbres et les haies en bordure de la route montraient tout juste leurs premières pousses vertes et l'air était saturé de l'agréable odeur de la terre humide. Il y avait, pour moi du moins, un étrange contraste entre la douce promesse du printemps et la sinistre entreprise dans laquelle nous étions engagés. Perdu dans les plus profondes pensées, mon compagnon était assis sur le devant de la carriole, les bras croisés, son chapeau tiré sur les yeux et le menton enfoncé sur sa poitrine. Tout à coup, pourtant, il tressaillit, me frappa sur l'épaule et du doigt, dirigeant mon attention au-delà des prairies :

— Regardez là-bas ! dit-il.

Un parc abondamment boisé s'étendait sur une pente douce que couronnait au sommet un bosquet épais. D'entre les branches s'élançaient les pignons gris et la haute toiture d'un très vieux manoir.

— Stoke Moran ? questionna-t-il.

— Oui, monsieur ; c'est la maison du docteur Grimesby Roylott, fit observer le cocher.

— On est en train d'y bâtir quelque chose ; c'est là que nous allons.

— Le village est là, dit le cocher, indiquant un groupe de toits à quelque distance sur la gauche, mais si c'est à cette maison-là que vous allez, ça sera plus court pour vous de franchir cette barrière et puis de prendre le sentier à travers champs. C'est là-bas que la dame se promène.

— Et la dame, je suppose que c'est Mlle Stoner, remarqua Holmes en s'abritant les yeux. Oui, je crois que ce que vous suggérez vaut mieux.

Nous descendîmes, réglâmes notre course et la carriole reprit bruyamment le chemin de Leatherhead.

— J'ai pensé, me dit Holmes, pendant que nous passions la barrière, que ce serait tout aussi bien que ce bonhomme croie que nous sommes des architectes venus ici pour une affaire bien définie. Ça peut l'empêcher de bavarder. Bonjour, mademoiselle Stoner. Vous le voyez : nous avons tenu parole.

Notre cliente de la matinée s'était précipitée à notre rencontre et tout son visage exprimait la joie.

— Je vous ai attendus avec anxiété, s'écria-t-elle en échangeant une cordiale poignée de main. Tout a marché de façon splendide ; le docteur Roylott est allé en ville et il est peu probable qu'il revienne avant ce soir.

— Nous avons eu le plaisir de faire la connaissance du docteur, dit Holmes, et, en quelques mots, il décrivit ce qui s'était passé.

Mlle Stoner devint livide en l'écoutant.

— Grand Dieu ! s'écria-t-elle, il m'a donc suivie.

— C'est ce qu'il semble.

— Il est si rusé qu'avec lui je ne sais jamais quand je suis vraiment hors d'atteinte. Que va-t-il dire quand il reviendra ?

— Il lui faudra se méfier lui-même, car il se peut qu'il comprenne qu'il y a sur sa piste quelqu'un de plus rusé que lui. Il faudra, cette nuit, vous enfermer à clé pour vous protéger contre lui. S'il se montre violent, nous vous emmènerons chez votre tante, à Harrow. Maintenant il faut employer notre temps le mieux possible. Veuillez donc nous mener sur-le-champ aux chambres qu'il s'agit d'examiner.

Le bâtiment, en pierre grise tachetée de mousse, avait un corps central plus élevé que les deux ailes circulaires projetées de chaque côté comme les pinces d'un crabe. L'une de ces ailes, avec ses fenêtres brisées, bouchées au moyen de panneaux de bois, et son toit à demi défoncé, était l'image même de la ruine. La partie centrale n'était guère en meilleur état, mais le corps de droite était comparativement moderne ; les stores aux fenêtres, les panaches de fumée bleue qui s'échappaient des cheminées révélaient que c'était là que résidait la famille. On avait dressé des échafaudages à l'extrémité du mur, dont la maçonnerie avait été défoncée, mais rien n'indiquait qu'il y eût des ouvriers au travail au moment de notre visite. Holmes fit lentement les cent pas, marchant de long en large sur la pelouse mal entretenue, puis il examina avec une profonde attention l'extérieur des fenêtres.

— Cette fenêtre-ci, si je saisis bien, est celle de la chambre où vous couchiez et la suivante, celle du milieu, est celle de la chambre de votre sœur et la suivante, proche du bâtiment central, est celle du docteur Roylott ?

— C'est bien cela, mais je couche maintenant dans celle du milieu.

— Pendant les réparations, d'après ce que j'ai compris. À propos, il ne semble guère qu'il y ait eu nécessité urgente de réparer l'extrémité du mur.

— Il n'y en avait point. Je crois que c'était seulement un prétexte pour me faire quitter ma chambre.

— Ah ! voilà qui donne à réfléchir. Maintenant, de l'autre côté de cette aile étroite court le corridor sur lequel ouvrent ces trois chambres. Il y a des fenêtres dans ce corridor, naturellement ?

— Oui, mais elles sont très petites et trop étroites pour qu'on puisse s'introduire par là.

— Comme vous vous enfermiez toutes deux, la nuit, on ne pouvait, par ce côté-là, s'approcher de vos chambres. Auriez-vous l'obligeance, à présent, d'aller dans votre chambre barricader les volets ?

Mlle Stoner obéit et Holmes, après avoir avec soin examiné le dedans par la fenêtre ouverte, tenta du dehors et de toutes les façons d'ouvrir le volet de force, mais sans succès. Il n'y avait pas une fente à travers laquelle on pût passer une lame de couteau pour soulever la barre. Alors, à la loupe, il examina les gonds, mais ils étaient de fer solide et fermement encastrés dans la maçonnerie massive.

— Hum ! dit-il en se grattant le menton, quelque peu perplexe, ma théorie présente assurément quelques difficultés. Nul ne saurait passer par ces volets ainsi fermés. Eh bien ! nous verrons si l'intérieur jette quelque lumière sur cette affaire.

Une petite porte latérale nous mena dans le corridor blanchi à la chaux sur lequel ouvraient les trois chambres. Holmes refusant d'examiner la troisième chambre, nous allâmes tout de suite vers la seconde, celle dans laquelle Mlle Stoner couchait maintenant et où sa sœur était morte. C'était une petite chambre très simple, au plafond bas, avec une grande cheminée béante comme il y en a dans les vieilles maisons campagnardes. Il y avait dans un coin une commode brune, dans un autre un lit étroit à courtepointe blanche, et une table de toilette à droite de la fenêtre. Ces objets constituaient, avec deux petites chaises en osier, tout le mobilier de la pièce, si l'on en excepte un petit carré de tapis au milieu. Bruns et vermoulus, les panneaux et les boiseries de chêne autour de la chambre étaient si vieux, si décolorés, qu'ils pouvaient bien dater de la construction du bâtiment. Holmes poussa une des chaises dans un coin et s'assit en silence, cependant que ses yeux faisaient tout le tour de la pièce et, courant du haut en bas, enregistraient tous les détails.

— Où cette sonnette sonne-t-elle ? demanda-t-il enfin, en montrant un gros cordon qui pendait à côté du lit et dont le gland reposait exactement sur l'oreiller.

— Elle aboutit à la chambre de la femme de charge.

— Elle a l'air plus neuve que le reste.

— Oui, elle a été posée il n'y a que quelques années.

— C'est votre sœur qui l'avait demandé, je suppose ?

— Non, je n'ai jamais entendu dire qu'elle s'en était servie. Nous avons toujours eu l'habitude d'aller chercher nous-mêmes tout ce qu'il nous fallait.

— Vraiment ! Il ne semblait pas nécessaire de placer là un si beau cordon de sonnette. Vous voudrez bien m'excuser quelques minutes, pendant lesquelles ma curiosité va se porter sur le plancher.

Il se jeta alors à plat ventre, sa loupe à la main, et rapidement se traîna, rampant tantôt en avant, tantôt en arrière, pour inspecter minutieusement les fentes entre les lames du parquet. Il en fit autant ensuite pour les boiseries qui couvraient les murs. Finalement il se dirigea vers le lit et passa quelque temps à le regarder fixement ; son œil courut ensuite du haut en bas du mur. Puis il prit en main le cordon de sonnette et le tira brusquement.

— Eh ! dit-il, c'est une fausse sonnette !

— Elle ne sonne pas ?

— Non, le cordon n'est même pas relié à un fil de fer. Voilà qui est très intéressant : vous pouvez voir à présent qu'elle est fixée à un crochet juste au-dessus de l'endroit où se trouve l'ouverture de la prise d'air.

— Que c'est absurde ! Je ne l'ai jamais remarqué auparavant.

— Très étrange ! observa Holmes en tirant sur le cordon. Il y a dans cette chambre un ou deux points très singuliers. Par exemple, il faut que l'architecte soit un imbécile pour ouvrir une prise d'air qui donne dans une autre pièce, alors que, sans plus de peine, il aurait pu la faire communiquer avec l'air du dehors !

— Cela aussi est tout à fait récent, dit la jeune femme.

— Cela date de la même époque que le cordon de sonnette, remarqua Holmes.

— Oui, on a fait plusieurs petits changements à ce moment-là.

— Il semble que ce furent des changements d'un caractère très intéressant – des cordons de sonnette qui ne sonnent pas et des prises d'air qui n'aèrent point. Avec votre permission, mademoiselle Stoner, nous porterons maintenant nos recherches dans l'autre chambre.

La chambre du docteur Roylott, bien que plus spacieuse que celle de sa belle-fille, était aussi simplement meublée. Un lit de camp, un petit rayon en bois garni de livres, la plupart d'un caractère technique, un fauteuil à côté du lit, une chaise ordinaire en bois contre le mur, une table ronde et un grand coffre en fer étaient les principaux objets qui s'offraient à nos yeux. Holmes, lentement, fit le tour de la pièce et examina chaque chose avec le plus vif intérêt.

— Qu'y a-t-il là-dedans ? demanda-t-il en frappant sur le coffre.

— Les papiers d'affaires de mon beau-père.

— Oh ! vous en avez donc vu l'intérieur ?

— Une fois seulement, il y a quelques années. Je me souviens qu'il était plein de papiers.

— Il n'y a pas un chat dedans, par exemple ?

— Non. Quelle étrange idée !

— Eh bien, regardez ceci !

Il prit une petite soucoupe de lait qui se trouvait sur le haut du coffre.

— Non, nous n'avons pas de chat. Mais il y a un guépard et un babouin.

— Ah ! oui, naturellement. Eh bien, un guépard, c'est ni plus ni moins qu'un gros chat, or une soucoupe de lait comme celle-ci ne suffirait guère, je pense, à contenter un chat. Il y a encore un point que je désirerais tirer au clair.

Il s'accroupit devant la chaise en bois et en examina le siège avec la plus grande attention.

— Merci. Voilà qui est bien réglé, dit-il en se levant et en remettant sa loupe dans sa poche. Holà ! voici quelque chose d'intéressant !

L'objet qui avait attiré son attention était un petit fouet à chien pendu à un des coins du lit ; il était, toutefois, roulé et noué de façon à former une boucle.

— Que dites-vous de cela, Watson ?

— C'est un fouet assez ordinaire, mais je ne vois pas pourquoi on y a fait ce nœud.

— Le fait est que c'est moins ordinaire, cela, hein ? Ah ! le monde est bien méchant et quand un homme intelligent tourne son esprit vers le crime, c'est la pire chose qui soit. Je crois, mademoiselle Stoner, que j'en ai assez vu maintenant et, avec votre permission, nous irons nous promener sur la pelouse.

Je n'avais jamais vu le visage de mon ami aussi farouche ni son front aussi sombre qu'au moment où nous nous sommes éloignés du lieu de nos recherches. Nous avions à plusieurs reprises remonté et redescendu la pelouse et ni Mlle Stoner ni moi-même n'osions ni ne voulions interrompre le cours de ses pensées, quand il s'éveilla de sa rêverie.

— Il est tout à fait essentiel, mademoiselle Stoner, dit-il, que vous suiviez absolument mes conseils en tout point.

— Je les suivrai, très certainement.

— La chose est trop sérieuse pour hésiter en quoi que ce soit. Votre vie peut dépendre de votre obéissance.

— Je vous assure que je suis toute entre vos mains.

— Et d'abord il faut que mon ami et moi, nous passions la nuit dans votre chambre.

Mlle Stoner et moi nous le regardâmes, étonnés...

— Oui, c'est nécessaire. Laissez-moi m'expliquer. Je crois que c'est l'auberge du village, de l'autre côté, là-bas ?

— Oui, c'est *La Couronne*.

— Très bien ! Vos fenêtres doivent être visibles de là-bas ?

— Certainement.

— Il faudra vous enfermer dans votre chambre en prétextant un mal de tête quand votre beau-père reviendra. Puis, quand vous l'entendrez entrer dans sa chambre pour la nuit, vous ouvrirez les volets de votre fenêtre, vous soulèverez la barre et vous mettrez votre lampe là ; ce sera un signal pour nous ; et alors, avec les objets dont vous pouvez avoir besoin, vous vous retirerez dans la chambre que vous occupiez avant. Je ne doute pas qu'en dépit des réparations vous ne puissiez vous y installer pour une nuit.

— Oh ! certes, bien facilement.

— Pour le reste, vous n'avez qu'à nous laisser faire...

— Mais que ferez-vous ?

— Nous passerons la nuit dans votre chambre et nous chercherons la cause de ce bruit qui vous a dérangée.

— Je crois, monsieur Holmes, que vous avez déjà votre idée bien arrêtée, dit Mlle Stoner en posant sa main sur le bras de mon camarade.

— Peut-être bien.

— Alors, par pitié, dites-moi ce qui a causé la mort de ma sœur.

— Avant de parler, je voudrais avoir des preuves plus évidentes.

— Vous pouvez, du moins, me dire si je ne me trompe pas et si elle est effectivement morte d'une frayeur subite.

— Non, je ne le crois pas. Je crois qu'il doit y avoir eu une cause plus tangible. Et maintenant, mademoiselle Stoner, il faut que nous vous quittions, car si le docteur Roylott, en rentrant, nous voyait, notre voyage serait inutile. Au revoir et soyez courageuse, car si vous faites ce que je vous ai dit, vous pouvez être sûre que nous écarterons les dangers qui vous menacent.

Sherlock Holmes et moi, nous n'eûmes aucune difficulté à louer deux chambres à *L'auberge de la Couronne*. Ces pièces se trouvaient à l'étage supérieur et, de notre fenêtre, nous découvrions nettement la grande porte de l'avenue et l'aile habitée du manoir de Stoke Moran.

À la tombée de la nuit, nous vîmes le docteur Grimesby Roylott passer en voiture ; son énorme carrure se détachait nettement à côté de la mince silhouette du garçon d'écurie qui conduisait. Celui-ci éprouva quelque difficulté à ouvrir les lourdes portes et nous entendîmes le rugissement enroué de la voix du docteur, en même temps que nous le voyions agiter un poing menaçant. La voiture entra et, quelques minutes après, nous vîmes, provenant d'une des pièces où l'on avait allumé une lampe, une lumière soudaine jaillir parmi les arbres.

— Savez-vous bien, Watson, dit Holmes, tandis que nous étions assis tous deux dans l'obscurité qui tombait, que j'éprouve quelques scrupules à vous emmener ce soir. Il y a nettement un élément de danger.

— Puis-je vous être utile ?

— Votre présence peut être inappréciable.

— Alors, c'est réglé, je viendrai…

C'est très gentil de votre part.

— Vous parlez de danger. Vous avez, évidemment, vu dans ces chambres plus de choses que je n'en ai aperçu.

— Non, mais j'imagine que j'en ai tiré plus de déductions que vous. Vous avez, je pense, vu tout ce que j'ai vu.

— Je n'ai rien vu de remarquable, sauf ce cordon de sonnette et j'avoue que trouver sa raison d'être dépasse mon imagination.

— Vous avez vu aussi la prise d'air ?

— Oui, mais je ne pense pas que ce soit une chose extraordinaire que d'avoir une petite ouverture entre deux chambres. Celle-ci est si minuscule qu'un rat pourrait à peine y passer.

— Je savais avant de venir à Stoke Moran que nous trouverions une prise d'air.

— Mon cher Holmes !

— Oui, je le savais. Vous vous rappelez que, dans son récit, elle nous a dit que sa sœur pouvait sentir le cigare de Roylott. Or cela, tout naturellement, suggère tout de suite qu'il doit exister une communication entre les deux pièces. Ce ne pouvait être qu'une petite ouverture, autrement on en aurait tenu compte lors de l'enquête du coroner. J'ai donc diagnostiqué une prise d'air.

— Mais quel mal peut-il y avoir à cela ?

— Eh bien, il y a, au moins, une curieuse coïncidence de dates. On établit une prise d'air, on installe un cordon et une dame qui couche dans le lit meurt. Cela ne vous frappe pas ?

— Jusqu'ici, je ne peux encore voir aucun rapport.

— N'avez-vous rien observé de très particulier à propos de ce lit ?

— Non.

— Il a été fixé au plancher par des fiches de fer. Avez-vous jamais vu un lit assujetti comme cela ?

— Je ne saurais prétendre que j'en ai vu.

— La dame ne pouvait bouger son lit. Il fallait qu'il demeure toujours dans la même position par rapport à la prise d'air et à la corde – car nous pouvons l'appeler ainsi, puisqu'il est clair qu'il n'a jamais été question d'un cordon de sonnette.

— Holmes, m'écriai-je, il me semble voir vaguement à quoi vous faites allusion. Nous arrivons juste à temps pour prévenir un crime horrible et raffiné.

— Assez raffiné et assez horrible, oui. Quand un médecin fait le mal, il est le premier des criminels. Il a le nerf et il a la science. Cela s'est déjà vu. Mais les coups que frappe cet homme sont plus subtils et profonds que tous ceux de ses confrères devenus criminels avant lui. Toutefois, Watson, je crois que nous pourrons frapper plus profondément encore. Mais nous aurons bien assez d'horreurs d'ici que la nuit ne soit terminée. De grâce, fumons une pipe tranquillement et, pendant quelques heures, tournons nos pensées vers des choses plus réjouissantes.

Vers neuf heures, la lumière parmi les arbres s'éteignit et tout devint noir dans la direction du manoir. Deux heures s'écoulèrent encore, lentement, puis tout à coup, exactement au premier coup de onze heures, une lumière brillante s'alluma juste en face de nous.

— Cette fois, c'est notre signal, dit Holmes en se levant vivement, il vient de la fenêtre du milieu.

Il échangea, en passant, quelques paroles avec l'aubergiste, pour lui expliquer que nous allions rendre une visite tardive à quelqu'un que nous connaissions et que nous y passerions peut-être la nuit. Un instant après nous étions sur la route obscure ; un vent froid nous soufflait au visage et une lumière, scintillant en face de nous dans les ténèbres, nous guidait vers notre sombre mission.

Nous n'eûmes guère de difficultés pour entrer dans le domaine, car des brèches que personne n'avait songé à réparer s'ouvraient dans le vieux mur du parc. En nous avançant parmi les arbres, nous avions atteint et traversé la pelouse et nous allions passer par la fenêtre quand, d'un bosquet de laurier, surgit quelque chose qui ressemblait à un enfant hideux et difforme ; l'étrange créature se jeta sur l'herbe en se tordant les membres, puis soudain, traversant la pelouse en courant, se perdit dans l'obscurité.

— Grand Dieu ! murmurai-je, vous avez vu ?

Holmes fut sur le moment aussi étonné que moi. Dans sa surprise, sa main se referma sur mon poignet, comme un étau, puis il se mit à rire en sourdine et approcha ses lèvres de mon oreille.

— Charmant séjour ! murmura-t-il, c'est le babouin.

J'avais oublié les étranges animaux favoris du docteur. Il y avait aussi un guépard. Du coup, j'avoue que je me suis senti l'esprit plus à l'aise quand, après avoir suivi l'exemple de Holmes en ôtant mes souliers, je me trouvai dans la chambre à coucher. Sans aucun bruit, mon compagnon ferma les volets, replaça la lampe sur la table et jeta un regard autour de la pièce. Tout était tel que nous l'avions vu dans la journée. Alors, s'étant glissé jusqu'à moi, la main en cornet, il me murmura de nouveau à l'oreille, si bas que je pouvais tout juste distinguer les mots :

— Le moindre bruit serait fatal à nos projets.

De la tête je fis signe que j'avais entendu.

— Il faut que nous restions assis sans lumière. Il la verrait par le trou d'aération.

J'acquiesçai de nouveau.

— Ne vous endormez pas. Votre vie même en dépend. Gardez votre revolver tout prêt, pour le cas où nous en aurions besoin. Je demeurerai assis à côté du lit et vous sur cette chaise-là.

Je pris mon revolver et le plaçai sur le coin de la table.

Holmes avait apporté une canne longue et mince qu'il plaça sur le lit à côté de lui. Près de la canne, il posa une boîte d'allumettes et un bout de bougie, puis il tourna la mèche de la lampe et nous fûmes dans l'obscurité.

Comment oublierais-je jamais cette veillée terrible ? Je ne pouvais entendre aucun bruit, pas même le souffle d'une respiration, et pourtant je savais que mon compagnon était assis, les yeux grands ouverts, à quelques pieds de moi, dans un état de tension nerveuse identique au mien. Les volets ne laissaient pas percer le moindre rayon de lumière et nous attendions dans une obscurité absolue. Du dehors venait parfois le cri d'un oiseau nocturne et, une fois, sous notre fenêtre même, un gémissement prolongé comme celui d'un chat vint nous dire que le guépard était bien en liberté. Très loin, nous pouvions entendre les coups graves de l'horloge de la paroisse qui retentissaient tous les quarts d'heure. Comme ils semblaient longs, ces quarts d'heure ! Minuit sonna, puis une heure, puis deux, puis trois, et nous étions toujours assis, là, à attendre en silence ce qui pourrait arriver.

Soudain une lueur momentanée apparut dans la direction de la bouche d'air ; elle s'évanouit tout de suite, mais une forte odeur d'huile qui brûlait et de métal chauffé lui succéda. On venait d'allumer une lanterne sourde dans la chambre voisine. Je perçus le bruit d'un mouvement très doux, puis tout fut de nouveau silencieux, bien que l'odeur se fît plus forte. Pendant une demi-heure je restai assis, l'oreille tendue. Alors, tout à coup, un autre bruit se fit entendre – un bruit calme, très doux, comme celui d'un jet de vapeur s'échappant sans discontinuer d'une bouilloire. Au moment où nous l'entendions, Holmes sauta du lit, frotta une allumette et, de sa canne, cingla avec fureur le cordon de sonnette.

— Vous le voyez, Watson ? hurla-t-il. Vous le voyez ?

Mais je ne voyais rien. Au moment où Holmes gratta son allumette, j'entendis un sifflement bas et clair, toutefois la lumière éclatant soudain devant mes yeux fatigués fit qu'il me demeurait impossible de dire sur quoi mon ami frappait aussi sauvagement. Je pus voir pourtant que son visage, rempli d'horreur et de dégoût, était d'une pâleur de mort.

Il avait cessé de frapper et il regardait fixement la bouche d'air quand, soudain, éclata dans le silence de la nuit le cri le plus horrible que j'aie jamais entendu. Il s'enfla, toujours de plus en plus fort, en un rauque rugissement où la douleur, la peur et la colère s'unissaient pour en faire un cri perçant et terrible. Il paraît que jusque là-bas, dans le village, et même jusqu'au lointain presbytère, ce cri réveilla les dormeurs dans leur lit. Il nous glaça le cœur et je demeurai là, à regarder Holmes du même regard exorbité dont lui-même me regarda, jusqu'à ce que mourussent enfin dans le silence les échos de ce cri qui l'avait troublé.

— Qu'est-ce que cela signifie ? haletai-je.

— Cela signifie que tout est fini, répondit Holmes, et peut-être, après tout, en est-il mieux ainsi. Prenez votre revolver et nous entrerons dans la chambre du docteur Roylott.

Le visage grave, il alluma la lampe et sortit dans le corridor. Deux fois il frappa à la porte du docteur Roylott sans obtenir de réponse. Alors il tourna la poignée et entra. Je le suivais, sur ses talons, mon revolver armé à la main.

Ce fut un singulier spectacle qui s'offrit à nos yeux. Sur la table se trouvait une lanterne sourde dont le volet était à moitié levé ; elle jetait un vif rayon de lumière sur le coffre en fer dont la porte était entrouverte. À côté de cette table, sur la chaise en bois, était assis le docteur Grimesby Roylott, vêtu d'une robe de chambre grise qui laissait voir ses chevilles nues et ses pieds glissés dans des babouches rouges. Sur ses genoux reposait le petit fouet à la longue lanière que nous avions remarqué dans la journée. Son menton était levé et ses yeux rigides considéraient le coin du plafond avec un regard d'une fixité terrible. Autour du front, on lui voyait une étrange bande jaune aux taches brunâtres, et qui semblait lui enserrer étroitement la tête. À notre entrée, il ne dit pas un mot et ne fit pas un geste.

— La bande ! La bande mouchetée ! murmura Holmes.

Je fis un pas en avant. Un instant après, l'étrange coiffure se mit à remuer et des cheveux de l'homme surgit la tête plate en forme de losange, puis le cou gonflé d'un odieux serpent.

— C'est un serpent des marais ! s'écria Holmes, le plus terrible des serpents de l'Inde. Il est mort moins de dix secondes après avoir été mordu. La violence, en vérité, retombe bien sur ceux qui la provoquent et celui qui complote tombe dans la fosse qu'il creuse pour autrui. Rejetons cette bête dans son antre ; après quoi nous pourrons alors conduire Mlle Stoner en lieu sûr, puis informer la police de ce qui s'est passé.

Tout en parlant, il prit vivement le fouet sur les genoux du mort et, jetant le nœud coulant autour du cou du reptile, il l'arracha de son horrible perchoir et, en le portant à bout de bras, le lança dans le coffre qu'il referma sur lui.

Tels sont les faits qui amenèrent la mort du docteur Grimesby Roylott, de Stoke Moran. Il n'est pas nécessaire d'allonger un récit qui n'est déjà que trop long, pour dire comment nous avons annoncé la triste nouvelle à la jeune fille terrifiée ; comment, par le train du matin, nous sommes allés la confier aux soins de sa bonne tante à Harrow et comment enfin la lente procédure de l'enquête officielle aboutit à la conclusion que le docteur était mort, victime de son imprudence, en jouant avec un de ses dangereux animaux favoris. Le peu qu'il me reste à rapporter me fut dit par Sherlock Holmes le lendemain, pendant notre voyage de retour.

— J'étais d'abord arrivé, dit-il, à une conclusion tout à fait erronée ; cela montre, mon cher Watson, comment il est dangereux de raisonner sur des données insuffisantes. La présence des bohémiens et l'emploi du mot « bande » dont la jeune fille s'était servie sans doute pour expliquer l'horrible apparition qu'elle n'avait fait qu'entrevoir à la lueur de son allumette m'avaient mis sur une piste entièrement fausse. Je ne peux que revendiquer le mérite d'avoir immédiatement reconsidéré ma position quand il me parut évident que, quel que soit le danger qui menaçait un occupant de la chambre, ce danger ne pouvait venir ni par la porte ni par la fenêtre. Mon attention fut attirée tout de suite, comme je vous l'ai dit déjà, sur la bouche d'air et le cordon de sonnette qui descendait sur le lit. La découverte que ce n'était qu'un trompe-l'œil et que le lit était assujetti au plancher me fit sur-le-champ soupçonner que cette corde était là pour servir de pont à quelque chose qui passait par le trou et descendait vers le lit. L'idée d'un serpent se présenta tout de suite et quand j'associai cette idée au fait – connu de nous – que le docteur faisait venir de nombreux animaux des Indes, j'ai senti que j'étais probablement sur la bonne voie. L'idée de se servir d'une sorte de poison que ne pourrait déceler aucune analyse clinique était bien celle qui viendrait à un homme intelligent et cruel, accoutumé aux choses de l'Orient. La rapidité avec laquelle ce poison agirait serait aussi, à son point de vue, un avantage. Il faudrait un coroner aux yeux bien perspicaces pour aller découvrir les deux petites piqûres sombres qui révéleraient l'endroit où les crochets empoisonnés auraient accompli leur œuvre. C'est alors que j'ai pensé au sifflet. Naturellement il lui fallait rappeler le serpent avant que la lumière du jour ne le révélât à la victime. Il l'avait accoutumé, probablement en se servant du lait que nous avons vu, à revenir vers lui quand il l'appelait. Quand il le passait par la bouche d'air à l'heure qu'il jugeait la plus favorable, il avait la certitude que l'animal ramperait le long de la corde et descendrait sur le lit. Il pouvait mordre ou ne pas mordre la jeune fille, peut-être pourrait-elle y échapper toutes les nuits pendant une semaine entière, mais tôt ou tard elle serait fatalement la victime du serpent.

« J'en étais arrivé à ces conclusions avant même d'être entré dans la chambre du docteur. Une inspection de sa chaise me montra qu'il avait l'habitude de monter dessus, ce qui, naturellement, était nécessaire pour atteindre la bouche d'air. La vue du coffre, la soucoupe de lait et la boucle du fouet à chien suffirent pour chasser enfin toute espèce de doute que je pouvais encore avoir. Le bruit métallique entendu par Mlle Stoner était, manifestement, dû au fait que le beau-père fermait en toute hâte la porte du coffre sur son dangereux locataire. Ayant ainsi bien arrêté mes idées, vous savez les mesures que j'ai prises pour les vérifier. J'ai entendu siffler le serpent, tout comme, je n'en doute pas, vous l'avez vous-même entendu ; j'ai tout de suite allumé et je l'ai attaqué.

— Avec ce résultat que vous l'avez refoulé par la bouche d'air.

— Et ce résultat aussi qu'il s'est, de l'autre côté, retourné contre son maître. Quelques-uns de mes coups de canne ont porté et ils ont réveillé si bien sa nature de serpent qu'il s'est jeté sur la première personne qu'il a rencontrée. Il n'y a pas de doute que je ne sois ainsi indirectement responsable de la mort du docteur Grimesby Roylott ; mais je crois pouvoir affirmer, selon toute vraisemblance, qu'elle ne pèsera pas bien lourd sur ma conscience.

LE RITUEL DES MUSGRAVE

Une anomalie qui m'a souvent frappé dans le caractère de mon ami Sherlock Holmes, c'était que, bien que dans ses façons de penser il fût le plus clair et le plus méthodique des hommes, et bien qu'il affectât dans sa mise une certaine recherche d'élégance discrète, il n'en était pas moins, dans ses habitudes personnelles, un des hommes les plus désordonnés qui aient jamais poussé à l'exaspération le camarade qui partageait sa demeure. Non pas que je sois, moi-même, le moins du monde tatillon sous ce rapport. La campagne d'Afghanistan, avec ses rudes travaux, ses dures secousses, venant s'ajouter à une tendance naturelle chez moi pour la vie de bohème, m'a rendu un peu plus négligent qu'il ne sied à un médecin. Mais il y a une limite et, quand je découvre un homme qui garde ses cigarettes dans le scau à charbon, son tabac dans une pantoufle persane, et les lettres à répondre fichées à l'aide d'un grand couteau au beau milieu de la tablette en bois de la cheminée, alors, je commence à arborer des airs vertueux. J'ai toujours estimé, quant à moi, que la pratique du pistolet devait être strictement un exercice de plein air et, lorsque Holmes, dans un de ses accès de bizarrerie, prenait place dans un fauteuil, avec son revolver et une centaine de cartouches, et qu'il se mettait à décorer le mur d'en face d'un semis de balles qui dessinaient les initiales patriotiques V.R.[1], j'ai chaque fois éprouvé l'impression très nette que ni l'atmosphère ni l'aspect de notre living n'y gagnaient.

Nos pièces étaient toujours pleines de produits chimiques et de reliques de criminels qui avaient une singulière façon de s'aventurer dans des lieux invraisemblables, de se montrer dans le beurrier ou dans des endroits encore moins indiqués. Mais mon grand supplice, c'étaient ses papiers. Il avait horreur de détruire des documents, et surtout ceux qui

---

1. Victoria Regina. *(N.d.T.)*

se rapportaient à ses enquêtes passées ; malgré cela, il ne trouvait guère qu'une ou deux fois par an l'énergie qu'il fallait pour les étiqueter et les ranger, car, comme j'ai eu l'occasion de le dire en je ne sais quel endroit de ces Mémoires décousus, les crises d'énergie et d'ardeur qui s'emparaient de lui lorsqu'il accomplissait les remarquables exploits auxquels est associé son nom étaient suivies de périodes léthargiques pendant lesquelles il demeurait inactif, entre son violon et ses livres, bougeant à peine, sauf pour aller du canapé à la table. Ainsi, de mois en mois, les papiers s'accumulaient, jusqu'à ce que tous les coins de la pièce fussent encombrés de paquets de manuscrits qu'il ne fallait à aucun prix brûler et que seul leur propriétaire pouvait ranger.

Un soir d'hiver, comme nous étions assis près du feu, je me risquai à lui suggérer que, puisqu'il avait fini de coller des coupures dans son registre ordinaire, il pourrait employer les deux heures suivantes à rendre notre pièce un peu plus habitable. Il ne pouvait contester la justesse de ma demande, aussi s'en fut-il, le visage déconfit, à sa chambre à coucher d'où il revint bientôt, tirant derrière lui une grande malle en zinc. Il la plaça au milieu de la pièce et, s'accroupissant en face, sur un tabouret, il en leva le couvercle. Je pus voir qu'elle était déjà au tiers pleine de papiers réunis en liasses de toutes sortes avec du ruban rouge.

— Il y a là, Watson, dit-il en me regardant avec des yeux malicieux, pas mal d'enquêtes. Je pense que si vous saviez tout ce que j'ai dans cette boîte, vous me demanderiez d'en exhumer quelques-unes au lieu d'en enfouir de nouvelles.

— Ce sont les souvenirs de vos premiers travaux ? J'ai, en effet, souvent souhaité posséder des notes sur ces affaires.

— Oui, mon cher. Toutes ces enquêtes remontent au temps où mon biographe n'était pas encore venu chanter ma gloire. (Il soulevait les liasses l'une après l'autre, d'une façon en quelque sorte tendre et caressante.) Ce ne sont pas toutes des succès, mais il y a là quelques jolis petits problèmes. Voici les souvenirs des assassins de Tarleton, l'affaire de Vanberry, le marchand de vin, les aventures de la vieille Russe, et la singulière affaire de la béquille en aluminium, ainsi qu'un récit détaillé du pied-bot Ricoletti et de son horrible femme. Et voici... ah ! cela, c'est réellement un objet de choix !

Il plongea le bras au fond de la caisse et en retira une petite boîte en bois munie d'un couvercle à glissière, comme en ont celles où on range les jouets d'enfant. Il en sortit un morceau de papier chiffonné, une vieille clé en laiton, une cheville de bois à laquelle était attachée une pelote de corde et trois vieux disques de métal rouillé.

— Eh bien, mon garçon, que dites-vous de ce lot-là ? demanda-t-il en souriant de l'expression de mon visage.

— C'est une curieuse collection.

— Très curieuse, et l'histoire qui s'y rattache vous frappera comme plus curieuse encore.

— Ces reliques ont une histoire, alors ?

— À tel point qu'elles sont bel et bien de l'Histoire,

— Que voulez-vous dire par là ?

Sherlock Holmes les prit une à une et les posa sur le bord de la table. Puis il se rassit dans son fauteuil et les considéra, une lueur de satisfaction dans les yeux.

— C'est là, dit-il, tout ce qu'il me reste pour me rappeler l'épisode du *Rituel des Musgrave*.

Je l'avais, à plusieurs reprises, entendu mentionner cette affaire, bien que je n'eusse jamais pu en recueillir les détails.

— Je serais si content si vous vouliez m'en faire le récit

— Et laisser ce fouillis tel quel ? s'écria-t-il malicieusement. Votre amour de l'ordre n'en souffrira pas tellement, somme toute, Watson, et moi je serais content que vous ajoutiez cette affaire à vos Mémoires, car elle comporte certains points qui la rendent absolument unique dans les annales criminelles de ce pays et, je crois, de tous les pays. Une collection de menus exploits serait assurément incomplète si elle ne contenait point le récit de cette singulière enquête.

— Vous vous rappelez peut-être comment l'affaire du *Gloria Scott* et ma conversation avec le malheureux dont je vous ai raconté le sort dirigèrent pour la première fois mon attention vers la profession que j'allais exercer ma vie durant. Vous me connaissez, maintenant que mon nom s'est répandu partout, maintenant que le public et la police officielle admettent que je suis l'ultime instance à laquelle on fait appel dans les affaires douteuses. Même quand vous avez fait ma connaissance, au temps de l'affaire que vous avez consignée dans *Une étude en rouge*, je m'étais déjà créé une clientèle considérable, bien que pas très lucrative. Vous ne pouvez guère vous rendre compte des difficultés que j'ai d'abord éprouvées et du temps qu'il m'a fallu avant de réussir à atteindre le premier rang.

Quand je suis venu à Londres, à mes débuts, j'avais un appartement dans Montague Street, juste au coin en partant du British Museum, et là, j'attendais, occupant mes trop nombreuses heures de loisir à l'étude de toutes les branches de la science susceptibles de m'être profitables. De temps en temps, des affaires s'offraient à moi, grâce surtout à l'entremise de quelques anciens camarades d'études, car, dans les dernières années de mon séjour à l'université, on avait pas mal parlé de moi et de mes méthodes. La troisième de ces affaires fut le *Rituel des Musgrave* et c'est à l'intérêt qu'éveilla ce singulier enchaînement d'événements et aussi aux résultats auxquels il aboutit, que je fais remonter les premières étapes sérieuses de ma réussite actuelle.

Reginald Musgrave avait été au même collège que moi et je le connaissais quelque peu. En règle générale il n'était pas très populaire parmi les étudiants, quoiqu'il m'ait toujours semblé que ce que l'on considérait chez lui comme de l'orgueil n'était, en réalité, qu'un effort pour couvrir un extrême manque naturel de confiance en soi. D'aspect, c'était un homme d'un type suprêmement aristocratique, mince, avec un long nez, de grands yeux, une allure indolente et pourtant courtoise. C'était, en effet, le rejeton d'une des plus vieilles familles du royaume, bien que sa branche fût une branche cadette qui s'était séparée des Musgrave du Nord à une certaine époque du XVIᵉ siècle pour s'établir dans l'ouest du Sussex, où le manoir de Hurlstone constitue peut-être le plus vieux bâtiment habité du comté. Quelque chose du lieu de sa naissance semblait adhérer à l'homme, et je n'ai jamais regardé son visage pâle et ardent, ou bien considéré son port de tête, sans les associer aux voûtes grises, aux fenêtres à meneaux et à toutes ces vénérables reliques d'un château féodal. De temps en temps, nous nous laissions aller à bavarder et je peux me rappeler que, plus d'une fois, il exprima un vif intérêt pour mes méthodes d'observation et de déduction.

Il y avait quatre ans que je ne l'avais vu, quand, un matin, il entra dans mon logis de Montague Street. Il n'avait guère changé ; il était habillé comme un jeune homme à la mode

– ce fut toujours un peu un dandy – et il gardait ces mêmes manières tranquilles et douces qui l'avaient jadis caractérisé.

« Qu'êtes-vous donc devenu, Musgrave ? lui demandai-je après une cordiale poignée de main.

— Sans doute avez-vous appris la mort de mon père, dit-il. Il a été emporté il y a deux ans environ. Depuis lors, j'ai, naturellement, dû administrer le domaine de Hurlstone, et comme je suis député de ma circonscription en même temps, ma vie a été assez occupée ; mais j'ai appris, Holmes, que vous employiez à des fins pratiques ces dons avec lesquels vous nous étonniez.

— Oui, dis-je, je me suis mis à vivre de mon intelligence.

— Je suis enchanté de l'apprendre, car vos conseils aujourd'hui me seraient infiniment précieux. Il s'est passé chez nous, à Hurlstone, d'étranges événements sur lesquels la police a été absolument incapable de jeter une lumière quelconque. C'est vraiment la plus extraordinaire et la plus inexplicable affaire. »

Vous imaginez, Watson, avec quel empressement je l'écoutais, car c'était l'occasion même que j'avais si ardemment désirée pendant tous ces longs mois d'inaction, qui semblait se trouver à ma portée. Tout au fond de mon cœur, je me croyais capable de réussir là où d'autres échouaient et j'avais cette fois la possibilité de me mettre à l'épreuve.

« Je vous en prie, donnez-moi les détails ! » m'écriai-je.

Reginald Musgrave s'assit en face de moi et alluma une cigarette que j'avais poussée vers lui.

« Il faut que vous sachiez, dit-il, que, bien que célibataire, je dois entretenir à Hurlstone tout un personnel domestique, car les bâtiments sont vieux et mal distribués et il faut s'en occuper pas mal. J'ai aussi des chasses gardées et, pendant la belle saison, j'ai d'ordinaire beaucoup d'invités, de sorte que cela n'irait plus si on manquait de personnel. Il y a donc en tout huit bonnes, le cuisinier, le sommelier, deux valets de pied et un garçon. Le jardin et les écuries ont, naturellement, leur personnel à eux.

« De ces domestiques, celui qui a été le plus longtemps à notre service était le sommelier Brunton. Quand il a été d'abord engagé par mon père, c'était un maître d'école sans situation mais, homme de caractère et plein d'énergie, il devint vite inappréciable dans la maison. C'était aussi un bel homme, bien planté, au front magnifique et, bien qu'il ait été avec nous pendant vingt ans, il ne peut aujourd'hui en avoir plus de quarante. Avec ses avantages personnels, ses dons extraordinaires – car il sait plusieurs langues et joue presque de tous les instruments de musique –, c'est étonnant qu'il se soit si longtemps contenté d'une situation pareille, mais je suppose qu'il se trouvait confortablement installé et qu'il n'avait pas l'énergie de changer. Le sommelier de Hurlstone est un souvenir qu'emportent tous ceux qui nous rendent visite.

« Mais ce parangon a un défaut. C'est un peu un don Juan, et vous pouvez imaginer que, pour un homme comme lui, le rôle n'est pas très difficile à jouer, dans ce coin tranquille de campagne. Quand il était marié, tout allait bien, mais depuis qu'il est veuf, les ennuis qu'il nous a faits n'ont pas cessé. Il y a quelques mois, nous espérions qu'il allait de nouveau se fixer, car il se fiança à Rachel Howells, notre seconde femme de chambre, mais il l'a jetée par-dessus bord depuis et s'est mis à courtiser Jane Trigellis, la fille du premier garde-chasse. Rachel, qui est une très bonne fille, mais celte et, par conséquent, d'un caractère emporté, a eu un sérieux commencement de fièvre cérébrale et circule maintenant – ou plutôt circulait hier encore – dans la maison comme l'ombre aux yeux noirs de ce qu'elle était naguère. Ce fut là notre premier drame à Hurlstone ; mais il s'en est produit un autre qui l'a chassé de nos pensées et qui fut précédé de la disgrâce et du congédiement du sommelier Brunton.

« Voici comment cela s'est passé. Je vous ai dit que l'homme était intelligent, et c'est cette intelligence même qui a causé sa perte, car elle semble l'avoir conduit à se montrer d'une insatiable curiosité à l'égard des choses qui ne le concernaient nullement. Je n'imaginais pas où cela le mènerait, jusqu'au moment où un accident très simple m'a ouvert les yeux.

« Je vous ai dit que la maison est assez mal distribuée. Une nuit de la semaine dernière – celle de jeudi pour être plus précis –, je constatai que je ne pouvais dormir, pour avoir, après dîner, sottement pris une tasse de café noir très fort. Jusqu'à deux heures du matin j'ai lutté contre cette insomnie, puis j'ai compris que c'était tout à fait inutile ; je me suis donc levé, et j'ai allumé la bougie, dans l'intention de continuer la lecture d'un roman. Comme j'avais laissé le livre dans la salle de billard, j'ai passé ma robe de chambre et je suis allé le chercher.

« Pour parvenir à la salle de billard, je devais descendre un escalier, puis traverser l'amorce du couloir qui menait à la bibliothèque et à la salle d'armes. Imaginez ma surprise quand, en regardant le couloir devant moi, j'aperçus une lueur qui provenait de la porte ouverte de la bibliothèque. J'avais moi-même éteint la lampe et fermé la porte avant d'aller me coucher. Naturellement je pensai tout d'abord à des cambrioleurs. Les murs des couloirs, à Hurlstone, sont abondamment ornés de trophées et d'armes anciennes. Saisissant une hache d'armes et laissant là ma bougie, je me suis avancé doucement sur la pointe des pieds et, par la porte ouverte, j'ai regardé l'intérieur de la bibliothèque.

« Brunton, le sommelier, était là, assis dans un fauteuil, avec, sur son genou, un petit morceau de papier qui ressemblait à une carte, le front appuyé dans sa main, il réfléchissait profondément. Je demeurai muet d'étonnement à l'observer d'où j'étais, dans l'ombre. Une petite bougie, au bord de la table, répandait une faible lumière, mais elle suffisait pour me montrer qu'il était complètement habillé. Soudain, pendant que je regardais, il se leva de son siège et, se dirigeant vers un bureau, sur le côté, il l'ouvrit et en tira un des tiroirs. Il y prit un papier et, revenant s'asseoir, le posa à plat près de la bougie, au bord de la table, et se mit à l'étudier avec une minutieuse attention. Mon indignation à la vue de ce tranquille examen de nos papiers de famille m'emporta si fort que je fis un pas en avant. Brunton, en levant les yeux, me vit dans l'encadrement de la porte. D'un bond il fut debout, son visage devint livide de crainte, et il fourra à l'intérieur de son vêtement le papier, qui ressemblait à une carte, qu'il était en train d'étudier.

« — Quoi ! dis-je, c'est ainsi que vous nous remerciez de la confiance que nous avons mise en vous ? Vous quitterez mon service demain. »

« Il s'inclina, de l'air d'un homme qui est complètement écrasé, et s'esquiva sans dire un mot. La bougie était toujours sur la table et à sa lumière je jetai un coup d'œil pour voir quel était le papier qu'il avait pris dans le bureau. À ma grande surprise, je vis que ce n'était pas une chose importante, mais simplement une copie des questions et des réponses de cette vieille règle singulière qu'on appelle le

171

Rituel des Musgrave. C'est une sorte de cérémonie particulière à notre famille, que, depuis des siècles, tous les Musgrave, en atteignant leur majorité, ont accomplie – quelque chose qui n'a qu'un intérêt personnel et qui, s'il présente, comme nos blasons et nos écus, une vague importance aux yeux de l'archéologue, n'a, en soi, aucune utilité pratique, quelle qu'elle soit.

— Nous reviendrons à ce papier tout à l'heure, dis-je.

— Si vous pensez que c'est vraiment nécessaire... répondit-il, en hésitant un peu. Pour continuer mon exposé, cependant, j'ai refermé le bureau, en me servant pour cela de la clé que Brunton avait laissée, et j'avais fait demi-tour pour m'en aller quand je fus surpris de voir que le sommelier était revenu et se tenait devant moi.

« — Monsieur Musgrave, monsieur, s'écria-t-il d'une voix que l'émotion étranglait, je ne puis supporter ma disgrâce, monsieur ; toute ma vie, ma fierté m'a placé au-dessus de ma situation et la disgrâce me tuerait ; vous aurez mon sang sur la conscience, monsieur – sur votre conscience, c'est un fait – , si vous m'acculez au désespoir. Si vous ne pouvez me garder après ce qui s'est passé, pour l'amour de Dieu, alors, laissez-moi vous donner congé et m'en aller dans un mois, de mon propre gré. Cela je pourrais le supporter, monsieur Musgrave, mais non d'être chassé au vu de tous les gens que je connais si bien.

« — Vous ne méritez pas tant d'égards, Brunton, répondis-je. Votre conduite a été trop infâme : cependant, comme il y a longtemps que vous êtes dans la famille, je ne désire pas vous infliger un affront public. Disparaissez dans une semaine et donnez de votre départ la raison que vous voudrez.

« — Rien qu'une semaine, monsieur ! s'écria-t-il d'une voix désespérée. Une quinzaine, dites : au moins une quinzaine.

« — Une semaine ; et vous pouvez estimer que je vous ai traité avec indulgence.

« Il s'en alla sans bruit, la tête tombant sur la poitrine, comme un homme accablé, tandis que j'éteignais la lumière et regagnais ma chambre.

« Pendant les deux jours qui suivirent cet incident, Brunton se montra fort zélé à remplir ses devoirs. Je ne fis aucune allusion à ce qui s'était passé et j'attendis avec quelque curiosité de voir comment il couvrirait sa disgrâce. Au matin du troisième jour, pourtant, il ne vint pas, comme c'était son habitude, après le petit déjeuner, prendre mes instructions pour la journée. Comme je quittais la salle à manger, je rencontrai par hasard Rachel Howells, la bonne. Je vous ai dit qu'elle n'était que tout récemment remise de maladie et elle avait l'air si lamentablement pâle et blême que je la grondai parce qu'elle travaillait.

« — Vous devriez être au lit, dis-je. Vous reviendrez travailler quand vous serez plus forte.

« Elle me regarda avec une expression si étrange que je commençai à la soupçonner d'avoir le cerveau dérangé.

« — Je suis assez forte, monsieur Musgrave, répondit-elle.

« — Nous verrons ce que dira le docteur ! Il faut en tout cas que vous cessiez de travailler, à présent, et, quand vous descendrez, voulez-vous dire à Brunton que je désire le voir ?

« — Le sommelier est parti, dit-elle.

« — Parti ! Parti où ?

« — Il est parti. Personne ne l'a vu. Il n'est pas dans sa chambre. Oh, oui, il est parti – il est parti.

« Elle recula et tomba contre le mur, en poussant des cris et en riant, et je restai là, horrifié par cette crise hystérique, puis je me précipitai vers la cloche pour appeler à l'aide. Pendant qu'on emmenait dans sa chambre la fille toujours criant et sanglotant, je m'informai de Brunton. Il n'y avait pas de doute : il avait disparu. Il n'avait pas dormi dans son lit, personne ne l'avait vu depuis qu'il s'était rendu dans sa chambre la veille, et pourtant il était difficile de voir comment il avait pu quitter la maison, puisqu'on avait, au matin, trouvé les portes et les fenêtres fermées à clé. Ses habits, sa montre et même son argent étaient chez lui – mais le complet noir qu'il portait d'ordinaire n'était pas là. Ses pantoufles aussi avaient disparu, mais il avait laissé ses souliers. Où donc Brunton avait-il pu aller pendant la nuit et qu'était-il devenu à présent ?

« Naturellement, nous avons fouillé la maison de la cave au grenier, mais il n'y avait aucune trace de l'homme. La maison est, je vous l'ai dit, un labyrinthe, surtout l'aile primitive qui, pratiquement, est maintenant inhabitée, mais nous avons tout retourné, dans chaque chambre, chaque mansarde, sans découvrir la moindre trace du disparu. Il me semblait incroyable qu'il ait pu s'en aller en laissant là tout ce qui lui appartenait, et pourtant où pouvait-il être ? J'ai fait venir la police locale, mais sans succès. Il avait plu la nuit précédente, et nous avons examiné la pelouse et les allées tout autour de la maison, mais en vain. Les choses en étaient là quand un nouvel incident détourna complètement notre attention de ce premier mystère.

« Pendant deux jours, Rachel Howells avait été si malade, en proie tantôt au délire, tantôt à l'hystérie, qu'une infirmière s'occupait d'elle et la veillait. La troisième nuit qui suivit la disparition de Brunton, l'infirmière, jugeant sa malade placidement endormie, se laissa aller à sommeiller dans son fauteuil ; quand elle se réveilla, aux premières heures du matin, elle trouva le lit vide, la fenêtre ouverte et plus trace de la malade. Tout de suite on me réveilla et, avec les deux valets de pied, je partis sans retard à la recherche de la disparue. Il n'était pas difficile de dire quelle direction elle avait prise, car, en partant de dessous sa fenêtre, nous pouvions aisément suivre la trace de ses pas à travers la pelouse jusqu'au bord de l'étang, où elles disparaissaient, tout près du chemin de gravier qui mène hors de la propriété. L'étang, à cet endroit, a huit pieds de profondeur, et vous imaginez ce que nous avons éprouvé quand nous avons vu que la piste de la pauvre démente s'arrêtait au bord même.

« Tout de suite, naturellement, les barges furent là et on se mit au travail pour chercher le corps de la fille, mais nous n'avons pu en trouver trace ; par contre, nous avons ramené à la surface une chose des plus inattendues. C'était un sac de toile qui contenait, avec une masse de vieux métal rouillé et décoloré, plusieurs galets ou morceaux de verre de couleur sombre. Cette étrange trouvaille fut tout ce que nous avons pu extraire de l'étang et, bien que nous ayons fait hier toutes les recherches et enquêtes possibles, nous ne savons rien ni du sort de Rachel Howells ni de celui de Richard Brunton. La police du comté y perd son latin, et je suis venu vers vous, parce que je vous considère comme mon ultime ressource. »

Vous pouvez supposer, Watson, avec quelle attention j'ai écouté cette extraordinaire suite d'événements et comme je m'efforçais de les ajuster ensemble et d'imaginer un fil quelconque auquel on pourrait les rattacher tous.

Le sommelier était parti. La fille était partie. La fille avait aimé le sommelier, mais avait eu ensuite des raisons de le

haïr. Elle avait de ce sang gallois, fougueux et passionné !
Elle avait été terriblement surexcitée aussitôt que l'homme
avait disparu. Elle avait jeté dans l'étang un sac qui contenait
des choses bizarres. Autant de facteurs qu'il fallait prendre
en considération, et cependant aucun n'allait au fond de
l'affaire. Il s'agissait de savoir quel était le point de départ
de cet enchaînement d'événements, là se trouvait l'extrémité
de cette filière embrouillée.

« Il faut, Musgrave, dis-je, que je voie le papier qui, aux
yeux de votre sommelier, valait assez la peine d'être consulté
pour qu'il encoure le risque de perdre sa place.

« — C'est une chose assez absurde que notre *Rituel*, répondit-il, mais il a, du moins, pour le sauver et l'excuser, la grâce
de l'antiquité. J'ai là une copie des questions et des réponses,
si vous voulez prendre la peine d'y jeter un coup d'œil...

« Il me passa ce papier, celui que j'ai là, Watson, et voici
l'étrange catéchisme auquel chaque Musgrave devait se soumettre quand il arrivait à l'âge d'homme. Je vous lis questions et réponses, telles qu'elles viennent :

— *À qui appartenait-elle ?*
— *À celui qui est parti.*
— *Qui doit l'avoir ?*
— *Celui qui viendra.*
— *Quel était le mois ?*
— *Le sixième en partant du premier.*
— *Où était le soleil ?*
— *Au-dessus du chêne.*
— *Où était l'ombre ?*
— *Sous l'orme.*
— *Comment y avancer ?*
— *Au nord par dix et par dix, à l'est par cinq et par cinq,
au sud par deux et par deux, à l'ouest par un et par un et ainsi
dessous.*
— *Que donnerons-nous en échange ?*
— *Tout ce qui est nôtre.*
— *Pourquoi devons-nous le donner ?*
— *À cause de la confiance.*

« L'original n'est pas daté, mais il a l'orthographe du
milieu du XVIIᵉ siècle, me signala Musgrave. J'ai peur toutefois qu'il ne puisse guère vous aider à résoudre ce mystère.

175

« — Du moins, dis-je, nous fournit-il un autre mystère, et celui-ci est même plus intéressant que le premier. Et il peut se faire que la solution de l'un se trouve être la solution de l'autre. Vous m'excuserez, Musgrave, si je dis que votre sommelier me semble avoir été un homme très fort et avoir eu l'esprit plus clair et plus pénétrant que dix générations de ses maîtres.

« — J'ai peine à vous suivre, répondit Musgrave. Ce papier me semble, à moi, n'avoir aucune importance pratique.

« — Et, à moi, il me semble immensément pratique et j'imagine que Brunton en avait la même opinion. Sans doute l'avait-il déjà vu avant cette nuit où vous l'avez surpris.

« — C'est bien possible. Nous ne prenions pas la peine de le cacher.

« — Il désirait simplement, en cette dernière occasion, se rafraîchir la mémoire. Il avait, si je comprends bien, une espèce de carte qu'il comparait avec le manuscrit et qu'il a mise dans sa poche quand vous avez paru ?

« — C'est bien cela. Mais en quoi pouvait l'intéresser cette vieille coutume de famille, et que signifie ce rabâchage ?

« — Je ne pense pas que nous éprouverons de grandes difficultés à l'établir, dis-je. Avec votre permission nous prendrons le premier train pour le Sussex et nous examinerons la question un peu plus à fond sur les lieux. »

Ce même après-midi nous trouva tous les deux à Hurlstone. Peut-être avez-vous vu des images ou lu des descriptions de cette fameuse résidence, aussi n'en parlerai-je que pour vous dire que la construction a la forme d'un L dont la ligne montante serait la partie la plus moderne et la base, la portion originale sur laquelle l'autre s'est greffée. Audessous de la porte basse, au lourd linteau, au centre de cette partie antique, est gravée la date 1607, mais les connaisseurs conviennent tous que les poutres et la maçonnerie sont en réalité bien plus vieilles que cela. Les murs, d'une épaisseur énorme, et les fenêtres, toutes petites, ont, au siècle dernier, chassé la famille dans l'aile nouvelle et l'ancienne étant désormais utilisée comme réserve et comme cave, quand toutefois on s'en servait. Un parc splendide avec de beaux vieux arbres entourait la maison, et l'étang dont avait parlé mon client s'étendait tout près de l'avenue, à deux cents mètres environ du bâtiment. J'étais déjà bien convaincu,

Watson, qu'il ne s'agissait pas de trois mystères distincts, mais d'un seul, et que si je pouvais déchiffrer sans erreur le *Rituel*, j'aurais en main le fil qui me guiderait vers la vérité, aussi bien en ce qui concernait le sommelier Brunton que pour Howells, la bonne. C'est à cela que j'ai appliqué toute mon énergie. Pourquoi ce domestique était-il si anxieux de bien posséder cette ancienne formule ? Évidemment parce qu'il y voyait quelque chose qui avait échappé à toutes ces générations de grands propriétaires et dont il escomptait quelque avantage personnel. Qu'était-ce donc et en quoi cela avait-il influencé son destin ?

Pour moi, il était évident, à la lecture du *Rituel*, que les mesures devaient se rapporter à un certain endroit auquel le reste du document faisait allusion et que si nous parvenions à trouver cet endroit, nous serions sur la bonne voie pour apprendre quel était le secret que les vieux Musgrave avaient cru nécessaire de garder de façon si curieuse. Deux points de repère nous étaient fournis au départ : un chêne et un orme. Pour le chêne, cela ne pouvait poser de problème. Juste en face de la maison, sur le côté gauche de l'avenue, se dressait un chêne plus que centenaire, un des plus magnifiques arbres que j'eusse jamais vus.

« Cet arbre était-il là, m'enquis-je comme nous passions à côté, lorsque votre *Rituel* a été écrit ?

« — Selon toute probabilité, il était là au temps de la conquête normande. Il mesure sept mètres de tour. »

Un de mes points était ainsi bien assuré.

« Avez-vous de vieux ormes ?

« — Il y en avait un très vieux là-bas, mais il a été frappé par la foudre il y a dix ans, et on en a enlevé la souche.

« — On peut voir où il était ?

« — Oh ! oui.

« — Il n'y en a pas d'autres ?

« — Pas de vieux, mais il y a quantité de hêtres.

« — J'aimerais voir où se dressait l'orme.

Nous étions venus en dog-cart et mon client me conduisit tout de suite, sans même entrer dans la maison, à l'excavation, dans la pelouse, où l'orme s'était dressé. C'était presque à mi-chemin entre le chêne et la maison. Mon enquête semblait progresser.

« Je suppose qu'il n'est pas possible de savoir quelle était sa hauteur ? demandai-je.

« — Je peux vous la donner tout de suite : un peu moins de vingt mètres.

« — Comment se fait-il que vous sachiez cela ? ai-je demandé, surpris.

« — Quand mon vieux précepteur me donnait à faire un exercice de trigonométrie, cela s'appliquait toujours à des hauteurs à déterminer. Dans ma jeunesse, j'ai calculé la hauteur de tous les arbres et de tous les bâtiments de la propriété. »

C'était un coup de veine inattendu. Mes données arrivaient plus vite que je n'aurais pu raisonnablement l'espérer.

« Dites-moi, votre sommelier vous a-t-il jamais posé pareille question ? »

Reginald Musgrave me regarda, étonné.

« Maintenant que vous me le rappelez, répondit-il, Brunton m'a effectivement demandé la hauteur de cet arbre, il y a quelques mois, à propos d'une petite discussion avec le valet d'écurie. »

C'était une excellente nouvelle, Watson, car elle me prouvait que j'étais sur la bonne voie. J'ai regardé le soleil ; il était encore assez bas dans le ciel et j'ai calculé qu'en moins d'une heure il serait juste au-dessus des branches les plus élevées du vieux chêne. Une des conditions stipulées dans le *Rituel* serait alors remplie. Et l'ombre de l'orme devait vouloir dire la partie la plus extrême de l'ombre, sans quoi on aurait pris le tronc comme point de repère. Il fallait donc trouver l'endroit où l'extrémité de l'ombre tomberait quand le soleil s'écarterait du chêne.

— Cela a dû être difficile, Holmes, l'orme n'étant plus là.

— Eh bien ! je savais du moins que si Brunton était capable de le trouver, je le pouvais aussi. En outre, il n'y avait vraiment pas de difficulté. Je suis allé avec Musgrave dans son bureau et là j'ai taillé moi-même cette cheville à laquelle j'ai attaché cette longue ficelle en y faisant un nœud tous les mètres. J'ai pris ensuite deux morceaux de canne à pêche qui mesuraient tout juste deux mètres, et je suis retourné avec mon client à l'ancien emplacement de l'orme. Le soleil effleurait tout juste le sommet du chêne. J'ai dressé la canne à pêche, j'ai marqué la direction de l'ombre et je l'ai mesurée. Elle avait trois mètres de long.

Bien entendu le calcul était simple. Si une canne à pêche de deux mètres projetait une ombre de trois mètres, un arbre de vingt mètres en projetterait une de trente, et la direction dans les deux cas serait la même, bien entendu. J'ai mesuré la distance voulue, ce qui m'amena presque au mur de la maison, endroit où j'ai planté une fiche. Vous pouvez imaginer ma joie, Watson, quand, à moins de deux pouces de ma fiche, je découvris, dans le sol, un trou conique. J'étais sûr que c'était la marque qu'avait faite Brunton en prenant ses mesures et que j'étais sur sa piste.

Depuis ce point de départ, je me mis à avancer, après avoir d'abord vérifié les points cardinaux à l'aide de la boussole de poche. Dix pas m'amenèrent sur une ligne parallèle au mur de la maison et de nouveau j'ai marqué cet endroit avec une cheville. Puis j'ai, avec grand soin, fait cinq pas à l'est et deux au sud, ce qui me conduisit au seuil même de la vieille porte. Deux autres pas à l'ouest impliquaient alors que je devais marcher vers le corridor dallé et que là était l'endroit qu'indiquait le *Rituel*.

Je n'ai jamais ressenti un tel frisson de déception, Watson. Un moment, il me sembla qu'il devait y avoir une erreur radicale dans mes calculs. Le soleil couchant éclairait en plein le sol du corridor et je pouvais voir que son pavage de pierres grises, usées par les pas, était solidement assemblé par du ciment et n'avait certainement pas été bougé depuis de longues années. Brunton n'avait pas travaillé par là. J'ai frappé sur le sol, mais partout il rendait le même son et il n'y avait nul signe de fissure ou de crevasse. Par bonheur, Musgrave, qui avait commencé à saisir le sens de mes actes et qui ne se passionnait pas moins que moi, sortit son manuscrit pour vérifier mes calculs.

« — *"Et ainsi dessous"* ? s'écria-t-il. Vous avez oublié le *"et ainsi dessous"* !

J'avais pensé que cela voulait dire que nous devions creuser, mais alors, naturellement, je vis tout de suite que j'avais tort.

« Il y a donc une cave sous ces dalles ? m'écriai-je.

« — Oui, et aussi vieille que la maison. En descendant ici, par cette porte. »

Nous descendîmes les degrés en colimaçon d'un escalier de pierre, et mon compagnon, frottant une allumette, alluma une grosse lanterne qui se trouvait sur un tonneau, dans un coin. Tout de suite il fut évident que nous étions enfin parvenus au bon endroit et que nous n'étions pas les seuls à le visiter depuis peu.

On s'en était servi pour y emmagasiner du bois, mais les bûches, de toute évidence jetées auparavant en désordre partout sur le sol, avaient été empilées de chaque côté de façon à laisser un espace libre au milieu. Dans cet espace se trouvait une large et lourde dalle, munie au centre d'un anneau de fer rouillé, auquel un épais cache-nez à rayures était attaché.

« Par Dieu ! s'exclama mon client, c'est le cache-nez de berger de Brunton ! Je le lui ai vu et je pourrais en jurer. Qu'est-ce que cette canaille est venue faire ici ? »

À ma demande, on fit venir deux agents de la police du comté pour qu'ils fussent présents et je me suis alors efforcé de soulever la pierre en tirant sur le cache-nez. Je ne pus que la bouger légèrement et ce ne fut qu'avec l'aide d'un des agents que je réussis enfin à la pousser sur un des côtés. Un grand trou noir s'ouvrit, béant, dans lequel nous regardâmes tous, pendant que Musgrave, à genoux sur le bord, y descendait sa lanterne.

Une cavité carrée, profonde de deux bons mètres environ, et d'un peu plus d'un mètre de côté, s'ouvrait devant nous. Il s'y trouvait une boîte en bois plate et cerclée de laiton, dont le couvercle à charnières était relevé ; dans la serrure était engagée cette curieuse clé ancienne. L'extérieur était couvert d'une épaisse couche de poussière ; l'humidité et les vers avaient rongé le bois, de sorte qu'une foule de champignons poussaient au-dedans. Plusieurs disques de métal – sans doute de vieilles pièces de monnaie – comme ceux que j'ai là traînaient au fond de la boîte, mais elle ne contenait rien d'autre.

À ce moment-là, toutefois, nous n'avons guère pensé à cette vieille boîte, car nos yeux étaient rivés sur une chose qu'on voyait accroupie tout à côté. C'était, tassé sur ses cuisses, le corps d'un homme, vêtu d'un complet noir, la tête affaissée sur le bord de la boîte, qu'il enserrait de ses deux bras. Cette position avait fait monter à son visage tout le sang, qui ne circulait plus, et nul n'aurait pu reconnaître ces traits, déformés et cramoisis ; toutefois la taille de l'homme, son costume, ses cheveux suffirent pour montrer à mon client, quand nous eûmes redressé le corps, que c'était bien le sommelier disparu. Il était mort depuis quelques jours, mais il n'y avait sur sa personne ni blessure ni meurtrissure qui révélât comment était survenue cette fin terrible. Quand nous avons eu emporté son corps hors de la cave, nous nous sommes retrouvés en face d'un problème presque aussi formidable que celui par lequel nous avions commencé.

J'avoue que jusque-là, Watson, j'avais été quelque peu déçu dans mes recherches. J'avais compté résoudre le mystère une fois que j'aurais trouvé l'endroit auquel le *Rituel* faisait allusion, mais maintenant, j'y étais et je demeurais apparemment aussi éloigné que jamais de connaître ce secret que la famille avait caché avec tant de laborieuses précautions. Il est vrai que j'avais fait la lumière sur le sort de Brunton, mais il me fallait à présent découvrir comment le destin l'avait surpris et quel rôle avait joué, en cette affaire, la bonne qui avait disparu. Je me suis assis sur un tonnelet dans un coin et j'ai avec soin passé en revue toute l'affaire.

Vous connaissez mes méthodes en ces cas-là, Watson ; je me mets à la place de l'homme et, après avoir estimé son intelligence, j'essaie d'imaginer comment j'aurais moi-même procédé dans les mêmes circonstances. Dans ce cas, la chose était simplifiée par l'intelligence de Brunton, qui était de premier ordre ; point n'était besoin, donc, de tenir compte de « l'équation personnelle », comme l'ont appelée les astronomes. Il savait qu'il y avait quelque chose de précieux caché quelque part. Il avait localisé l'endroit. Il avait constaté que la pierre qui couvrait cet endroit était trop lourde pour qu'un homme la soulevât sans aide. Qu'allait-il faire alors ? Il ne pouvait aller, même s'il avait eu quelqu'un à qui il pût se fier, chercher de l'aide à l'extérieur, débarricader les portes et courir un grand risque d'être découvert. Mieux valait, si possible, trouver l'aide voulue dans la maison. Mais qui pouvait-il solliciter ? Cette fille lui avait été très attachée. Si mal qu'il l'ait traitée, un homme a toujours beaucoup de peine à se rendre compte qu'il a pu perdre définitivement l'amour d'une femme. Il tenterait, grâce à quelques attentions, de faire la paix avec la bonne, puis l'engagerait à devenir sa complice. Une nuit, ils iraient ensemble à la cave et leurs forces réunies suffiraient pour soulever la pierre. Jusque-là je pouvais suivre leur action comme si je les avais effectivement vus.

Mais pour deux personnes, dont l'une était une femme, ce devait être un bien lourd travail, que l'enlèvement de cette pierre. Un vigoureux policeman du Sussex et moi, nous n'avions pas trouvé la besogne facile. Alors qu'auraient-ils donc fait pour se faciliter la tâche ? Je me suis levé et j'ai examiné avec soin les bûches éparses sur le sol. Presque tout de suite, je suis tombé sur ce que je souhaitais. Un morceau de bois de presque un mètre de long portait à une de ses extrémités une entaille très nette, tandis que plusieurs autres étaient aplatis sur les côtés, comme s'ils avaient été comprimés par quelque chose de très lourd. Évidemment, une fois la pierre un peu soulevée, ils avaient glissé des billots de bois dans la fente jusqu'au moment où, l'ouverture étant enfin assez large pour s'y introduire, ils l'avaient maintenue ouverte à l'aide d'une bûche placée dans sa longueur et qui pouvait s'être entaillée à son extrémité du bas, puisque tout le poids de la pierre levée la pressait contre le bord de l'autre dalle. Jusque-là j'étais encore en terrain ferme.

Et maintenant, comment allais-je procéder pour reconstituer ce drame nocturne ? Évidemment une seule personne pouvait descendre dans le trou, et cette personne c'était Brunton. La fille avait dû attendre sur le bord. Brunton avait alors ouvert la boîte, lui avait passé ce qu'elle contenait – je le présume, puisqu'on n'a rien trouvé –, et alors... alors, qu'était-il arrivé ?

Quel feu de vengeance mal éteint se ranima-t-il tout à coup, flamba-t-il dans l'âme celte de cette passionnée, quand elle vit en son pouvoir l'homme qui lui avait nui – et peut-être bien plus que nous ne le soupçonnions ? Était-ce par hasard que le bois avait glissé et que la pierre avait enfermé Brunton dans ce qui était devenu son tombeau ? La seule culpabilité de la fille avait-elle été de garder le silence sur le sort de l'homme ? Ou, d'un coup brusque, avait-elle fait sauter le support de bois et laissé brutalement retomber la pierre en place ? Quoi qu'il en fût, il me semblait voir la silhouette de la femme étreignant toujours sa trouvaille et regrimpant à toute vitesse l'escalier sinueux, tandis que ses oreilles retentissaient peut-être des appels assourdis et du bruit des mains qui tambourinaient frénétiquement sur la dalle de pierre qui étouffait, jusqu'à le tuer, l'amant infidèle.

C'était là le secret du visage blafard de cette fille, le secret de ses nerfs ébranlés, de son accès de rire hystérique du lendemain matin. Mais qu'y avait-il eu, dans la boîte, et qu'en avait-elle fait ? Naturellement, ce devait être les vieux morceaux de métal et les cailloux que mon client avait retirés de l'étang. Elle les y avait jetés aussitôt qu'elle l'avait pu, pour faire disparaître la dernière trace de son crime.

Pendant vingt minutes, j'étais demeuré assis, réfléchissant à toute l'affaire. Musgrave était toujours debout, très pâle, et, en balançant sa lanterne, il regardait dans le trou.

« Ce sont des pièces de Charles Ier, dit-il en me tendant celles qui étaient restées dans la boîte. Vous voyez que nous avions raison quand nous avons établi la date du *Rituel*.

« — Peut-être trouverons-nous autre chose de Charles Ier ! m'exclamai-je, comme, tout à coup, le sens probable des deux premières questions du *Rituel* s'imposait à ma pensée. Faites-moi voir le contenu du sac que vous avez retiré du lac. »

Nous sommes donc remontés à son bureau et il a placé les débris devant moi. En les regardant, j'ai pu comprendre qu'il les considérait comme de peu d'importance, car le métal était presque noir et les pierres, ternes et sombres. Toutefois j'en ai frotté une sur ma manche et, au creux sombre de ma main, elle s'est mise à briller comme une étincelle. Le gros morceau de métal avait l'apparence d'un double cercle, mais plié et tordu, il avait été déformé.

« Vous ne devez pas oublier, dis-je, que le parti royaliste a résisté en Angleterre, même après la mort du roi, et que, quand à la fin ils se sont enfuis, ils ont probablement laissé enterrés derrière eux beaucoup de leurs biens les plus précieux, avec l'intention de venir les rechercher en des jours plus paisibles.

« — Mon ancêtre, sir Ralph Musgrave, fut un cavalier éminent et le bras droit du roi Charles Ier lors de son exil et de sa vie errante, dit mon ami.

« — Vraiment ! Eh bien, je crois que ce fait doit nous fournir le dernier maillon qui manquait à notre chaîne. Je vous félicite d'entrer en possession, bien que de façon tragique, d'une relique qui a en elle-même une grande valeur, mais qui a plus d'importance encore comme curiosité historique.

« — Qu'est-ce donc ? balbutia Musgrave, étonné.

« — Ceci n'est rien de moins que l'ancienne couronne des rois d'Angleterre.

« — La couronne ?

« — Exactement. Considérez ce que dit le *Rituel*. Quelles sont les formules ? *"À qui appartenait-elle ? – À celui qui est parti."* Cela se passait après l'exécution de Charles. Puis : *"Qui doit l'avoir ? – Celui qui viendra."* Celui-là, c'était Charles II, dont on prévoyait déjà la venue. Je crois qu'on ne saurait mettre en doute que ce diadème bosselé et informe a jadis couronné la tête des rois Stuarts.

« — Et comment est-il venu dans l'étang ?

« — Ah ! il nous faudra quelque temps pour répondre à cette question. »

Là-dessus je lui retraçai la longue chaîne de suppositions et de preuves que j'avais imaginée. La nuit était tombée et la lune brillait dans le ciel avant que j'eusse achevé mon récit.

« Et comment se fait-il que Charles n'ait point repris sa couronne à son retour ? demanda Musgrave en remettant la relique dans son sac de toile.

« — Là, vous mettez le doigt sur le seul point que, sans doute, nous ne serons jamais capables d'élucider. Il est probable que le Musgrave détenteur du secret mourut dans l'intervalle et que, par négligence, il laissa ce *Rituel* à son descendant sans lui en expliquer le sens. À partir de ce moment-là, on se l'est transmis de père en fils, jusqu'au jour où il tomba enfin entre les mains d'un homme qui en déchiffra le secret, mais perdit la vie dans l'aventure. »

Et c'est là, Watson, l'histoire du *Rituel des Musgrave*. Ils ont la couronne, là-bas, à Hurlstone, bien qu'ils aient eu quelques ennuis avec la loi et une forte somme à payer pour obtenir la permission de la garder. Je suis sûr que si vous veniez de ma part, ils seraient heureux de vous la montrer. Quant à la femme on n'en a jamais entendu parler ; il est probable qu'elle a quitté l'Angleterre et que, emportant le souvenir de son crime, elle s'en est allée en quelque pays par-delà les mers.

LE GLORIA SCOTT

— J'ai là, Watson, me dit mon ami Sherlock Holmes, un soir d'hiver où nous étions assis de chaque côté du feu, quelques papiers sur lesquels ce ne serait point, je crois, perdre votre temps que de jeter un coup d'œil. Ce sont les documents de l'extraordinaire affaire du *Gloria Scott* et voici la lettre qui frappa à mort le juge de paix Trévor, tant sa lecture lui inspira d'horreur.

Il avait sorti d'un tiroir un petit rouleau de papier terni ; il en défit le ruban et me tendit une note brève, griffonnée sur une demi-feuille de papier gris ardoise. En voici le texte :

« La commande gibier partie pour Londres est peut-être perdue. Garde-chasse Hudson ramassant lapins a tout levé, tout, comme on dit, leur conseillant : Sauvez garde-meubles votre dernière assurance-vie... »

En levant les yeux de ce message énigmatique je vis Holmes rire sous cape de l'expression qu'il lisait sur mon visage.

— Je ne peux voir comment un tel message a pu inspirer de l'horreur. Il me paraît plutôt grotesque qu'autre chose.

— C'est très probable. Pourtant le fait demeure que celui qui le lut, et qui était un beau et robuste vieillard, fut abattu aussi raide par ce message que si ç'avait été une balle de revolver.

— Vous piquez ma curiosité ; mais pourquoi m'avez-vous dit tantôt qu'il y avait des raisons très particulières pour que j'étudie cette affaire ?

— Parce que c'est la première dont je me suis occupé.

Je m'étais souvent efforcé d'apprendre de mon compagnon ce qui avait tout d'abord tourné son esprit vers la recherche du crime, mais je ne l'avais jamais pris en veine de confidences. Cette fois il était assis dans son fauteuil, le buste penché en avant, et il étendait les documents sur ses genoux. Il alluma sa pipe, resta quelques instants à fumer en silence et à retourner ses documents.

— Vous ne m'avez jamais entendu parler de Victor Trévor ? demanda-t-il. Il fut le seul ami que j'eus pendant mon séjour à l'université ; je n'ai jamais été un bonhomme très sociable, Watson, j'aimais assez rêvasser dans ma chambre tout en perfectionnant mes méthodes à moi de penser, si bien que je ne me suis jamais beaucoup mêlé aux étudiants de ma promotion. À part l'escrime et la boxe, je n'avais guère de goûts pour les sports et, en outre, mon genre d'études était tout à fait différent de celui des autres, de sorte que nous n'avions aucun point de contact. Trévor est le seul étudiant que j'aie connu et cela seulement par le fait qu'accidentellement la mâchoire de son bull s'était congelée sur ma cheville alors que j'allais à la chapelle.

Ce fut une façon prosaïque de former une amitié, mais elle fut efficace. Je dus garder la chambre pendant dix jours et Trévor venait prendre de mes nouvelles. Tout d'abord ce ne fut qu'un bavardage de quelques minutes, mais bien vite ses visites se prolongèrent et, avant la fin du trimestre, nous étions d'intimes amis. C'était un garçon vigoureux, au sang chaud, plein d'entrain et d'énergie, exactement le contraire de moi-même sous beaucoup de rapports ; mais nous nous étions découvert quelques points communs, et ce fut un lien qui nous attacha l'un à l'autre quand j'appris qu'il était sans ami autant que moi-même. Enfin, il m'invita à aller passer un mois des grandes vacances chez son père à Dommthrope, dans le Norfolk. J'acceptai son invitation.

Le vieux Trévor était évidemment un homme riche et considéré, juge de paix et propriétaire terrien. Dommthrope est un petit hameau juste au nord de Laugmere, dans une région de lacs et de marécages. La maison était un de ces vieux et spacieux bâtiments d'autrefois, construits en brique et avec de grosses poutres en chêne. Une belle allée plantée d'ormes y conduisait. On y chassait le canard sauvage dans les marais, la pêche y était excellente et il y avait une bibliothèque restreinte, mais choisie, qui venait, m'a-t-on dit, d'un locataire précédent. En outre, un cuisinier passable, de sorte que c'eût été un homme bien difficile que celui qui n'aurait pu passer là un mois agréable.

Le vieux Trévor était veuf et mon ami était fils unique. Il y avait eu une fille, mais elle était morte de la diphtérie lors d'une visite à Birmingham. Le père m'intéressa énormément. C'était un homme peu cultivé, mais qui possédait à un très haut degré une sorte de violent dynamisme, tant physique que mental. À peine s'il connaissait quelques livres, mais ayant voyagé loin, et vu une grande partie du monde, il n'avait pas oublié tout ce qu'il avait appris. Physiquement, c'était un homme trapu, gros, avec une abondante chevelure grisonnante, un visage brun, hâlé, et des yeux bleus pénétrants jusqu'à en être presque terribles. Cependant, il avait, dans toute la région, une grande réputation de bonté et de charité, et l'indulgence de ses jugements au tribunal était notoire.

Un soir, peu après mon arrivée, nous étions assis en train de déguster un verre de porto après le dîner, quand le jeune Trévor commença à parler de ces habitudes d'observation et de déduction dont je m'étais déjà fait un système, bien que je n'eusse pas apprécié encore le rôle que cela devait jouer dans ma vie. Quand il décrivit un ou deux petits exploits que j'avais accomplis, le vieillard, évidemment, pensa que son fils exagérait.

— Allons ! monsieur Holmes, dit-il en riant avec bonne humeur, je suis un sujet excellent si vous pouvez tirer quelque chose de moi.

— J'ai peur qu'il n'y ait pas grand-chose, répondis-je. Tout au plus pourrais-je suggérer que depuis un an au moins vous avez, dans vos allées et venues, craint une attaque contre votre personne.

Le rire disparut de ses lèvres et il me fixa, fort surpris.

— Eh bien ! c'est assez vrai, dit-il. Tu sais, Victor, ajouta-t-il en se tournant vers son fils, quand nous avons dispersé cette bande de braconniers, ils ont juré de nous tuer et sir Edouard Hoby a bel et bien été attaqué. Je me suis toujours tenu sur mes gardes depuis, mais je n'ai aucune idée de la façon dont vous le savez.

— Vous avez une très belle canne. Par l'inscription qu'elle porte, j'ai remarqué qu'il n'y a pas plus d'un an que vous l'avez. Mais vous vous êtes donné la peine d'en creuser la pomme et de couler du plomb fondu dans le trou, de façon à en faire une arme formidable. J'en ai conclu que vous ne prendriez pas de telles précautions si vous n'aviez à craindre un danger quelconque.

— Y a-t-il encore autre chose ? dit-il en souriant.

— Vous avez pas mal boxé dans votre jeunesse.

— Juste encore. Comment l'avez-vous su ? Les coups ont-ils mis mon nez de travers ?

— Non. Ce sont vos oreilles. Elles ont à la fois cet aplatissement et cette épaisseur qui caractérisent le boxeur.

— Rien d'autre ?

— Vous avez manié le pic et la pioche, à en juger par les cals de vos mains.

— J'ai fait toute ma fortune dans les mines d'or.

— Vous êtes allé en Nouvelle-Zélande.

— Exact encore.

— Vous avez visité le Japon.

— Très vrai.

— Et vous avez été lié de façon très intime avec quelqu'un dont les initiales étaient J. A. et que, plus tard, vous avez ardemment souhaité oublier.

M. Trévor se dressa, fixa sur moi ses grands yeux bleus dont le regard était devenu étrange et hagard et s'abattit soudain la face en avant, évanoui et comme mort, parmi les coquilles de noisettes qui parsemaient la nappe. Vous pouvez imaginer, Watson, quel fut notre saisissement, à son fils et à moi. La crise ne dura guère, toutefois, car après que nous lui eûmes défait son col et jeté un peu d'eau au visage, il poussa un ou deux longs soupirs et se redressa.

— Ah ! mes enfants, dit-il avec un sourire forcé, j'espère que je ne vous ai pas fait trop peur. Tout fort que je parais, il y a un point faible dans mon cœur et il n'en faut pas beaucoup pour m'abattre. Je ne sais comment vous vous y prenez, monsieur Holmes, mais il me semble que tous les détectives, les vrais et ceux des romans, ne seraient que des enfants entre vos mains. C'est là votre vocation, monsieur, et vous pouvez en croire sur parole un homme qui a vu une bonne partie du monde.

Et cette recommandation, en même temps que l'appréciation excessive qui en avait été le préambule, fut, si vous m'en croyez, Watson, la toute première chose qui me fit sentir que je pourrais faire ma profession de ce qui, jusqu'alors, n'avait été que simple fantaisie. À ce moment-là, pourtant, j'étais trop préoccupé de l'indisposition soudaine de mon hôte pour penser à autre chose.

— J'espère n'avoir rien dit qui vous fasse de la peine, fis-je.

— Eh ! vous avez certainement touché un point assez sensible. Pourrais-je vous demander comment vous savez et ce que vous savez ?

Il parlait d'un ton à moitié plaisant, mais un air de terreur se cachait encore au fond de ses yeux.

— C'est la simplicité même. Vous vous rappelez quand vous avez mis votre bras à nu pour amener ce poisson dans la barque ? J'ai vu à ce moment-là un J et un A tatoués au pli de votre coude. Les lettres étaient encore lisibles, mais il était parfaitement clair, à leur aspect barbouillé et à la tache de la peau tout autour, qu'on s'était efforcé de les faire disparaître. Il était donc évident que ces initiales vous avaient été jadis très familières et que plus tard vous aviez souhaité les oublier.

— Quel œil vous avez ! s'écria-t-il avec un soupir de soulagement. Tout cela est bien exact. Mais ne parlons plus de cela. De tous les fantômes, ceux de nos vieilles amours sont les pires. Venez dans la salle de billard et fumons tranquillement un cigare.

À partir de ce moment-là, en dépit de toute sa cordialité, il y eut toujours une nuance de soupçon dans les manières de M. Trévor à mon égard. Même son fils le remarqua.

— Tu as causé au paternel une telle secousse, dit-il, qu'il ne sera jamais plus sûr de ce que tu sais ou ne sais pas.

Il n'en voulait rien laisser paraître, j'en suis certain, mais ce sentiment était si fortement ancré dans sa pensée qu'il transparaissait dans chacun de ses actes. J'étais si convaincu que je le mettais mal à l'aise que j'abrégeai ma visite. La veille même, pourtant, du jour où je partis, survint un incident qui, par la suite, se révéla d'une très grande importance.

Nous étions sur la pelouse, assis sur des chaises de jardin, à nous chauffer au soleil en admirant le paysage du Norfolk, quand la bonne vint dire qu'il y avait à la porte un homme qui demandait à voir M. Trévor.

— Comment s'appelle-t-il ? demanda mon hôte.

— Il n'a pas voulu le dire.

— Que veut-il donc ?

— Il dit qu'il vous connaît et qu'il ne souhaite qu'un moment d'entretien.

— Amenez-le par ici.

Un instant après apparut, l'air servile, un petit homme maigre, qui s'avançait d'un pas incertain. Il portait une vareuse ouverte avec une grosse tache de goudron sur la manche, une chemise à raies rouges et noires, un pantalon de cotonnade et de lourds souliers lamentablement usés. Son visage était brun, maigre et rusé, avec un sourire perpétuel qui découvrait une ligne irrégulière de dents jaunes et ses mains, profondément ridées, étaient à demi fermées, à la manière caractéristique des marins. Pendant qu'il se traînait à travers la pelouse, j'entendis M. Trévor émettre, de surprise, un bruit de gorge étouffé ; puis, bondissant de sa chaise, il rentra précipitamment dans la maison. Un moment après il était de retour et, quand il passa près de moi, je sentis un fort relent d'eau-de-vie.

— Eh bien, mon brave, dit-il, que puis-je pour vous ?

Le matelot resta là à le regarder, les yeux plissés, avec, sur le visage, le même sourire de ses lèvres pendantes.

— Vous ne me reconnaissez pas ? demanda-t-il.

— Eh quoi, mon Dieu ! mais bien sûr, c'est Hudson ! dit M. Trévor, d'un air surpris.

— Hudson, c'est bien ça, monsieur, dit le marin. Oui ! voilà trente ans et plus que je vous ai vu la dernière fois. Et vous êtes là dans votre maison et moi j'en suis toujours à ramasser ma croûte parmi les détritus.

— Allons ! Allons ! vous verrez que je n'ai pas oublié le passé, cria M. Trévor, et, s'approchant du marin, il lui dit quelques mots à voix basse, puis, à haute voix, il reprit : Allez à la cuisine, on vous donnera à manger et à boire, et je vous trouverai bien une situation.

— Merci, monsieur, dit le marin en portant la main à son front. Je viens de bourlinguer pendant deux ans dans un sabot qui marchait à huit nœuds et en plus de ça manquait de personnel. J'ai besoin de repos, et je me suis dit que je le trouverais soit avec M. Beddoes, soit avec vous.

— Ah ! s'écria M. Trévor, vous savez où est M. Beddoes ?

— Dieu vous bénisse, monsieur, bien sûr que je sais où sont tous mes vieux amis ! dit le bonhomme avec un sourire sinistre et, de son pas lent, il s'en fut à la suite de la bonne jusqu'à la cuisine.

M. Trévor marmonna que quand il allait aux mines, il s'était trouvé en compagnie de cet homme sur le bateau ; puis, nous laissant sur la pelouse, il rentra dans la maison.

Une heure plus tard, rentrant aussi, nous l'avons trouvé étendu, ivre mort, sur le canapé de la salle à manger. Cet incident fit sur mon esprit une très vilaine impression et je ne fus pas fâché, le lendemain, de quitter Dommthrope, car je sentais que ma présence devait vivement gêner mon ami.

Tout cela se produisit pendant le premier mois des grandes vacances. Je rentrai à mon logis de Londres où je passai sept semaines à faire des expériences de chimie organique. Et puis un jour que l'automne était déjà bien avancé et que les vacances touchaient à leur fin, je reçus un télégramme de mon ami m'implorant de retourner à Dommthrope et me disant qu'il avait grand besoin de mes conseils et de mon assistance. Naturellement, je laissai tout et je repartis pour le Nord.

Trévor vint me chercher à la gare avec le dog-cart et je vis au premier coup d'œil que ces deux derniers mois l'avaient fort éprouvé. Aminci, miné par les soucis, il avait perdu cette allure joyeuse et bruyante qui l'avait caractérisé.

— Le paternel est mourant, furent les paroles par lesquelles il m'accueillit.

— Impossible ! m'écriai-je. Qu'est-ce qu'il a ?

— Apoplexie. Choc nerveux. Toute la journée il a été sur le point de passer. Je doute que nous le trouvions vivant.

Je fus, comme vous le pensez, horrifié par cette nouvelle inattendue.

— Et quelle en a été la cause ? demandai-je.

— Ah ! voilà le hic. Saute en voiture, nous en parlerons en route. Tu te rappelles cet individu qui est arrivé le soir d'avant ton départ ?

— Parfaitement.

— Sais-tu qui, ce jour-là, nous avons laissé entrer dans la maison ?

— Je n'en ai aucune idée.

— C'était le diable, Holmes ! s'écria-t-il.

Je l'ai regardé, étonné.

— Oui, le diable en personne. Depuis lors nous n'avons pas eu une heure de tranquillité, plus une. Le paternel n'a plus relevé la tête depuis ce soir-là, et ce maudit Hudson a broyé en lui le ressort vital et lui a brisé le cœur.

— Quel pouvoir a-t-il donc ?

— Ah ! je donnerais beaucoup pour le savoir. Mon vieux paternel, si bienveillant, si charitable, si bon ! Comment a-t-il pu tomber entre les griffes d'une telle canaille ? Mais je suis si content que tu sois venu, Holmes ! Je me fie tout à fait à ton jugement et à ta discrétion et je sais que tu me donneras les meilleurs conseils.

Nous filions à toute vitesse le long de cette route de campagne unie et blanche et nous avions devant nous la longue étendue des plaines marécageuses, qui étincelaient sous la lumière rouge du soleil couchant. D'un petit bosquet à notre gauche je pouvais déjà apercevoir les hautes cheminées et le mât qui indiquaient la demeure du Squire.

— Mon père a fait de cet individu son jardinier, dit mon compagnon ; et puis, comme cela ne lui suffisait pas, il l'a promu sommelier. La maison semblait être tout à sa merci, il y circulait et il y faisait tout ce qu'il voulait. Les bonnes se sont plaintes de ses habitudes d'ivrognerie et de ses propos abjects. Mon père a augmenté leurs gages à toutes pour les dédommager de ces ennuis. Cet individu prenait la barque et le meilleur fusil de mon père et s'offrait des petites parties de chasse. Et tout cela, il le faisait avec, dans les yeux et le visage, un air tellement railleur, moqueur et insolent, que, vingt fois, je l'aurais frappé et jeté par terre s'il avait eu mon âge. Je t'assure, Holmes, que j'ai dû me retenir ferme pendant tout ce temps-là ! Et maintenant, je me demande si je n'aurais pas été plus sage en cédant un peu plus à mon envie. Ma foi, les choses sont allées de mal en pis chez nous et cet animal de Hudson est devenu de plus en plus importun, jusqu'à ce que, un jour qu'il répondait devant moi à mon père d'une façon insolente, je l'aie saisi par l'épaule et je l'aie sorti de la pièce. Il s'est esquivé, le visage livide, avec un regard venimeux qui exprimait plus de menaces que sa langue n'en pouvait proférer. Je ne sais ce qui se passa après cela entre mon pauvre père et lui, mais mon père vint à moi le lendemain et me demanda si cela ne me ferait rien de présenter des excuses à Hudson. J'ai refusé, comme tu peux l'imaginer, et j'ai demandé à mon père comment il pouvait permettre à ce misérable de prendre de telles libertés avec lui et avec les gens de sa maison.

« Ah ! mon garçon, dit-il, c'est facile de parler, mais tu ne sais pas dans quelle situation je me trouve. Tu le sauras, Victor. Je veillerai à ce que tu le saches, quoi qu'il advienne ! Tu ne voudrais pas croire du mal de ton pauvre vieux père, hein, mon gars ?

« Il était très ému et tout le jour il resta enfermé dans son bureau où, par la fenêtre, je pus voir qu'il était très occupé à écrire.

« Ce soir-là survint ce qui sembla être un grand soulagement, car Hudson nous dit qu'il allait nous quitter. Il entra dans la salle à manger où nous étions après dîner et nous annonça son intention de la voix paterne d'un homme à moitié ivre.

« — J'en ai assez du Norfolk, dit-il, je vais aller dans le Hampshire chez M. Beddoes. Il sera aussi content de me voir que vous l'avez été, je crois bien.

« — Vous ne vous en allez pas dans de méchantes dispositions, Hudson, j'espère ? dit mon père avec un manque d'énergie qui faisait bouillir mon sang.

« — Je n'ai pas eu mes excuses, dit-il d'un ton de mauvaise humeur, en regardant de mon côté.

« — Victor, tu reconnaîtras que tu as traité ce digne homme un peu durement, dit le paternel en se tournant vers moi.

« — Au contraire, répondis-je, je pense que nous avons tous les deux fait preuve à son égard d'une patience extraordinaire.

« — Ah ! vous croyez ça, vraiment ! grogna l'homme. C'est très bien, camarade, on verra ça !

« D'un pas traînant il sortit de la pièce et une demi-heure après il quittait la maison, laissant mon père dans un pitoyable état de nervosité. Nuit après nuit, je l'ai entendu aller et venir dans sa chambre et ce fut juste au moment où il prenait confiance que le coup s'abattit enfin.

— Et de quelle façon ? demandai-je, pressé de savoir.

— De la façon la plus extraordinaire. Une lettre arriva pour mon père hier soir ; elle portait le cachet de Fordingbridge. Mon père la lut et porta ses deux mains à sa tête ; puis il se mit à courir en décrivant autour de la pièce de petits cercles, comme un homme qui a perdu l'esprit. Quand je l'eus enfin poussé sur le canapé, sa bouche et ses paupières étaient tirées de côté et je vis qu'il avait une attaque. Le docteur Fordham est venu tout de suite et nous l'avons couché, mais la paralysie a fait des progrès ; rien n'a donné à croire qu'il reprenait conscience et je pense qu'il est peu probable que nous le retrouvions en vie.

— Tu m'épouvantes, Trévor ! m'écriai-je. Que pouvait-il donc y avoir dans cette lettre pour provoquer un tel résultat ?

— Rien. C'est là ce qu'il y a d'inexplicable. Le message était absurde et banal. Ah ! mon Dieu ! c'est bien ce que je redoutais !

Tandis qu'il parlait, nous suivions la courbe de l'avenue et nous apercevions dans la lumière tombante du soir la maison dont toutes les persiennes avaient été baissées. Quand nous nous précipitâmes vers la porte, le visage de mon ami était convulsé par la douleur ; un gentleman en noir sortit.

— Quand est-ce arrivé ? demanda Trévor.

— Presque immédiatement après votre départ.

— A-t-il repris conscience ?

— Un instant seulement, avant la fin.

— Quelque message pour moi ?

— Simplement que les papiers étaient dans le tiroir du fond du meuble japonais.

Mon ami monta, en compagnie du docteur, dans la chambre mortuaire, tandis que, aussi lugubre que je ne l'ai jamais été de ma vie, je restais dans le bureau à retourner tout le problème dans ma tête. Quel était le passé de ce Trévor, boxeur, voyageur, chercheur d'or ? Et comment s'était-il mis à la merci de ce marin au visage hostile ? Pourquoi encore s'évanouissait-il à cause d'une allusion aux initiales à demi effacées qu'il portait sur son bras et s'effrayait-il au reçu d'une lettre de Fordingbridge ? Je me suis alors rappelé que Fordingbridge était dans le Hampshire et qu'on avait dit que c'était dans cette région que demeurait ce M. Beddoes auquel le marin était allé rendre visite, probablement pour le faire chanter. La lettre, donc, pouvait soit venir de Hudson, le marin, pour dire qu'il avait trahi et livré le coupable secret qui semblait exister, soit émaner de Beddoes pour avertir un ancien complice qu'une trahison de ce genre était imminente. Jusque-là, tout semblait assez clair. Mais alors comment la lettre pouvait-elle être grotesque et banale comme l'avait décrite le fils ? Peut-être s'était-il trompé. Sinon, il devait s'agir d'un de ces ingénieux codes secrets qui disent une chose lorsqu'ils semblent en dire une autre. Il fallait que je voie cette lettre. Si elle contenait un sens caché, j'avais bon espoir de l'en extraire. Pendant une heure je demeurai dans la pénombre, assis, à retourner le problème, jusqu'à ce qu'enfin une bonne en pleurs apportât une lampe ; et, tout de suite, derrière elle, mon ami Trévor, pâle, mais calme, entra, serrant dans sa main ces papiers mêmes que j'ai là sur mes genoux. Il s'assit en face de moi, approcha la lampe du bord de la table et me passa un billet bref griffonné comme vous le voyez, sur une seule feuille de papier gris :

« *La commande gibier partie pour Londres est peut-être perdue. Garde-chasse Hudson ramassant lapins à tout levé, tout, comme on dit, leur conseillant : Sauvez garde-meubles votre dernière assurance-vie...* »

J'ose affirmer que quand j'ai lu ce message pour la première fois, mon visage eut l'air aussi ahuri que le vôtre tout à l'heure. Puis je le relus très soigneusement. C'était, évidemment, ce que j'avais pensé, et un second sens quelconque devait être caché au fin fond des profondeurs de cette étrange combinaison de mots. Ou bien pouvait-il se faire qu'il y eût un sens dont on était convenu au préalable dans certains mots comme « gibier » et « assurance-vie » ? Un sens de ce genre serait alors arbitraire et rien ne permettrait de le découvrir. Pourtant, je me refusais à croire qu'il en était ainsi et la présence du mot « Hudson » paraissait indiquer que le sujet du message était tel que je l'avais deviné et qu'il émanait de Beddoes plutôt que du marin. J'essayai de le prendre à rebours, mais la combinaison – vie assurance – n'était pas encourageante. Alors, j'ai essayé un mot sur deux, mais « La, gibier, pour, est » ne promettait pas d'apporter de lumière. Ce fut alors qu'en un instant la clé de l'énigme fut entre mes mains et je vis qu'un mot sur trois, en commençant par le premier, donnerait un message très capable d'acculer le vieux Trévor au désespoir.

Il était court et net l'avertissement, tel que je le lus à mon compagnon : « *La partie est perdue. Hudson a tout dit. Sauvez votre vie.* »

Victor Trévor laissa tomber son visage dans ses mains tremblantes.

— Ce doit être cela, je suppose, dit-il. C'est pire que la mort, car cela signifie aussi la honte. Mais que veulent dire les mots « *garde-chasse, gibier, lapins, assurance-vie* » ?

— Ils n'ont aucune signification dans le message, mais ils pourraient en avoir beaucoup, si nous n'avions pas d'autre moyen de découvrir l'expéditeur. Tu vois qu'il a commencé par écrire « La commande gibier, est, etc. ». Ensuite il lui a fallu, pour compléter le chiffre convenu, remplir les blancs en y mettant n'importe quel mot. Il a naturellement employé les premiers mots qui lui venaient à l'esprit et s'il y en a, parmi eux, un si grand nombre qui se rapportent à la chasse, c'est, tu peux en être à peu près sûr, ou bien qu'il est grand chasseur, ou qu'il s'intéresse à l'élevage du gibier. Sais-tu quelque chose de ce Beddoes ?

— Maintenant que tu en parles, dit-il, je me rappelle que mon pauvre père recevait de lui une invitation à aller chasser sur ses terres chaque automne.

— Sans aucun doute, alors, c'est de lui que vient ce billet, dis-je. Il ne nous reste plus maintenant qu'à trouver quel était ce secret dont le marin Hudson semblait menacer ces deux hommes riches et considérés.

— Mon cher Holmes, c'est, j'en ai peur, un secret de défaillance et de honte, s'écria mon ami. Mais pour toi je n'en ferai pas un secret. Voici le récit que mon père a écrit quand il savait que le danger dont le menaçait Hudson était imminent. Je l'ai trouvé dans le meuble japonais, comme il l'a dit au docteur. Prends-le et lis-le-moi, car je n'ai ni la force ni le courage de le lire moi-même.

— Ces papiers-ci, Watson, sont ceux qu'il me mit en main et je vais vous les lire comme je les lui ai lus, cette nuit-là, dans le vieux bureau. Ils portent au dos, comme vous le voyez : « Quelques renseignements concernant le voyage du trois-mâts le *Gloria Scott*, depuis son départ de Falmouth le 8 octobre 1855, jusqu'à sa destruction, le 6 novembre, par 15° 20' de latitude nord et 25° 4' de longitude ouest. » En voici la teneur, dans la forme épistolaire.

« Mon cher fils. Maintenant que la honte qui s'approche commence à assombrir les dernières années de ma vie, je peux écrire en toute vérité et en toute honnêteté que ce n'est ni la terreur de la loi, ni la perte de ma situation dans le comté, ni même la déchéance aux yeux de tous ceux qui m'ont connu qui me mettent la mort dans le cœur ; c'est la pensée que tu en viendrais à rougir de moi – toi qui m'aimes et qui as rarement, je l'espère, eu des raisons de faire autre chose que me respecter.

« Mais si le coup qui est toujours suspendu sur ma tête s'abat, alors, je voudrais que tu lises ceci, afin que tu saches de moi directement jusqu'à quel point j'ai été à blâmer. D'autre part, si tout se passait bien (puisse le Tout-Puissant faire qu'il en soit ainsi !) et si, par hasard, alors ce papier n'était pas encore détruit et tombait entre tes mains, je t'en conjure, au nom de tout ce que tu as de sacré, au nom du souvenir de ta chère mère et de l'amour qui a existé entre nous, jette-le dans le feu et ne lui accorde plus une pensée.

« Si donc tes yeux continuent de lire ceci plus avant, c'est que j'aurai été démasqué et emmené de chez moi, ou, ce qui est plus probable – car tu sais que mon cœur est faible –, que je reposerai déjà, ma langue scellée à jamais dans la mort. Dans un cas comme dans l'autre, l'heure n'est plus aux secrets, et chaque mot que je te dis ici est la vérité pure, et cela je le jure, aussi vrai que j'espère en la miséricorde de Dieu.

« Mon nom, mon cher petit, n'est pas Trévor. J'étais James Armitage dans ma jeunesse, et tu peux croire à présent quel choc ce fut pour moi, il y a quelques semaines, quand ton ami de collège me parla en de tels termes qu'ils semblaient impliquer qu'il avait deviné mon secret. Ce fut sous le nom d'Armitage que, convaincu d'avoir violé les lois de mon pays, je fus condamné à la déportation. Ne me juge pas, mon cher fils, avec trop de dureté. C'était une dette d'honneur – comme on dit que je devais payer, et pour le faire je me suis servi d'un argent qui n'était pas à moi, avec la certitude que je pourrais le remettre en place avant que l'on pût s'apercevoir qu'il manquait. Mais une malchance terrible s'attachait à moi : l'argent sur lequel j'avais compté ne me fut jamais remis et un examen anticipé de mes livres de comptes révéla le déficit. On aurait pu traiter l'affaire avec indulgence, mais les lois étaient, il y a trente ans, administrées avec beaucoup plus de rigueur qu'à présent, et au vingt-troisième anniversaire de ma naissance, je me trouvai enchaîné en qualité de criminel avec trente-sept autres condamnés au bagne dans l'entrepont du trois-mâts *Gloria Scott*, à destination de l'Australie.

« C'était en 1855, au plus fort de la guerre de Crimée, et les vieux vaisseaux affectés au transport des bagnards avaient servi pour la plupart à emmener les troupes dans la mer Noire. Le gouvernement se trouvait donc contraint d'employer des vaisseaux plus petits et moins bien agencés pour le transport des prisonniers. Le *Gloria Scott* avait, en son temps, fait le commerce du thé en Chine, mais c'était un vieux bâtiment à l'avant très lourd et aux bords très larges, que de nouveaux et fins voiliers avaient remplacé. C'était un bateau de cinq cents tonnes et outre les trente-huit gibiers de potence, il portait vingt-six hommes d'équipage, dix-huit soldats, trois quartiers-maîtres, un médecin, un aumônier et quatre gardiens. Tout bien compté, il y avait une centaine d'âmes à bord quand nous partîmes à la voile de Falmouth.

« Les cloisons entre les cellules des bagnards, au lieu d'être faites de chêne épais, comme c'est l'habitude dans ces vaisseaux de déportation, étaient minces et fragiles. Celui qui se trouvait près de moi, du côté de l'avant, était un personnage que j'avais particulièrement remarqué quand on nous avait amenés au quai d'embarquement. C'était un homme jeune, au visage clair et imberbe, avec un long nez mince et une mâchoire volontaire. Il levait haut la tête d'un air dégagé, marchait avec désinvolture et, surtout, il était d'une taille exceptionnelle. Je ne crois pas que la tête d'aucun de nous lui venait à l'épaule et je suis sûr qu'il mesurait près de deux mètres. C'était étrange, parmi tant de figures tristes et lasses, d'en voir une qui fût si pleine d'énergie et de décision. Pour moi, cela me faisait l'effet d'un incendie dans une tempête de neige. Je fus donc content de constater qu'il était mon voisin et plus content encore quand, au beau milieu de la nuit, je l'entendis me parler, tout bas et tout près de mon oreille, ce qui me révéla qu'il avait réussi à forer une petite ouverture dans la planche qui nous séparait.

« — Ohé ! camarade, dit-il, comment t'appelles-tu et pourquoi es-tu ici ?

« Je lui répondis, et à mon tour je lui demandai à qui je parlais.

« — Je suis Jack Pendergast, dit-il, et, par Dieu, c'est un nom que tu béniras, avant que tout soit fini entre nous.

« Je me rappelais avoir entendu parler de son affaire, car elle avait fait énormément de bruit dans tout le pays, quelque temps avant ma propre arrestation. C'était un garçon de bonne famille et des mieux doués, mais affligé de toutes sortes de vices ; il avait, grâce à un ingénieux système de fraudes, extorqué des sommes importantes aux plus gros négociants de Londres.

« — Ah ! ah !..., tu te rappelles mon affaire ! dit-il fièrement.

« — Fort bien, certes.

« — Peut-être, alors, te rappelles-tu quelque chose de curieux à ce propos ?

« — Et quoi donc ?

« — J'avais presque un quart de millions de livres, n'est-ce pas ?

« — C'est ce qu'on a dit.

« — Mais on n'en a rien retrouvé, hein ?

« — Non.

« — Eh bien, où supposes-tu que tout ça se trouve ?

« — Je n'en ai aucune idée.

« — Exactement entre mon pouce et mon index. Par Dieu, j'ai plus de livres à mon nom que tu n'as de cheveux sur la tête. Et quand on a de l'argent, fiston, et qu'on sait le manier et le répandre, on peut tout faire, tout. Or, tu ne supposes pas qu'il est vraisemblable qu'un homme qui pourrait tout faire va user ses culottes dans la cale puante d'un vieux cercueil moisi, d'un caboteur chinois, infesté de rats et dévoré de cafards ? Non, monsieur, un homme comme ça prendra soin de lui-même et prendra soin de ses copains. Tu peux en être sûr ! Cramponne-toi à lui et tu embrasseras la Bible parce qu'il t'aura tiré du pétrin.

« C'était comme cela qu'il parlait et tout d'abord je pensai que cela ne voulait rien dire, mais, après un certain temps, quand il m'eut éprouvé et fait donner ma parole avec toute la solennité possible, il me laissa entendre qu'il existait tout de bon un complot pour s'emparer du commandement du vaisseau. Une douzaine de prisonniers l'avaient ourdi avant de monter à bord. Pendergast en était le chef et son argent, le moyen d'action...

« — J'avais un associé, dit-il, un type unique, aussi bon, aussi loyal qu'un chien, et où penses-tu qu'il est en ce moment ? Eh bien, c'est l'aumônier de ce vaisseau – l'aumônier, excuse du peu ! Il est venu à bord, avec ses papiers en règle, et assez d'argent dans sa boîte pour tout acheter, de la quille au grand hunier. L'équipage est à lui, corps et âme. Il a pu les acheter, à tant la grosse, avec escompte au comptant, et il l'a fait quand ils n'avaient pas encore signé leur engagement. Il a deux des gardiens, et Mercer, le second quartier-maître, et il aurait eu le capitaine lui-même, s'il avait cru que ça en vaille la peine.

« — Alors nous, qu'est-ce que nous devons donc faire ? dis-je.

« — Qu'en penses-tu ? Nous ferons en sorte que les habits rouges de quelques-uns de ces soldats soient plus rouges encore que les a faits le tailleur.

« — Mais ils sont armés.

« — Et nous le serons aussi, petit. Il y a une paire de revolvers pour chacun de nous ; et si nous ne sommes pas capables de prendre ce vaisseau, avec l'équipage qui est pour nous, on est mûrs pour l'envoi dans un pensionnat de fillettes. Parle ce soir au copain à ta gauche et vois si on peut se fier à lui.

« C'est ce que je fis et je constatai que cet autre voisin était un jeune homme qui se trouvait exactement dans la même situation que moi et dont le crime avait été un faux. Il s'appelait Evans, mais il changea plus tard de nom et c'est, à présent, un homme riche et heureux du sud de l'Angleterre. Il était tout prêt à se joindre au complot – c'était notre seul moyen de salut – et avant d'avoir traversé le golfe de Gascogne, il n'y avait plus que deux prisonniers qui n'étaient pas dans le secret. L'un était un faible d'esprit à qui nous n'osions pas nous fier et l'autre, souffrant de la jaunisse, ne pouvait nous être utile.

« Dès le début, rien ne nous aurait empêchés de prendre possession du navire. L'équipage se composait d'une bande de scélérats, spécialement choisis pour cette besogne. Le faux aumônier venait dans nos cellules pour nous exhorter, en portant un sac noir que l'on croyait rempli de brochures édifiantes ; et il venait si souvent qu'au troisième jour chacun de nous avait dissimulé au pied de son lit : une lime, une paire de revolvers, une livre de poudre et vingt balles. Deux des gardiens étaient les agents de Pendergast et le second quartier-maître était son bras droit. Le capitaine, les deux autres quartiers-maîtres, deux gardiens, le lieutenant Martin, ses dix-huit soldats et le médecin, à cela se réduisait ce que nous avions contre nous. Pourtant, tout assuré que fût le succès, nous avions bien résolu de ne négliger aucune précaution et de déclencher notre attaque un soir à l'improviste. La chose arriva, pourtant, plus vite que nous ne l'escomptions, et voici comment.

« Un soir, trois semaines environ après notre départ, le médecin était descendu voir un prisonnier malade, quand en posant la main au pied de sa couchette, il sentit le contour des revolvers. S'il n'avait rien dit, il aurait pu faire rater toute l'entreprise ; mais c'était un petit bonhomme nerveux, et il poussa un petit cri de surprise et devint si pâle que l'homme comprit tout de suite ce qu'il en était et le maîtrisa. Bâillonné avant d'avoir pu donner l'alarme, il fut ficelé sur le lit. Le médecin avait ouvert la porte qui menait au pont et nous la franchîmes tous au galop. Les deux sentinelles furent abattues et on tua aussi un caporal qui accourait voir ce qui se passait. Deux autres soldats se trouvaient à la porte de la cabine de première ; leurs fusils ne devaient pas être chargés, car ils ne tirèrent pas sur nous et on les tua pendant qu'ils mettaient baïonnette au canon. Nous nous sommes alors rués dans la cabine du capitaine, mais au moment où nous poussions la porte, il y eut une détonation à l'intérieur et nous le trouvâmes écroulé sur la carte de l'Atlantique qui était épinglée sur la table, et l'aumônier debout à côté de lui, un revolver fumant à la main. Les deux quartiers-maîtres avaient été maîtrisés par l'équipage et l'affaire paraissait réglée.

« La cabine des premières était à côté, nous y sommes entrés, toute la bande, et nous nous sommes vautrés sur les canapés, tous parlant en même temps, car nous étions tous fous de nous sentir libres. Il y avait des coffres tout autour et Wilson, le faux aumônier, en défonça un et en tira une douzaine de bouteilles de sherry. Les goulots cassés, nous remplîmes des verres et nous les avalions, quand soudain, sans avertissement, retentit l'aboiement de fusils et le salon fut si plein de fumée que l'on ne se voyait plus à travers la table. Quand la fumée se fut dissipée, la salle ressemblait à un abattoir. Wilson et huit autres se tordaient les uns sur les autres, le rouge du sang et le brun du sherry mélangés sur cette table me retournent encore le cœur quand j'y pense. Nous étions si médusés par ce spectacle que je crois bien que nous aurions tout abandonné, n'eût été Pendergast. Beuglant comme un taureau, il se précipita vers la porte, suivi de tous ceux qui étaient encore vivants. Nous avons couru dehors et là, à l'avant, se trouvaient le lieutenant et dix de ses hommes. Les lucarnes mobiles au-dessus de la table du salon étaient entrouvertes, et c'était par l'ouverture qu'ils avaient tiré sur nous. Nous les avions rejoints avant qu'ils aient pu recharger, ils ont résisté comme des hommes, mais nous étions plus forts qu'eux et en quelques minutes ce fut fini. Grand Dieu ! Y a-t-il jamais eu un abattoir qui ressemblât à ce vaisseau ? Pendergast était comme un démon en furie, il ramassait les soldats comme s'ils étaient des enfants et, vivants ou morts, les jetait par-dessus bord. Un sergent, horriblement blessé, continua pourtant à nager si longtemps que cela nous stupéfia, jusqu'à ce que l'un de nous, par pitié, lui fît sauter la cervelle. Quand le combat cessa, il ne restait de nos ennemis que les gardiens, les deux quartiers-maîtres et le médecin.

« Ce fut à leur propos que s'éleva la grande dispute. Beaucoup d'entre nous, tout en étant bien contents d'avoir recouvré la liberté, ne désiraient pourtant nullement charger leur conscience avec des assassinats. C'était une chose d'abattre les soldats qui avaient leurs fusils en main, et c'en était une autre d'assister à l'assassinat de gens qu'on tuait de sang-froid. Huit d'entre nous, cinq bagnards et trois matelots, se déclarèrent contre une telle mesure. Mais il n'y avait rien à faire pour influencer Pendergast et ses partisans. Notre seule chance de salut, disait-il, était d'aller jusqu'au bout et il ne voulait pas qu'il restât une langue capable de venir déposer à la barre des témoins. Pour un peu, nous aurions partagé le sort des prisonniers, mais, en fin de compte, il dit que, si nous voulions, nous pouvions prendre une barque et nous en aller. Nous avons saisi la balle au bond, car, déjà écœurés par ces actes sanguinaires, nous en prévoyions de pires encore avant la fin. On nous donna à chacun un équipement de marin, un baril d'eau, deux autres barils, l'un de pacotille, l'autre de biscuits, et une boussole. Pendergast nous jeta une carte, nous dit que nous étions des marins naufragés dont le vaisseau avait sombré par 15° de latitude nord et 25° de longitude ouest, puis il coupa l'amarre et nous laissa partir.

« Et maintenant, j'en arrive, mon cher fils, à la partie la plus surprenante de mon histoire. Les marins avaient bordé la vergue de misaine arrière pendant la rébellion, mais au moment où nous les quittions, ils l'avaient remise au carré et comme il soufflait un vent léger du nord-est, le trois-mâts commença à s'éloigner lentement de nous. Notre barque s'élevait et retombait sur les vagues longues et calmes et Evans et moi, les plus instruits de la troupe, nous nous efforcions de déterminer notre position et de trouver vers quelle côte nous devions nous diriger. C'était une question délicate, car le cap Vert était à environ 530 milles au nord et la côte d'Afrique à environ 700 milles à l'est. Tout bien réfléchi, puisque le vent tournait vers le nord, nous avons pensé que la Sierra Leone vaudrait mieux, et nous avons mis le cap dans cette direction. Par rapport à nous, le trois-mâts, dont la coque disparaissait presque à ce moment-là, se trouvait à tribord. Tout à coup, comme nous le regardions, nous en vîmes jaillir un épais nuage de fumée qui resta suspendu, tel un monstrueux serpent, sur la ligne d'horizon. Quelques secondes plus tard, un grondement semblable au tonnerre parvint jusqu'à nous et, quand la fumée se fut dissipée, on n'apercevait plus trace du *Gloria Scott*. En un instant, nous avons viré de bord et, à force de rames, nous avons gagné le lieu que des restes de fumée, traînant encore au-dessus de l'eau, marquaient comme celui de la catastrophe.

« Il nous fallut une bonne heure pour y parvenir et tout d'abord nous avons eu peur d'être arrivés trop tard pour sauver n'importe qui. Une barque déchiquetée, quantité de caisses et des épaves qui dansaient au gré des vagues indiquaient l'endroit où le vaisseau avait sombré, mais on ne voyait nul signe de vie et nous avions fait demi-tour, sans espoir, quand nous avons entendu appeler à l'aide et aperçu à quelque distance une épave en travers de laquelle gisait un homme. Quand on l'eut hissé à notre bord, on constata que c'était un jeune matelot du nom de Hudson, mais il était si brûlé et si épuisé qu'il ne put nous faire que le lendemain matin le récit de ce qui s'était passé.

« On sut alors qu'après notre départ Pendergast et sa bande avaient mis à mort les cinq personnes qui restaient : les deux gardiens avaient été tués et jetés par-dessus bord, puis le troisième quartier-maître. Pendergast était ensuite descendu dans l'entrepont et, de sa propre main, il avait tranché la gorge du médecin. Il ne restait plus que le premier quartier-maître, un gaillard courageux et prompt. Quand il vit le bagnard s'approcher de lui, son couteau ensanglanté à la main, il fit sauter de ses pieds les entraves qu'il avait réussi à distendre, et, courant sur le pont, se jeta dans la cale arrière.

« Une douzaine de bagnards qui s'élançaient à sa recherche avec leurs revolvers le trouvèrent assis, une boîte d'allumettes à la main, auprès d'un baril de poudre ouvert – il y en avait cent à bord – et jurant qu'il ferait sauter tout le monde si on faisait seulement mine de le toucher. Un instant après, l'explosion se produisait. Hudson, toutefois, croyait qu'elle résultait d'une balle mal placée et tirée par un des bagnards, plutôt que de l'allumette du quartier-maître. Quelle qu'en fût la cause, ce fut la fin du *Gloria Scott* et de la racaille qui le tenait.

« Telle est, en quelques mots, mon cher enfant, l'histoire de la terrible affaire dans laquelle je me suis trouvé impliqué. Le lendemain, nous avons été recueillis par le brick *Hotspur*, qui voguait vers l'Australie. Son capitaine n'éprouva aucune difficulté à croire que nous étions les survivants d'un navire ordinaire qui avait sombré. L'Amirauté déclara que le *Gloria Scott* avait été perdu en mer et on n'a jamais su un mot de son sort véritable. Après une excellente traversée, le *Hotspur* nous débarqua à Sydney où Evans et moi nous avons changé de nom et d'où nous nous sommes dirigés vers les mines. Là, parmi les foules rassemblées et qui venaient de tous les pays, nous n'avons eu aucune difficulté à perdre notre identité première.

« Le reste, je n'ai pas besoin de le raconter. Nous avons réussi, nous avons voyagé et, revenus en Angleterre comme de riches coloniaux, nous avons acheté des domaines en province. Pendant plus de vingt ans, menant une vie paisible et utile, nous espérions que notre passé était à jamais enseveli. Imagine donc ce que j'ai éprouvé quand, dans le matelot qui vint à nous, je reconnus tout de suite l'homme que nous avions ramassé sur l'épave. Il nous avait suivis à la piste, je ne sais comment, et il avait résolu de vivre de l'exploitation de nos craintes. Tu comprendras maintenant pourquoi je m'efforçais de rester en bonne intelligence avec lui et, jusqu'à un certain point, tu compatiras aux craintes qui me remplissent à présent qu'il m'a quitté, la menace aux lèvres, pour aller vers son autre victime. »

Au bas du document, écrite d'une main si tremblante, qu'on la lit difficilement, cette note : « Beddoes m'écrit, en code, que H... a tout dit. Seigneur, ayez pitié de nos âmes ! »

— Tel fut le récit que je lus, ce soir-là, au jeune Trévor, et, je crois, Watson, qu'en de telles circonstances c'était un récit dramatique. Le brave garçon en eut le cœur brisé et il partit pour les plantations de thé à Teraï où je sais qu'il réussit bien. Quant au marin et à Beddoes, je n'en ai jamais plus entendu parler depuis le jour où fut écrit le message d'avertissement. Tous deux ont disparu complètement. La police n'avait reçu aucune plainte ; Beddoes avait donc pris une menace pour un acte. On avait vu Hudson se cacher et la police pensait qu'il avait fait son affaire à Beddoes puis s'était enfui. Quant à moi, je crois que la vérité fut exactement l'inverse. Selon moi, il est très probable que Beddoes, acculé au désespoir et se croyant déjà trahi, s'est vengé de Hudson et a fui loin de l'Angleterre en emportant tout l'argent qu'il a pu. Tels sont les faits de cette affaire, docteur, et s'ils peuvent en quoi que ce soit servir à votre collection, je vous assure que je les mets de tout cœur à votre disposition.

LE PROBLÈME FINAL

C'est le cœur serré que je prends la plume pour tracer ces lignes, les dernières où je parlerai jamais des dons singuliers qui faisaient de mon ami Sherlock Holmes un être d'exception. D'une façon assez décousue et, à mon sentiment, assez malhabile, je me suis efforcé d'écrire le récit des étranges aventures que j'ai vécues à ses côtés, depuis le jour où le hasard nous rapprocha, à l'époque d'*Une étude en rouge*, jusqu'à celui où Holmes intervint dans l'affaire que j'ai rapportée dans *Le traité naval*. J'avais l'intention d'en rester là et de ne rien dire des événements qui créèrent dans mon existence un vide que deux années écoulées ont peu fait pour combler. Mais je me trouve avoir en quelque sorte la main forcée par la récente publication des lettres dans lesquelles le colonel James Moriarty défend la mémoire de son frère et je n'ai plus le choix : il est de mon devoir de placer les faits sous les yeux du public, tels qu'ils se sont déroulés. Je suis le seul à savoir toute la vérité sur l'affaire et j'ai la conviction que l'heure est venue où rien ne justifierait plus mon silence. Autant que je sache, l'histoire n'a été contée dans la presse que trois fois : le 6 mai 1891, dans un article du *Journal de Genève* ; le 7, dans une dépêche Reuter, reproduite par tous les journaux anglais ; et, tout dernièrement, dans les lettres auxquelles je viens de faire allusion. L'article et la dépêche étaient extrêmement brefs et les lettres, comme je le montrerai, dénaturent complètement les faits. Il m'appartient donc de dire, et pour la première fois, ce qui s'est réellement passé entre le Pr Moriarty et M. Sherlock Holmes.

Je dois tout d'abord rappeler qu'après mon mariage, comme je m'étais décidé à me consacrer sérieusement à mes malades, mes relations avec Sherlock Holmes, jusqu'alors très intimes, se trouvèrent sensiblement modifiées. Il faisait encore appel à moi de temps en temps, lorsqu'il désirait que quelqu'un l'assistât dans ses enquêtes, mais la chose devenait de plus en plus rare et je constate qu'en 1890 je n'ai pris de notes que sur trois affaires seulement. Durant l'hiver de cette même année et dans les premiers jours du printemps de 1891, je vis dans les journaux français que le gouvernement français avait confié à mon ami une mission de toute première importance et je reçus de Holmes deux courts billets, datés l'un de Narbonne et l'autre de Nîmes, qui me donnaient à entendre que son séjour en France risquait de se prolonger longtemps. C'est donc avec quelque surprise que, le 24 avril au soir, je le vis entrer dans mon cabinet. J'eus l'impression qu'il était plus pâle et plus maigre que jamais.

— Oui, me dit-il, répondant à ma question muette, je me suis un peu surmené ces temps-ci. J'ai eu passablement à faire. Vous ne voyez pas d'objection à ce que je ferme vos volets ?

Il n'y avait dans la pièce d'autre lumière que celle de la lampe posée sur ma table. Holmes, longeant les murs, gagna la fenêtre, ferma les volets et les fixa solidement.

— Vous avez peur de quelque chose ? demandai-je.

— Exactement.

— Et de quoi en particulier ?

— Des carabines à air comprimé.

— Qu'est-ce que vous me racontez là ?

— Je crois, mon cher Watson, que vous me connaissez assez pour savoir que je ne suis pas sujet à la nervosité. Cependant, je considère qu'il y a plus de sottise que de courage à se refuser à voir le danger lorsqu'il est sur vous. Puis-je vous demander une allumette ?

Il tira quelques bouffées de sa cigarette, puis reprit :

— Je m'excuse de vous rendre visite à une heure si tardive et aussi d'être obligé de vous présenter une requête insolite : j'aimerais tout à l'heure m'en aller, non par la porte, mais par-dessus le mur de votre jardin.

— Mais qu'est-ce que tout cela signifie ?

Il me montra sa main : deux de ses phalanges étaient ensanglantées. Souriant, il répondit :

— Il ne s'agit pas d'un pur esprit, comme vous pouvez le constater, mais d'un être assez solide pour qu'on puisse se briser les os sur lui. Mme Watson est à la maison ?

— Elle est à la campagne, chez une amie.

— Alors, vous êtes seul ?

— Rigoureusement.

— Tant mieux ! Dans ces conditions, j'ai moins de scrupules à vous proposer de venir passer une semaine avec moi sur le continent.

— Où, exactement ?

— N'importe où ! Ça m'est égal.

Il y avait dans tout cela quelque chose d'étrange. Il n'était pas dans le tempérament de Holmes de partir en vacances sans savoir où il se rendait et son visage fatigué me révélait qu'il avait les nerfs extraordinairement tendus. Mes yeux l'interrogeaient. Il s'en aperçut, s'assit dans un fauteuil et, les doigts entrecroisés et les coudes sur les genoux, entreprit de m'exposer la situation.

— Vous n'avez probablement jamais entendu parler du Pr Moriarty ?

— Jamais ! dis-je.

— C'est bien là ce qu'il y a de merveilleux et de génial chez cet homme ! s'écria-t-il. Il règne sur Londres et personne n'a entendu parler de lui. C'est ce qui fait de lui le criminel des criminels. Je n'hésite pas à vous déclarer, Watson, en toute sincérité, que, si je pouvais réduire ce Moriarty à l'impuissance et délivrer de lui la société, je considérerais que ma carrière a atteint son apogée et que je serais tout prêt à adopter un genre de vie plus calme. Soit dit entre nous, les affaires dont je me suis occupé ces temps derniers, pour le compte de la famille royale de Suède d'abord, puis pour celui du gouvernement français, me laissent dans une situation de fortune suffisante pour que je puisse mener désormais l'existence paisible qui est celle que je préfère. Je pourrais me consacrer entièrement à mes travaux de chimie. Seulement, mon cher Watson, mon esprit ne connaîtrait pas le repos ! Il me serait impossible de rester tranquillement assis dans mon fauteuil et de me dire qu'un Moriarty circule impunément dans les rues de Londres et que personne ne s'intéresse à lui !

— Mais qu'a-t-il donc fait ?

— Il a eu une vie extraordinaire. Il est de bonne famille et il a reçu une excellente éducation. Prodigieusement doué pour les mathématiques, à vingt et un ans il publiait une étude sur le binôme de Newton, qui fit sensation dans toute l'Europe et lui valut de devenir titulaire de la chaire de mathématiques dans une de nos petites universités. Tout donnait à penser qu'il allait faire une carrière extrêmement brillante. Mais l'homme avait une hérédité chargée, qui faisait de lui une sorte de monstre, avec des instincts criminels d'autant plus redoutables qu'ils étaient servis par une intelligence exceptionnelle. Des bruits fâcheux coururent bientôt sur lui dans l'université, qui l'obligèrent à se démettre. Il vint à Londres où il se mit à donner des cours destinés aux officiers de l'armée. Cela, c'est ce que tout le monde sait. Ce que je vais vous dire maintenant, c'est ce que j'ai découvert, moi.

« Comme vous ne l'ignorez pas, Watson, personne ne connaît mieux que moi la pègre criminelle de Londres. Depuis plusieurs années, j'ai la conviction absolue qu'il existe une puissance cachée derrière les crapules que la police a à combattre, une force bien organisée qui s'oppose à l'action des représentants de la loi et protège efficacement les malfaiteurs. Cette force, j'ai souvent senti sa présence à l'occasion des affaires les plus diverses – faux en écritures, vols, meurtres, etc. – et j'ai eu le sentiment que c'était elle qui avait tout machiné dans bien des crimes impunis, au sujet desquels on ne m'a pas consulté. Pendant des années, j'ai essayé d'écarter les voiles derrière lesquels elle se cache. J'ai fini par trouver une piste qui, après mille détours imprévus, m'a conduit à ce mathématicien célèbre qu'est l'ex-professeur Moriarty.

« Cet homme, Watson, c'est le Napoléon du crime. Je le tiens pour responsable de la moitié des méfaits, connus ou inconnus, qui se commettent à Londres. Il a du génie. C'est un philosophe et un penseur. Un cerveau. Il ne bouge pas. Il est comme l'araignée au milieu de sa toile, une toile immense, qui a des milliers de ramifications, dont le moindre frémissement lui est sensible. Personnellement, il agit peu : il se contente de dresser des plans de campagne. Mais ses agents sont innombrables et merveilleusement organisés. Y a-t-il un crime à commettre, un document à voler, une maison à cambrioler, un homme à faire disparaître ? On alerte le professeur, il prépare le coup et on travaille sur ses données. L'agent d'exécution peut être pris. Dans ce cas, on trouve de l'argent pour le faire mettre en liberté provisoire et lui assurer un bon défenseur. Quant à la force occulte qui l'a mis en mouvement, elle n'est ni inquiétée ni même soupçonnée. Cette organisation, le raisonnement, Watson, me permettait d'affirmer qu'elle existait : j'entrepris de la combattre de toute mon énergie, résolu à la démasquer et à la détruire.

« Je m'aperçus bientôt que les précautions de Moriarty étaient si savamment prises que, quoi que je pusse tenter, il me serait impossible de réunir les preuves indispensables pour obtenir contre lui une condamnation. Vous savez, Watson, ce dont je suis capable. Au bout de trois mois, j'étais pourtant obligé de convenir que, cette fois, je me heurtais à un adversaire qui, sur le plan intellectuel, était mon égal. L'horreur que m'inspiraient ses crimes se confondait avec l'admiration que j'éprouvais pour sa diabolique habileté. Il finit, cependant, par commettre une erreur, une toute petite erreur sans doute, mais qui était plus qu'il ne pouvait se permettre alors que j'étais sur sa trace. J'ai saisi l'occasion et, partant de là, j'ai tendu mes filets autour de lui : il ne me reste plus qu'à les fermer. Dans trois jours, c'est-à-dire lundi prochain, ce sera fait : le professeur et les principaux membres de sa bande tomberont aux mains de la police. Nous aurons ensuite le plus grand procès criminel du siècle, qui nous apportera la solution de plus d'une quarantaine d'affaires demeurées mystérieuses et se terminera par la corde pour tous les accusés. Cela dit, Watson, il faut bien comprendre que, si nous agissons trop vite, notre homme et ses complices peuvent nous échapper à la dernière minute.

« Si j'avais pu prendre toutes mes dispositions sans que Moriarty se doutât de quelque chose, tout aurait été parfait. Mais il est trop fin pour que ce fût possible et aucun de mes mouvements ne lui a échappé. À plusieurs reprises, il a rompu pour retrouver sa liberté d'action. J'ai modifié mes plans et, souvent, repris l'avantage. Si le récit de cette lutte silencieuse pouvait être écrit, mon cher ami, il aurait sa place dans l'histoire de la police. Jamais on ne fit plus belle escrime, jamais je ne suis monté aussi haut, jamais adversaire ne m'a donné autant de mal. Quoi qu'il en soit, ce matin, tout était prêt et il ne me fallait plus que trois jours pour en terminer. Assis dans mon bureau, je réfléchissais, quand soudain la porte s'ouvrit. Je levai la tête : le Pr Moriarty était devant moi.

« J'ai les nerfs solides, Watson, mais je dois avouer que j'ai reçu un choc quand j'ai aperçu, debout sur mon seuil, cet homme qui si souvent a occupé ma pensée. Son apparence m'était déjà familière. Il est très grand, mince, avec un vaste front bombé et des yeux profondément enfoncés dans les orbites. Rasé, pâle, il a une figure d'ascète et ses traits ont gardé quelque chose du professeur qu'il a été. Il se tient légèrement voûté et ne cesse de se balancer doucement de droite à gauche et de gauche à droite, un peu – cette curieuse comparaison m'est venue à l'esprit – à la manière des lézards. Les paupières plissées, il me dévisagea longuement, avec une attention soutenue.

« — Vous avez le front moins développé que je ne supposais, me dit-il enfin. C'est une habitude dangereuse que de manipuler des armes à feu dans la poche de sa robe de chambre.

« En le voyant entrer, j'avais immédiatement compris que la situation présentait pour moi de graves dangers et, d'un geste rapide, j'avais pris une arme dans mon tiroir, pour la glisser dans ma poche, le canon pressé contre le drap et tourné vers mon visiteur. Sa remarque me décida à poser mon revolver, tout armé, sur la table. Il sourit. D'un air si inquiétant que je me félicitai d'avoir une arme à portée de la main.

« — Évidemment, dit-il, vous ne me connaissez pas ?

« — Au contraire, répliquai-je. Mon attitude démontre que je vous connais fort bien. Asseyez-vous, je vous en prie ! J'ai cinq minutes à vous accorder si vous avez quelque chose à me dire.

« — Tout ce que j'ai à vous dire vous est déjà passé par l'esprit !

« — Et vous connaissez probablement mes conclusions ?

« — Votre ligne de conduite reste la même ?

« — Absolument.

« Il plongea la main dans sa poche. Immédiatement, je saisis mon revolver. Mais Moriarty se proposait seulement de s'aider de quelques notes jetées sur un agenda.

« — Le 4 janvier, reprit-il, vous vous êtes mis en travers de ma route. Le 23 du même mois, vous m'avez donné quelques petits tracas et vous m'avez sérieusement ennuyé vers le milieu de février. À la fin de mars, mes plans étaient à revoir en entier et, aujourd'hui, par suite de votre acharnement contre moi, je me trouve placé dans une situation telle que ma liberté même est menacée. Ma position devient impossible.

« — Avez-vous une suggestion à faire ? demandai-je.

« — Oui, monsieur Holmes ! Il faut que vous passiez la main. Vous comprenez ? Il le faut.

« — C'est ce que je ferai lundi prochain, répondis-je.

« — Un homme de votre intelligence, monsieur Holmes, ne peut pas ne pas se rendre compte qu'il n'y a, à cette aventure, qu'une solution possible : vous devez vous retirer, c'est indispensable. Vous avez manœuvré de telle sorte qu'il ne nous reste plus, à nous, qu'une ressource. La façon dont vous êtes intervenu dans cette affaire a été pour moi un véritable régal intellectuel et, je le dis en toute sincérité, il me serait pénible d'être contraint d'en venir aux mesures extrêmes. Vous souriez, mais je vous assure que c'est la vérité.

« Je lui fis observer que le danger faisait partie de mon métier.

« — Il ne s'agit pas de danger, répliqua-t-il, il s'agit d'une destruction inévitable. Vous barrez le chemin, non pas seulement à un individu, mais à une puissante organisation dont, si habile que vous soyez, vous ne soupçonnez pas les possibilités. Ou vous vous tiendrez tranquille, monsieur Holmes, ou vous serez piétiné !

« — Je crains, dis-je en me levant, que le plaisir de cette conversation ne soit en train de me faire négliger une affaire d'importance qui m'appelle ailleurs.

« Il se mit debout, lui aussi, et, hochant la tête, me regarda longuement sans rien dire.

« — Très bien ! déclara-t-il enfin. C'est dommage, mais j'aurai fait tout ce que je pouvais ! Je sais comment vous jouez votre partie, monsieur Holmes. Vous ne pouvez rien faire avant lundi. C'est un duel entre vous et moi et vous vous figurez que vous réussirez à m'amener dans le box des accusés. Permettez-moi de vous dire que vous ne m'y verrez jamais ! Vous espérez me battre, mais il n'en sera rien. Et, si vous êtes assez fort pour provoquer ma ruine, tenez pour certain que je serai assez fort, moi, pour vous écraser dans ma chute !

« — Monsieur Moriarty, répondis-je, vous m'avez dit des choses extrêmement flatteuses. Je pense vous faire un compliment, à mon tour, en vous disant que, si j'étais sûr de vous détruire, j'accepterais volontiers, me sacrifiant pour la communauté, d'être détruit, moi aussi !

« — Je puis vous promettre que vous le serez, mais non que je le serai, moi !

« Sur ce, Moriarty ricana, tourna les talons et sortit, mettant fin à ce singulier entretien qui me laissait, je l'avoue, sur une très désagréable impression. Il avait parlé sans élever la voix, avec la sobre précision d'un homme qui pense ce qu'il dit. Il ne bluffait pas, c'était incontestable. Naturellement, vous me direz : "Mais pourquoi ne le signalez-vous pas à la police ?" Réponse : parce que j'ai la conviction que ce n'est pas lui qui frappera, mais un de ses agents. J'ai les meilleures raisons du monde d'en être sûr.

— Vous avez déjà été attaqué ?

— Mon cher Watson, le Pr Moriarty n'est pas homme à laisser l'herbe pousser sous ses pas. Je suis sorti vers midi, mes affaires m'appelant dans Oxford Street. Venant de Bentinck Street, je traversais le carrefour pour gagner Welbeck Street quand une voiture de livraison, attelée de deux chevaux, m'est arrivée dessus à une allure folle. Je n'ai eu que le temps de faire un bond de côté, échappant à la mort d'une fraction de seconde. La voiture, cependant, avait déjà disparu dans Marylebone Lane. Je me tins désormais sur le trottoir. Dans Vere Street, une tuile tombée d'un toit vint s'écraser à mes pieds. J'appelai un agent et fis examiner la maison. Le toit était effectivement en réparation, des tuiles attendaient d'être employées et on voulut me persuader que c'était le vent qui avait fait voler celle qui avait failli me fracasser le crâne. Je savais à quoi m'en tenir là-dessus, mais je n'avais pas de preuve. Je m'en allai, prenant un cab, qui me conduisit chez mon frère, dans Pall Mall, où je passai la journée. En venant chez vous, j'ai été attaqué par un voyou qui maniait la matraque avec virtuosité. Je l'ai mis *knock-out* et des agents l'ont arrêté, mais je suis absolument convaincu qu'il sera impossible de démontrer qu'il existe une relation quelconque entre le gentleman sur la mâchoire duquel je me suis abîmé la main et le professeur de mathématiques qui se trouvait, j'en suis sûr, à dix milles du lieu de l'agression, étudiant au tableau noir quelque problème compliqué. Vous ne vous étonnerez donc pas, mon cher Watson, si la première chose que j'aie faite en arrivant chez vous a été de fermer les volets et si je me vois dans l'obligation de vous demander la permission de me retirer par une sortie plus discrète que la grande porte.

J'avais souvent admiré le courage de mon ami, mais jamais plus qu'en cet instant où, calmement assis dans son fauteuil, il récapitulait cette série d'incidents qui avaient fait de sa journée quelque chose de terrible.

— Pourquoi ne passeriez-vous pas la nuit ici ? demandai-je.

— Parce que vous découvririez peut-être, mon cher ami, que je suis un hôte par trop dangereux. Mes plans sont dressés et tout ira bien. Au point où en sont les choses, les événements doivent se dérouler sans que j'intervienne, au moins jusqu'à l'arrestation, ma présence ne devenant indispensable que pour faire condamner le personnage. Par conséquent, je ne puis mieux faire que de m'éloigner durant les quelques jours qui restent avant que la police ne puisse entrer en action. C'est pourquoi il me serait très agréable que vous acceptiez de venir sur le continent avec moi.

— J'ai peu de malades en ce moment, dis-je, et j'ai un confrère avec qui je m'entends parfaitement. Je serai ravi de vous accompagner.

— Et de partir demain matin ?

— Si c'est nécessaire.

— N'en doutez pas ! Voici donc vos instructions et je vous prie, mon cher Watson, de les suivre à la lettre, car, à partir de cet instant, nous avons, vous et moi, partie liée contre le bandit le plus intelligent qui soit en Europe et contre la plus puissante organisation criminelle du monde entier. Écoutez-moi bien ! Ce soir, vous ferez porter vos bagages par un homme sûr à la gare de Victoria. Aucune adresse sur votre malle, bien entendu. Demain matin, vous enverrez votre valet vous chercher un cab. Recommandez-lui de ne pas prendre le premier qui se présentera, non plus que le second. Vous sauterez dans la voiture et vous vous ferez conduire au bout du Strand, juste devant la Lowther Arcade. Cette adresse, vous la ferez connaître au cocher sur un morceau de papier, que vous aurez soin de récupérer. Vous tiendrez tout prêt le prix de la course et, dès que votre cab se sera arrêté, vous vous engouffrerez sous l'Arcade, vous arrangeant pour arriver de l'autre côté à 8 h 45 précises. Là, vous trouverez, vous attendant au bord du trottoir, un petit coupé, conduit par un homme qui portera un manteau noir à collet rouge. Vous grimperez dedans et vous arriverez à Victoria à temps pour vous installer dans le Continental Express.

— Où vous retrouverai-je ?

— À la gare. Le deuxième compartiment dans la première voiture de première classe nous est réservé.

— Donc, rendez-vous au wagon ?

— Vous l'avez dit !

Ce fut en vain que je priai Holmes de passer la soirée avec moi. De toute évidence, il estimait que sa présence risquait d'avoir des conséquences fâcheuses pour son hôte et qu'il n'avait pas le droit de l'imposer à personne. Il me fit encore quelques rapides recommandations pour le lendemain, puis s'en alla par le jardin. Je le vis escalader le mur et sauter dans Mortimer Street. Peu après, je l'entendis siffler un cab, dans lequel il s'éloigna.

J'observai strictement ses instructions. Le lendemain matin, mon valet alla me chercher un cab et prit toutes les précautions nécessaires pour être sûr que celui qu'il choisissait n'avait pas été placé là spécialement à mon intention. Mon petit déjeuner avalé, je me fis conduire à la Lowther Arcade, que je traversai en trombe. Le coupé était là, avec un cocher massif, enveloppé dans un lourd manteau noir à parements rouges. L'homme fouetta son cheval avant même que je ne fusse assis, me déposa à la gare de Victoria et disparut avec sa voiture sans même m'accorder un regard.

Jusque-là, tout avait bien marché. Mes bagages m'attendaient et je trouvai sans difficulté le compartiment que Holmes m'avait indiqué et qui était d'ailleurs, dans tout le train, le seul sur les vitres duquel on eût apposé une affichette portant le mot « Réservé ». Mon seul souci était de ne point voir Holmes apparaître. Sept minutes seulement nous séparaient de l'heure fixée pour le départ et c'était vainement que je scrutais les groupes, dans l'espoir de découvrir, parmi les voyageurs et ceux qui étaient venus leur dire adieu, la mince silhouette de mon ami. Je passai quelques instants à venir en aide à un vénérable prêtre italien qui, en très mauvais anglais, s'efforçait de faire comprendre à un porteur que ses malles devaient être enregistrées pour Paris. Après quoi, ayant encore une fois inspecté le quai d'un coup d'œil, je regagnai mon compartiment pour m'apercevoir que le porteur, malgré l'affichette, nous avait donné pour compagnon de voyage le vieil ecclésiastique transalpin. Mon italien étant encore plus pauvre que son anglais, il était inutile d'essayer de lui expliquer qu'il occupait une place réservée. Je me résignai et m'approchai de la fenêtre, cherchant des yeux mon ami. Je commençais à me sentir inquiet : son absence ne signifiait-elle pas que quelque chose lui était arrivé durant la nuit ? On fermait les portières et la locomotive sifflait.

— Mon cher Watson, dit une voix derrière moi, vous n'avez même pas daigné me dire bonjour !

Je me retournai, stupéfait. Le vieux prêtre italien me regardait. L'espace d'un instant, ses rides s'effacèrent, la lippe de la lèvre inférieure disparut, la bouche cessa de trembler, les yeux retrouvèrent leur éclat. Puis, subitement, tout rentra « dans l'ordre » : Holmes était parti aussi vite qu'il était venu.

— Dieu de Dieu ! m'écriai-je. J'en suis encore abasourdi !

— Je ne puis négliger aucune précaution, me répondit-il dans un murmure. J'ai de bonnes raisons de penser qu'on est sur notre piste. Tenez ! voici Moriarty en personne !

Le train s'était mis en marche. Je regardai sur le quai et j'aperçus un homme de haute taille qui se frayait brutalement un chemin dans la foule, tout en faisant de grands signes, comme s'il avait eu l'espoir de faire arrêter la machine. Mais il était trop tard : nous prenions déjà de la vitesse et, peu après, nous avions quitté la gare.

— Vous voyez, me dit Holmes en riant, que, malgré tout, nous l'avons échappé belle !

Il se leva, retira son chapeau et se dépouilla de sa soutane. Les accessoires de son déguisement rangés dans une mallette, il se tourna vers moi.

— Vous avez lu les journaux du matin ?

— Pas encore.

— Alors, vous ne savez pas ce qui s'est passé à Baker Street ?

— À Baker Street ?

— On a mis le feu chez moi. Il y a peu de dégâts.

— Le feu ! Mais c'est insensé !

— J'imagine qu'ils ont complètement perdu ma trace, hier soir, après l'arrestation de l'homme à la matraque. Sinon, ils n'auraient pas supposé que j'étais rentré chez moi. Évidemment, ils vous surveillaient et c'est ce qui a amené Moriarty à la gare. Vous n'avez pas fait de fausse manœuvre en venant ?

— Je m'en suis tenu rigoureusement à vos instructions.

— Vous avez trouvé le coupé ?

— Il m'attendait.

— Vous avez reconnu le cocher ?

— Non.

— C'était mon frère Mycroft. C'est un sérieux avantage, dans des circonstances comme celles-là, que de pouvoir ne pas mettre un domestique dans la confidence. Il faudrait voir, maintenant, ce que nous allons faire au sujet de Moriarty.

— Étant donné que nous sommes dans un express et que le bateau assure la correspondance, j'ai l'impression que nous l'avons semé pour de bon.

— Mon cher Watson, je commence à croire que vous ne m'avez pas très bien compris quand je vous ai dit que, sur le plan intellectuel, cet homme était mon égal. Vous ne vous figurez tout de même pas que, si c'était moi qui lui donnais la chasse, je me laisserais arrêter par un obstacle si dérisoire ? Alors, pourquoi ne lui accordez-vous pas un peu plus de crédit ?

— Que va-t-il faire ?

— Ce que je ferais.

— Alors, que feriez-vous ?

— Je chaufferais un train spécial.

— Il arrivera trop tard.

— Jamais de la vie ! Notre train s'arrête à Canterbury et, au bateau, il faut compter au moins un quart d'heure avant le départ. Il nous rejoindra là-bas.

— À vous entendre, on pourrait penser que c'est nous qui sommes les criminels. Faisons-le arrêter à l'arrivée !

— Ce serait détruire le travail de trois mois. Nous tiendrions la grosse pièce, mais les petits poissons se glisseraient à travers les mailles du filet et nous échapperaient. Or, lundi, nous devrions les coffrer tous. Non, l'arrestation est impossible.

— Alors ?

— Nous quitterons le train à Canterbury.

— Et après ?

— Eh bien, de là nous rallierons Newhaven, et Dieppe ensuite. Moriarty, une fois encore, fera ce que j'aurais fait. Il se rendra à Paris, repérera nos bagages et les surveillera, à la gare même, pendant quarante-huit heures. Pendant ce temps-là, nous nous offrirons chacun une mallette, encourageant par là l'industrie du pays que nous traversons, et, sans nous presser, nous gagnerons la Suisse, *via* Luxembourg-Bâle.

Il y a trop longtemps que je voyage pour être ennuyé par la perte de mes bagages, mais je dois avouer que j'étais passablement vexé d'être obligé de modifier mon itinéraire et de me cacher, par la faute d'un homme dont les crimes ne se comptaient plus. Cependant, il était bien évident que Holmes était mieux placé que moi pour juger de ce que nous devions faire. Nous descendîmes donc du train à Canterbury. Il nous fallait attendre une heure celui qui nous emmènerait à Newhaven.

Je regardais mélancoliquement s'éloigner le fourgon qui emportait mes vêtements de rechange quand Holmes me tira par la manche et me dit, l'index pointé vers la voie, en direction de Londres :

— Il n'a pas traîné !

On apercevait au loin un filet de fumée, qui semblait s'élever des bois déjà verdoyants du Kent. Une minute plus tard, une locomotive attelée d'un unique wagon abordait à toute vitesse la large courbe qui précède la gare. Nous eûmes tout juste le temps de nous dissimuler derrière une pile de bagages quand elle passa devant nous, dans un vacarme assourdissant. Holmes, souriant, regardait le wagon tressauter sur les aiguillages.

— Voilà notre homme lancé ! dit-il. Il y a, vous le voyez, des limites à son intelligence. Il aurait véritablement réussi un coup de maître s'il avait reconstitué les déductions que je devais faire, moi, et agi en conséquence.

— Que pensez-vous qu'il aurait fait s'il nous avait rejoints ?

— Il n'y a pas le moindre doute là-dessus. Il aurait certainement essayé de m'assassiner. Seulement, c'est un jeu qui se joue à deux. Pour le moment, la question est de savoir si nous déjeunons ici, encore qu'il soit un peu tôt, ou si nous risquons de mourir de faim avant d'atteindre le buffet de Newhaven.

Le même soir, nous arrivions à Bruxelles. Nous y passâmes deux jours, quittant ensuite la capitale belge pour gagner Strasbourg. Le lundi, Holmes, qui avait télégraphié à la police londonienne dans la matinée, reçut dans la soirée la réponse qu'il attendait. Il ouvrit la dépêche et, avec un juron, la jeta dans le feu.

— J'aurais dû m'en douter, grogna-t-il. Il leur a échappé !

— Moriarty ?

— Ils ont bouclé toute la bande, lui excepté. Il s'est joué d'eux comme il a voulu. Évidemment, moi parti, il ne restait personne en Angleterre pour lutter contre lui avec des chances de succès. Seulement, je me figurais leur avoir mâché la besogne. Je crois, Watson, que vous feriez bien de rentrer à Londres.

— Mais pourquoi ?

— Parce qu'à partir de maintenant, Watson, je deviens pour vous un dangereux compagnon. L'organisation de cet homme vient de s'écrouler. Il est perdu s'il rentre à Londres. Si je ne me trompe sur son compte, il va désormais consacrer toute son énergie à se venger. En fait, il ne me l'a pas caché au cours de notre entretien et j'ai idée qu'il parlait sérieusement. Je vous recommanderais vivement de retourner à votre clientèle.

Venant d'un vieil ami dont j'avais été souvent le compagnon de lutte, un tel appel avait peu de chances d'être entendu. Nous discutâmes la question pendant une demi-heure, dans la salle à manger de l'hôtel, et, le soir même, poursuivant ensemble notre voyage, nous partions pour Genève.

Pendant huit jours délicieux, nous remontâmes la vallée du Rhône, franchissant ensuite le col de la Gemmi, encore enfoui sous la neige, pour gagner Interlaken, d'où nous nous mîmes en route pour Meiringen. Le paysage était adorable. Nous avions à nos pieds tout le vert du printemps et, au-dessus de nous, l'éclatante blancheur des neiges éternelles. Holmes, pourtant, n'oubliait pas l'ombre qui planait sur lui. Aussi bien dans les aimables petits villages des Alpes que dans les passes solitaires de la montagne, je me rendais compte, aux regards furtifs qu'il jetait de droite et de gauche, à la façon dont il scrutait les visages, qu'il restait convaincu que, si loin que nous portassent nos pas, ils ne pouvaient nous emmener assez loin pour qu'il nous fût possible de nous dire hors de danger.

Une fois, je m'en souviens, sur la Gemmi, comme nous suivions l'étroit sentier qui domine le mélancolique Daubensee, un énorme morceau de roc se détacha de la muraille, sur notre droite, passa derrière nous en grondant et alla se perdre dans les eaux du lac. Holmes, tout aussitôt, escalada la paroi et, d'une plate-forme élevée, inspecta l'horizon du regard dans toutes les directions. Notre guide nous assura qu'au printemps les chutes de pierres n'étaient pas rares en cet endroit. Il perdait son temps. Holmes, sans répondre, souriait, de l'air de quelqu'un qui voit ses prévisions confirmées.

Il se tenait sur ses gardes, mais n'était nullement déprimé. Au contraire, je ne me rappelle pas l'avoir jamais vu plus enjoué. Il se plaisait à me répéter que, s'il avait la certitude que la société n'aurait plus rien à craindre du Pr Moriarty, ce serait d'un cœur léger qu'il mettrait fin à sa propre carrière.

— Et je crois pouvoir dire, mon cher Watson, me déclarat-il un jour, que ma vie n'aura pas été complètement perdue. Si elle devait prendre fin ce soir, je pourrais encore considérer mon passé d'une âme égale. C'est un peu à cause de moi que, maintenant, l'air de Londres est plus pur. Dans plus de mille affaires, je suis certain d'avoir mis mes facultés au service des honnêtes gens, encore que ces derniers temps j'aie été plus attiré par les problèmes posés par la nature elle-même que par ceux, bien moins passionnants, qu'engendre la structure artificielle de la société. Vos intéressants Mémoires, Watson, prendront fin le jour où j'apporterai un couronnement à ma carrière en arrêtant, ou peut-être en supprimant, le plus dangereux et le plus intelligent criminel de l'Europe entière.

Il ne me reste que peu de chose à ajouter. Je serai bref et précis. Le sujet n'est pas de ceux que je pourrais avoir plaisir à développer, mais il est cependant de mon devoir de ne pas omettre un détail.

Le 3 mai, nous atteignîmes le petit village de Meiringen, où nous prîmes pension à l'*Hôtel des Anglais,* alors tenu par Peter Steiler l'aîné. L'homme était intelligent et parlait un anglais excellent, car il avait pendant trois ans servi en qualité de garçon à Londres, au *Grosvenor Hotel.* Sur son conseil, nous nous mîmes en route, dans l'après-midi du 4, pour traverser la montagne et aller passer la nuit au hameau de Rosenlaui. Il nous avait bien recommandé de ne point passer à proximité des chutes de Reichenbach, qui sont à mi-chemin du sommet, sans faire un petit détour pour les voir.

Le site, il faut en convenir, est effrayant. Le torrent, gonflé par la fonte des neiges, se précipite au fond d'une gorge, d'où l'écume s'élève en tourbillons comme de la fumée au-dessus d'une maison en feu. Le défilé dans lequel la rivière se rue est une sorte de ravin, aux parois d'un noir brillant de houille. Elle va se rétrécissant, dans un bouillonnement blanc, sous lequel se devinent d'insondables profondeurs. L'eau verte coule en mugissant sous un rideau d'écume et de l'abîme monte un grondement sourd et continu.

Nous contemplâmes longuement ce paysage dantesque. Accroché au flanc de la montagne, le sentier sur lequel nous nous tenions avance jusqu'au-dessus de la chute, pour qu'on puisse mieux l'admirer, mais prend fin brusquement et le touriste ne peut se retirer qu'en revenant sur ses pas. C'était ce que nous allions faire quand nous vîmes accourir dans notre direction un jeune garçon du pays qui brandissait une lettre. L'enveloppe portait l'en-tête de l'hôtel et le pli m'était destiné. Il m'informait que, quelques minutes à peine après notre départ, une Anglaise était arrivée à l'hôtel. Tuberculeuse au dernier degré, elle avait passé l'hiver à Davos et elle se rendait à Lucerne, où elle devait retrouver des amis. Une hémorragie soudaine l'avait obligée à s'arrêter en route. Il était probable qu'elle n'avait plus que quelques heures à vivre, mais ce serait pour elle un grand réconfort que de voir un médecin anglais à son chevet. Steiler terminait en me priant de bien vouloir redescendre à l'hôtel, et, dans un post-scriptum, ajoutait qu'il me serait personnellement très reconnaissant de lui accorder cette faveur : la dame refusant obstinément de recevoir un médecin suisse, le brave homme se sentait écrasé par le sentiment de ses responsabilités.

Il est des cris de détresse qu'on ne peut ignorer. Il était impossible de ne pas me rendre auprès d'une de mes compatriotes agonisant en pays étranger. Pourtant, j'avais scrupule à abandonner Holmes. Nous décidâmes finalement que le jeune messager suisse resterait avec lui, pour lui tenir compagnie et lui servir de guide, tandis que je regagnerais Meiringen. Holmes me dit qu'il s'attarderait un instant encore auprès des chutes et s'en irait ensuite tout doucement vers Rosenlaui, où je le rejoindrais dans la soirée. Je m'éloignai. Me retournant, j'aperçus Holmes, adossé, les bras croisés, à la paroi rocheuse et regardant en bas, vers le gouffre. Je ne devais plus le revoir en ce monde.

Arrivé presque au pied de la descente, je me retournai de nouveau. D'où j'étais, les chutes étaient invisibles, mais j'apercevais distinctement le sentier qui y conduisait. Un homme le suivait, qui marchait d'un pas rapide. Je voyais sa silhouette noire qui se découpait sur un fond de verdure. Je remarquai qu'il était bien pressé, puis, songeant à la malade qui m'attendait, pensai à autre chose.

Je dus mettre un peu plus d'une heure pour arriver à Meiringen. Le vieux Steiler prenait le frais sous le porche de l'hôtel.

— Alors ? lui dis-je, un peu haletant encore. J'espère qu'elle ne va pas plus mal ?

Il posa sur moi un regard étonné et, au froncement de ses sourcils, je sentis le cœur me manquer. Je tirai la lettre de ma poche.

— Ce n'est pas vous qui avez écrit ça ? Il n'y a pas ici une Anglaise qui est malade ?

— Certainement pas ! me répondit-il.

Il regardait mon enveloppe.

— Pourtant, reprit-il, cette lettre porte l'en-tête de l'hôtel. Je suppose qu'elle aura été écrite par cet Anglais qui est arrivé immédiatement après votre départ. Il a dit...

Je n'attendis pas ses explications. Redoutant le pire, je descendais déjà en courant la grande rue du village pour rejoindre le sentier par lequel j'étais venu. Je me hâtai autant qu'il me fut possible, mais il ne m'en fallut pas moins de deux heures pour me retrouver au point d'où j'étais parti. L'alpenstock de Holmes était toujours là, posé contre le roc, à l'endroit même où je l'avais vu à mon départ, mais mon ami avait disparu. Je l'appelai longuement. Aucune réponse, sinon l'écho de ma propre voix, renvoyée par les rochers alentour.

Ce qui me glaçait de terreur, c'était cet alpenstock, qui me prouvait que mon ami n'était pas allé à Rosenlaui. Holmes avait dû rester là, sur cet étroit sentier, bordé d'un côté par une paroi abrupte et de l'autre par un précipice, et c'était là que son ennemi l'avait surpris. Aucune trace du jeune Suisse, bien entendu, Moriarty l'avait payé, le gamin était parti, laissant les deux hommes face à face. Que s'était-il passé ensuite ? Qui pourrait jamais nous le dire ?

Je demeurai là, une minute ou deux, cloué sur place, essayant de me ressaisir et de secouer l'horreur qui m'accablait. Puis je pensai aux méthodes de Holmes et m'efforçai de les utiliser pour reconstituer le drame. Ce n'était, hélas, que trop facile ! Durant notre conversation, nous n'étions pas allés jusqu'à l'extrême bout du sentier et l'alpenstock marquait l'endroit exact où nous nous étions arrêtés. Le sol était maintenu dans un état d'humidité constante par l'écume pulvérisée qui jaillissait du ravin et un moineau, en trottinant, y eût laissé des empreintes. On voyait nettement des traces de pas, formant une double piste qui s'éloignait vers l'extrémité du sentier. Mais rien n'indiquait qu'un des deux promeneurs fût revenu. À proximité du gouffre, la terre boueuse avait été piétinée et, le long du rocher, ronces et fougères avaient été foulées et écrasées. Je m'allongeai sur le sol et j'avançai la tête au-dessus de l'abîme. Le soir commençait à tomber et je ne distinguai rien, hormis le miroitement des noires parois rocheuses et, tout au fond, l'eau qui bouillonnait au pied des chutes. J'appelai de toute la force de mes poumons. Aucune réponse ne parvint à mes oreilles.

Il était écrit, pourtant, que mon vieil ami m'adresserait un dernier adieu. Revenant près de son alpenstock, je remarquai, posé sur une saillie du roc, un objet qui brillait. J'avançai la main : c'était l'étui à cigarettes en argent que Holmes avait l'habitude de porter sur lui. Comme je le prenais, un petit papier carré tomba par terre. Je le ramassai et, le dépliant, je constatai qu'il s'agissait de trois pages arrachées à un carnet et à moi destinées. Remarque caractéristique et qui peint l'homme, le texte était aussi clair et l'écriture aussi nette que si, ce message, Holmes l'avait rédigé dans le calme de son cabinet de travail. Ce billet, le voici :

Mon cher Watson,

Si je puis vous écrire ces quelques lignes, je le dois à la courtoisie de M. Moriarty, qui veut bien attendre un instant avant de commencer avec moi la discussion qui mettra un point final à notre différend. Il m'a exposé de façon sommaire les procédés qu'il a mis en œuvre pour échapper à la police britannique et être, d'autre part, informé de nos mouvements. Ce qu'il m'a dit m'a confirmé dans la très haute opinion que j'avais de ses dons et de ses possibilités. Je suis heureux de penser que je suis désormais en mesure de débarrasser la société de sa néfaste présence, malheureusement, je le crains, à un prix qui chagrinera mes amis, et vous tout spécialement, mon cher Watson. Cependant, je vous ai déjà fait remarquer que, de toute façon, ma carrière a atteint son apogée et que je ne pouvais mieux la terminer que je ne vais le faire. Je vous avouerai, et ma confession sera complète, que je n'ai pas douté un instant que la lettre qui vous a été apportée de Meiringen était une mystification et que je vous ai laissé partir, très sûr de ce qui allait se produire. Dites à l'inspecteur Patterson que les papiers dont il a besoin pour faire condamner la bande se trouvent dans le casier "M", enfermés dans une enveloppe bleue, marquée "Moriarty". J'ai pris, avant de quitter Londres, toutes mes dispositions quant à ce que doivent devenir mes biens, que je laisse à mon frère Mycroft. Présentez, je vous prie, mes respectueux hommages à Mme Watson et croyez-moi, mon cher vieux,

Très sincèrement vôtre
Sherlock HOLMES.

Quelques mots me suffiront pour terminer. Il n'est pour ainsi dire pas douteux, d'après les conclusions des enquêteurs qualifiés, que les deux hommes se battirent et que la lutte prit fin comme il était fatal dans les conditions où elle était engagée, les deux adversaires roulant dans l'abîme, accrochés l'un à l'autre. Les recherches entreprises pour retrouver les corps étaient sans espoir. Au fond du terrifiant chaudron de Reichenbach demeurent engloutis pour l'éternité le pire criminel des temps modernes et le plus remarquable détective de sa génération. Le jeune Suisse qui avait porté la lettre ne fut jamais identifié et il est certain qu'il était l'un des nombreux agents à la solde de Moriarty. Quant à la bande, on n'a vraisemblablement pas oublié que les preuves accumulées par Holmes firent toute la lumière sur ses méfaits et que la main du mort s'appesantit lourdement sur les complices de Moriarty. Du chef lui-même, il fut peu parlé au cours des débats et, si je me suis trouvé dans l'obligation d'écrire une relation exacte de ce que fut sa carrière, c'est uniquement parce que des champions fâcheusement inspirés se sont trouvés pour essayer de réhabiliter sa mémoire en attaquant un homme que je considérerai toujours comme le meilleur et le plus sage que j'aie connu.

LES HOMMES DANSANTS

Vincent Vega → Alle r bie
                    → Hitler Cubrit

Yoda → Warlock
Wiols   Luke

_____ → ___ S o

Holmes était resté plusieurs heures assis en silence, son long dos courbé sur une coupelle de chimie dans laquelle il mélangeait une mixture particulièrement malodorante. Sa tête inclinée sur sa poitrine, il me faisait penser à un étrange oiseau décharné au plumage gris terne et à la huppe noire.

— Alors, Watson, me lança-t-il tout à coup, comme ça vous n'avez pas l'intention d'investir dans les valeurs sud-africaines ?

J'eus un sursaut de stupéfaction. Bien que je fusse habitué aux singulières facultés de Holmes, cette brusque intrusion dans mes réflexions les plus intimes m'était complètement inexplicable.

— Comment diable le savez-vous ? lui demandai-je.

Il pivota sur son tabouret, un tube à essai fumant à la main et une lueur amusée au fond de ses yeux profondément enfoncés.

— Allons, Watson, avouez que vous êtes confondu, fit-il.

— Je le suis.

— Je devrais vous faire signer des aveux dans ce sens.

— Pourquoi ?

— Parce que dans cinq minutes vous soutiendrez que ceci est d'une absurde simplicité.

— Jamais je ne prétendrai une chose pareille.

— Voyez-vous, mon cher Watson – il posa le tube à essai dans son râtelier et se lança dans une démonstration sur le ton d'un professeur s'adressant à sa classe –, il n'est pas très difficile de construire une suite de déductions où chacune découle de celle qui la précède et où toutes sont néanmoins d'une extrême simplicité. Si, après avoir procédé de la sorte, l'une d'entre elles balaie simplement toutes les déductions intermédiaires et offre une résonance avec le point de départ et la conclusion, elle est capable de produire un effet surprenant, bien que peut-être factice. Pour ce qui nous occupe, il n'était pas très difficile, par un examen du sillon entre votre index gauche et votre pouce, de savoir avec certitude que vous n'aviez pas l'intention d'investir votre modeste capital dans les mines d'or.

— Je ne vois pas le rapport.

— Probablement pas ; mais je peux très rapidement vous montrer un lien très étroit. Voici les maillons manquants d'une chaîne fort simple : 1) Vous aviez de la craie entre votre index gauche et votre pouce en revenant de votre club hier soir. 2) Vous mettez de la craie à cet endroit lorsque vous jouez au billard, pour assurer votre queue. 3) Vous ne jouez jamais au billard sauf avec Thurston. 4) Vous m'avez confié, il y a quatre semaines, que Thurston avait une option sur des terrains sud-africains qui arrivait à expiration au bout d'un mois et qu'il désirait vous la voir partager avec lui. 5) Votre carnet de chèques est enfermé dans mon tiroir et vous ne m'avez pas demandé la clé. 6) Vous n'avez pas l'intention de placer votre argent de cette manière.

— Ceci est d'une absurde simplicité ! m'exclamai-je.

— Exactement ! répliqua-t-il, légèrement irrité. N'importe quel problème devient d'une simplicité enfantine une fois qu'on vous l'a expliqué. En voici un qui ne l'est pas. Voyez ce que vous pouvez en tirer, mon cher Watson.

Il poussa une feuille de papier sur la table avant de retourner à ses expériences de chimie.

Je me penchai avec étonnement sur les absurdes hiéroglyphes qui couvraient le papier.

— Voyons, Holmes, c'est un dessin d'enfant, m'écriai-je.

— Oh, c'est votre opinion !

— Que serait-ce d'autre ?

— Précisément ce que M. Hilton Cubitt du Manoir de Riding Thorpe, Norfolk, est impatient de savoir. Cette petite énigme est arrivée par le premier courrier du matin et l'homme est censé suivre par le prochain train. Voici un coup de sonnette, Watson. Je ne serais pas surpris que ce fût lui.

Un pas pesant gravit l'escalier, et un instant plus tard, un grand gentleman, dont les yeux clairs et les joues rubicondes témoignaient d'une vie menée loin des brouillards de Baker Street, le teint éclatant de santé et parfaitement rasé, pénétrait dans la pièce. Une bouffée de cet air puissant, frais et fortifiant de la côte Est parut s'engouffrer avec lui. Après nous avoir serré la main à chacun, il allait s'asseoir lorsque son regard tomba sur la feuille et ses singuliers dessins que je venais d'examiner et que j'avais laissée sur la table.

— Alors, monsieur Holmes, qu'en pensez-vous ? s'écriat-il. On m'a dit que vous appréciiez les mystères insolites. Je ne crois pas que vous puissiez en trouver de plus étrange. Je vous l'ai envoyé en avance pour vous laisser le temps de l'étudier avant mon arrivée.

— Il s'agit sans aucun doute d'une pièce des plus curieuses, commenta Holmes. À première vue, on pourrait la prendre pour un dessin d'enfant représentant une extravagante succession de petites silhouettes dansant sur le papier où elles sont dessinées. Pourquoi accordez-vous une quelconque importance à une chose aussi saugrenue ?

— Je n'y aurais prêté aucune attention, monsieur Holmes, si ce n'était ma femme. Ce papier lui a fait une peur bleue. Elle ne dit rien mais la terreur se lit dans son regard. C'est pourquoi je veux aller au bout de cette affaire.

Holmes ramassa le papier et l'exposa à la lumière du soleil. La page était arrachée d'un carnet. Les dessins étaient faits au crayon et se déroulaient de la façon suivante :

Holmes l'examina quelque temps puis, le pliant soigneusement, il le rangea dans son agenda.

— Voilà un cas qui promet d'être des plus intéressants et des plus inhabituels, fit-il. Vous m'avez fourni quelques détails dans votre lettre, monsieur Hilton Cubitt, auriez-vous cependant l'obligeance de revenir dessus au profit de mon ami, le docteur Watson ?

— Je ne suis pas un très bon conteur, répondit notre visiteur en serrant et desserrant nerveusement ses grandes mains puissantes. Vous me demanderez des explications quand je n'aurai pas été clair. Je commencerai avec mon mariage l'année dernière mais je veux tout d'abord vous dire que, bien que je ne sois pas un homme riche, ma famille est établie à Riding Thorpe depuis cinq siècles et il n'est pas de famille plus respectée que la nôtre dans le comté de Norfolk. L'année dernière, je suis venu à Londres pour le Jubilé et je suis descendu dans une pension de famille de Russel Square parce que Parker, le pasteur de notre paroisse, y était installé. Il y avait là une jeune femme, une Américaine du nom de Patrick, Elsie Patrick. Nous sommes devenus amis et, avant la fin de mon séjour d'un mois, j'étais aussi épris qu'on peut l'être. Nous nous sommes mariés civilement dans la plus grande intimité et c'est en tant que mari et femme que nous sommes retournés à Norfolk. Vous estimerez que c'est une pure folie, monsieur Holmes, pour un homme d'une bonne et ancienne famille, d'épouser une femme de cette façon, sans rien savoir de son passé ni de sa famille mais si vous la voyiez, si vous la connaissiez, vous comprendriez mieux.

« Elle, Elsie s'est montrée très franche à ce sujet. Je ne peux pas dire qu'elle ne m'ait donné toutes les occasions de me rétracter si je l'avais voulu. "J'ai eu des fréquentations très déplaisantes dans ma vie, m'a-t-elle dit. Je veux les oublier. Je ne ferai jamais aucune allusion à mon passé parce qu'il m'est très douloureux. Si tu m'épouses, Hilton, tu épouseras une femme qui n'a rien à se reprocher ; mais tu devras te contenter de ma parole et m'autoriser à rester silencieuse sur tout ce qui s'est passé avant que je ne sois tienne. Si ces conditions sont trop dures, alors retourne à Norfolk et laisse-moi à l'existence solitaire qui était la mienne lorsque tu m'as rencontrée." Tels furent les mots qu'elle prononça la veille de notre mariage. Je lui ai répondu que je m'accommoderai de ses conditions et j'ai tenu parole.

« Nous sommes mariés à présent depuis un an et nous avons été parfaitement heureux. Mais il y a un mois, à la fin juin, j'ai remarqué les premiers signes de trouble. Un jour, ma femme a reçu une lettre d'Amérique. J'ai vu le timbre américain. D'une pâleur mortelle, elle a lu la lettre puis l'a jetée au feu. Elle n'y fit par la suite aucune allusion, pas plus que moi, car une promesse est une promesse mais, depuis ce jour, elle n'a jamais connu une heure de tranquillité. Son visage affiche une inquiétude permanente comme si elle attendait et redoutait quelque chose. Elle ferait mieux de me faire confiance. Elle se rendrait compte que je suis son meilleur ami. Mais je ne peux rien dire avant qu'elle ne parle. Voyez-vous, c'est une femme honnête, monsieur Holmes, et quels que soient les problèmes qu'elle ait pu rencontrer par le passé, elle n'y est pour rien. Je ne suis qu'un simple châtelain de Norfolk mais aucun autre homme que moi en Angleterre ne tient l'honneur de sa famille en plus haute considération. Elle le sait très bien et elle le savait parfaitement avant de m'épouser. Elle n'y ferait jamais la moindre tache, j'en suis parfaitement convaincu.

« J'en viens à présent à la partie la plus étrange de mon récit. Il y a environ une semaine – c'était le mardi de la semaine dernière –, j'ai découvert sur le rebord d'une fenêtre une série d'absurdes petites silhouettes dansantes comme celles sur le papier. Elles étaient griffonnées à la craie. J'ai cru que c'était le garçon d'écurie qui les avait dessinées mais le garçon m'a juré qu'il n'y était pour rien. Quoi qu'il en soit, elles sont apparues pendant la nuit. Je les ai fait lessiver et je n'ai mentionné l'incident à ma femme que plus tard. À ma surprise, elle l'a pris très au sérieux et m'a supplié, si d'autres dessins apparaissaient, de les lui laisser voir. Il n'y en eut pas pendant une semaine et puis, hier matin, j'ai découvert ce papier abandonné sur le cadran solaire du jardin. Je l'ai montré à Elsie et elle s'est évanouie. Depuis lors, elle semble être ailleurs, à moitié hébétée, une lueur de terreur tapie en permanence au fond des yeux. C'est alors que je vous ai écrit et envoyé ce papier, monsieur Holmes. Je ne pouvais pas raconter cette histoire à la police, ils m'auraient ri au nez mais vous, vous allez me dire ce qu'il faut faire. Je ne suis pas un homme riche mais, si un danger menace ma chère femme, je suis prêt à dépenser jusqu'à mon dernier sou pour la protéger.

Simple, honnête et de bonne famille, avec ses grands yeux bleus pleins de ferveur et son beau et large visage, cet homme constituait un représentant admirable de ces propriétaires terriens issus du vieux sol anglais. Son amour pour sa femme et sa confiance en elle se lisaient sur ses traits. Holmes, après avoir écouté son histoire avec la plus grande attention, resta quelque temps plongé dans ses réflexions.

— Ne croyez-vous pas, monsieur Cubitt, fit-il enfin, que le mieux serait de vous adresser directement à votre femme et de lui demander de vous faire partager son secret ?

Hilton Cubitt hocha sa tête massive.

— Une promesse est une promesse, monsieur Holmes. Si Elsie voulait me parler, elle le ferait. Sinon, ça n'est pas à moi de forcer ses confidences. Mais rien ne m'interdit d'agir à ma guise et c'est ce que j'ai l'intention de faire.

— Alors je vous aiderai de tout mon cœur. En premier lieu, avez-vous entendu parler de l'arrivée d'étrangers dans les environs ?

— Non.

— J'imagine que c'est un endroit très calme. Un visage nouveau provoquerait des commentaires, non ?

— Dans le voisinage immédiat, oui. Mais il y a plusieurs petites stations balnéaires assez proches et les paysans prennent des pensionnaires.

— Ces hiéroglyphes ont manifestement un sens. S'il est purement arbitraire, il nous sera sans doute impossible de le découvrir. Mais si, par ailleurs, il obéit à un code, je ne doute pas d'en venir à bout. Cependant, cet échantillon précis est si court que je ne peux rien en tirer et les faits que vous m'avez rapportés sont si vagues qu'ils ne peuvent servir de base à une enquête. Je vous suggère de rentrer à Norfolk, de maintenir une surveillance assidue et de faire une copie fidèle de toute nouvelle ribambelle dansante qui pourrait apparaître. Il est tout à fait regrettable de ne pas avoir la réplique de celle laissée à la craie sur le rebord de la fenêtre. Menez aussi une enquête discrète sur la présence éventuelle d'étrangers dans les parages. Dès que vous aurez rassemblé de nouveaux éléments, venez me voir. C'est le meilleur conseil que je puisse vous donner, monsieur Hilton Cubitt. Si un quelconque développement pressant devait survenir, je me tiendrais prêt à venir vous voir à Norfolk à tout instant.

L'entrevue laissa Sherlock Holmes profondément songeur et, à plusieurs reprises au cours des quelques jours suivants, je le vis sortir le petit morceau de papier de son calepin et se pencher longuement et avec la plus grande concentration sur les curieuses figurines qui y étaient inscrites. Il ne fit cependant aucune allusion à l'affaire jusqu'à un après-midi environ quinze jours plus tard. J'allais sortir lorsqu'il me rappela.

— Vous feriez mieux de rester, Watson.

— Pourquoi ?

— Parce que j'ai reçu un télégramme de Hilton Cubitt ce matin. Vous vous souvenez de Hilton Cubitt et des farandoles ? Il devait arriver à Liverpool Street à treize heures vingt. Il devrait être là d'un instant à l'autre. Je déduis de son télégramme que de nouveaux événements d'importance sont intervenus.

Nous n'attendîmes pas longtemps puisque notre châtelain de Norfolk arriva de la gare aussi vite qu'un fiacre put le conduire. Les yeux fatigués et le front ridé, il avait l'air soucieux et abattu.

— Cette affaire me porte sur les nerfs, monsieur Holmes, commença-t-il en s'affaissant comme un homme épuisé dans un fauteuil. C'est assez pénible de se sentir cerné par des gens invisibles et inconnus qui manigancent dans votre dos mais quand, en plus, vous savez que cela tue votre femme à petit feu, alors c'en est trop. Ça la ronge, elle dépérit sous mes yeux.

— Elle n'a toujours rien dit ?

— Non, monsieur Holmes, rien. Il y eut pourtant bien des moments où la pauvre femme a semblé sur le point de parler mais elle n'a jamais pu se résoudre à franchir le pas. J'ai essayé de l'aider mais je dois avouer m'y être pris maladroitement et l'avoir effrayée. Elle a parlé de l'ancienneté de ma famille, de notre réputation dans le comté, de notre fierté quant à notre honneur sans tache et j'ai eu l'impression qu'on allait en venir à la question mais je ne sais pas comment, tout s'est arrêté avant.

— Mais vous avez vous-même découvert quelque chose ?

— Et pas qu'un peu, monsieur Holmes. J'ai plusieurs nouvelles ribambelles à vous montrer et, surtout, j'ai vu l'homme.

— Quoi, l'homme qui les a dessinées ?

— Oui, je l'ai vu à l'œuvre. Mais je vais tout vous raconter dans l'ordre. Lorsque je suis rentré de ma visite chez vous, la première chose que je découvris le lendemain matin fut une nouvelle série de ces silhouettes dansantes. Elles avaient été dessinées à la craie sur la porte en bois noire de la cabane à outils, à côté du tennis parfaitement visible depuis les fenêtres de devant. J'en ai fait une copie exacte que voilà.

Il déplia un papier qu'il étendit sur la table. Voici la réplique des hiéroglyphes :

— Excellent ! s'exclama Holmes. Excellent ! Je vous en prie, poursuivez.

— Lorsque j'eus terminé, j'effaçai les marques mais, deux matins plus tard, une nouvelle inscription était apparue. En voici la copie :

ᛏᚠᚾᛄᛚᚨᚱᛏᚤ

Holmes se frotta les mains et gloussa de plaisir.

— Notre matériel s'accumule rapidement, fit-il.

— Trois jours plus tard, un message griffonné sur du papier était glissé sous un caillou sur le cadran solaire. Le voici. Les dessins, comme vous le constatez, sont exactement les mêmes que sur le précédent. Après ça, je me suis résolu à faire le guet. J'ai sorti mon revolver et je me suis installé dans mon bureau qui domine le tennis et le jardin. Aux environs de deux heures du matin, j'étais assis devant la fenêtre, la pièce était plongée dans l'obscurité à l'exception du clair de lune qui luisait au-dehors lorsque j'entendis des pas derrière moi. C'était ma femme en robe de chambre. Elle m'a supplié de venir me coucher. Je lui ai dit franchement que je voulais savoir qui nous jouait ces farces ridicules. Elle me répondit qu'il s'agissait d'une plaisanterie stupide à laquelle je ne devais prêter aucune attention.

« — Si cela t'ennuie tellement, Hilton, partons en voyage tous les deux pour y échapper.

— Quoi, nous faire chasser de chez nous par un plaisantin ? rétorquai-je. Et être ridiculisé dans tout le pays ?

— Allons, viens te coucher, me répondit-elle. Nous parlerons de tout ça demain matin. »

« Brusquement, alors qu'elle parlait, je vis la pâleur de son visage s'accentuer encore au clair de lune et sa main se serra sur mon épaule. Quelque chose se déplaçait dans l'ombre de la cabane à outils. Je distinguais une silhouette sombre, furtive, qui franchissait le coin et s'accroupissait devant la porte. Saisissant mon arme, j'allais me précipiter dehors quand ma femme lança les bras autour de moi et me retint avec une force convulsive. J'essayai de la repousser mais elle s'accrochait désespérément à moi. Je parvins à me libérer mais le temps que j'ouvre la porte et que j'arrive à la remise, l'homme avait disparu. Il avait pourtant laissé une trace de sa présence. En effet, la même configuration de figurines dansantes apparue à deux reprises et que j'avais déjà recopiée se trouvait sur la porte. J'inspectai les alentours sans découvrir la moindre trace de cet homme. Et pourtant, si incroyable que cela paraisse, il avait dû être là tout le temps puisque, lorsque j'examinai de nouveau la porte le lendemain matin, il avait griffonné d'autres dessins sous la ligne que j'avais déjà vue.

— Avez-vous ce nouveau dessin ?

— Oui, il est très bref mais j'en ai fait une copie que voici.

Il produisit une feuille. La nouvelle sarabande avait cet aspect :

$$\text{ƐXꓨⵝⴾ}$$

— Dites-moi, fit Holmes – et je voyais dans son regard combien il était excité –, était-ce un simple ajout au message précédent ou vous a-t-il semblé complètement indépendant ?

— Il était sur un autre panneau de la porte.

— Excellent ! En ce qui nous concerne, c'est de loin le fait le plus important. Il me remplit d'espoir. Mais je vous en prie, monsieur Hilton Cubitt, poursuivez votre passionnant récit.

— Je n'ai rien de plus à dire, monsieur Holmes, sinon que j'étais en colère contre ma femme ce soir-là pour m'avoir retenu alors que j'aurais pu attraper ce coquin de rôdeur. Elle a dit qu'elle avait eu peur qu'il ne m'arrive quelque chose. Pendant une seconde, il m'est venu à l'esprit qu'elle craignait peut-être en fait qu'il ne *lui* arrive quelque chose parce que je savais sans le moindre doute qu'elle connaissait l'identité de cet homme et ce qu'il voulait dire avec ses étranges messages. Mais il y a un ton dans la voix de ma femme, monsieur Holmes, et un éclat dans ses yeux qui interdisent tout soupçon et je suis sûr que c'était en effet ma sécurité qui la préoccupait. Voilà toute l'histoire et, maintenant, je voudrais votre avis sur la conduite à tenir. Si je m'écoutais, je mettrais une demi-douzaine de mes hommes dans les buissons et, quand ce type reviendra, ils lui donneront une telle raclée qu'il nous laissera tranquilles pour un bout de temps.

— Je crains que le cas ne soit trop grave pour des solutions aussi simples, commenta Holmes. Combien de temps pouvez-vous rester à Londres ?

— Je dois rentrer aujourd'hui. Je ne voudrais pour rien au monde laisser ma femme seule ce soir. Elle est très nerveuse et m'a supplié de rentrer.

— Vous avez parfaitement raison. Mais si vous aviez pu prolonger votre séjour, j'aurais peut-être pu vous accompagner dans un jour ou deux. Dans l'intervalle, laissez-moi ces papiers. Je pense qu'il est très probable que je sois en mesure de vous rendre visite sous peu et de jeter quelque lumière sur votre affaire.

Sherlock Holmes conserva le calme de son attitude professionnelle jusqu'au départ de notre visiteur bien qu'il me fût aisé, moi qui le connaissais si bien, de noter son extrême agitation. Au moment où le large dos de Hilton Cubitt disparaissait par la porte, mon camarade se précipita vers la table, étendit devant lui tous les morceaux de papier recouverts de farandoles et se plongea dans des calculs complexes et minutieux. Deux heures durant je l'observais tandis qu'il remplissait des feuilles et des feuilles de silhouettes et de lettres, si complètement absorbé par sa tâche qu'il en avait de toute évidence oublié ma présence. Il faisait parfois des progrès et sifflotait ou chantait devant son travail ; à d'autres moments, il demeurait perplexe et restait immobile durant de longues périodes, le sourcil froncé et le regard vague. Il bondit finalement de sa chaise avec un cri de satisfaction et arpenta la pièce en se frottant les mains. Puis il rédigea un long télégramme sur un formulaire.

— Si la réponse à ceci répond à mes attentes, vous aurez une très belle affaire à ajouter à votre collection, Watson, déclara-t-il. J'estime que nous serons en mesure de partir à Norfolk demain et d'apporter à notre ami des informations précises concernant le mystère de ses contrariétés.

J'avoue avoir été plein de curiosité mais je savais pertinemment que Holmes aimait faire ses révélations de la façon et au moment choisis par lui, alors j'attendais qu'il lui convînt de me mettre dans la confidence.

Mais il y eut du retard dans la réponse à son télégramme et deux jours d'impatience suivirent, durant lesquels Holmes dressait les oreilles au moindre coup de sonnette. Le soir du second jour arriva une lettre de Hilton Cubitt. De son côté, tout était calme à l'exception d'une longue inscription apparue le matin même sur le socle du cadran solaire. Il nous en envoyait une copie dont voici la reproduction :

Holmes se pencha sur cette frise grotesque quelques minutes et bondit brusquement sur ses pieds avec une exclamation de surprise et de consternation. Son visage était défait.

— Nous avons laissé les choses aller trop loin, fit-il. Y a-t-il un train pour North Walsham ce soir ?

Je consultai les horaires. Le dernier venait juste de partir.

— Alors il ne nous reste plus qu'à petit-déjeuner très tôt et à prendre le premier de la matinée, conclut Holmes. Notre présence est d'une urgente nécessité. Ah ! Voici notre télégramme tant attendu. Un moment, madame Hudson, il y aura peut-être une réponse. Non, c'est exactement ce que j'espérais. Ce message ne rend que plus urgente notre intervention pour informer Hilton Cubitt de la nature des événements. Notre bon châtelain du Norfolk se trouve empêtré dans une singulière et dangereuse toile d'araignée.

Ainsi, et tandis que j'en viens à la sombre conclusion d'une affaire qui ne m'était d'abord apparue que comme une curieuse gaminerie, j'éprouve de nouveau la consternation et l'horreur qui m'emplirent alors. J'aurais préféré avoir une fin plus heureuse à présenter à mes lecteurs mais telle est la chronique des faits et je dois suivre jusqu'à son noir dénouement l'étrange chaîne des événements qui fit du manoir de Riding Thorpe durant quelques jours l'endroit le plus célèbre de toute l'Angleterre.

À peine étions-nous descendus du train à North Walsham et avions-nous mentionné le lieu de notre destination que le chef de gare se dépêchait vers nous.

— Je suppose que vous êtes les inspecteurs de Londres ? fit-il.

Un air contrarié balaya le visage de Holmes.

— Qu'est-ce qui vous fait croire une telle chose ?

— L'inspecteur Martin de Norwich vient juste de passer. Mais vous êtes peut-être les médecins. Elle n'est pas morte, elle ne l'était pas en tout cas aux dernières nouvelles. Vous devriez arriver à temps pour la sauver, même si c'est pour la potence.

Les traits de Holmes s'assombrirent d'appréhension.

— Nous allons au Manoir de Riding Thorpe, fit-il, mais nous ne savons rien des événements qui s'y sont déroulés.

— Une affreuse histoire, commenta le chef de gare. Ils ont pris une balle, tous les deux, M. Hilton Cubitt et sa femme.

Elle l'a tué avant de se tuer à son tour, à ce que disent les domestiques. Il est mort et elle est dans un état désespéré. Quand on y pense ! une des plus vieilles familles du comté de Norfolk et l'une des plus respectées.

Sans un mot, Holmes se précipita vers un attelage et, durant les onze interminables kilomètres du chemin, il ne desserra pas les dents. Je l'avais rarement vu aussi totalement abattu. Il s'était montré inquiet pendant tout le voyage et j'avais remarqué qu'il avait ressassé le message du matin avec une attention anxieuse. Mais à présent, la soudaine réalisation de ses pires craintes le plongeait dans une profonde mélancolie. Il était adossé à son siège, perdu dans de lugubres conjectures. Les alentours ne manquaient pourtant pas d'intérêt. Nous traversions une partie bien remarquable de la campagne anglaise où quelques cottages dispersés accueillaient la population d'aujourd'hui, tandis que de tous côtés d'énormes églises hérissaient leurs tours carrées sur le paysage vert et plat, témoignant de la gloire et de la prospérité de la vieille East Anglia. Enfin, la frange mauve de l'océan apparut au-delà de la bordure verte des côtes de Norfolk. Notre cocher pointa son fouet vers deux vieux pignons de brique et de bois jaillissant d'un bosquet d'arbres.

— Le Manoir de Riding Thorpe, annonça-t-il.

Alors que nous avancions vers le portique qui ornait la porte d'entrée, je remarquai devant lui, à côté du tennis, la sombre remise à outils ainsi que le cadran solaire auxquels nous étions si étrangement liés. Un petit homme soigné de sa personne, aux manières vives et à la moustache lustrée, venait juste de descendre d'un dog-cart surélevé. Il se présenta comme l'inspecteur Martin, de la police de Norfolk, et afficha un air d'étonnement considérable en entendant le nom de mon compagnon.

— Mais, monsieur Holmes, le crime n'a été commis qu'à trois heures cette nuit. Comment avez-vous pu l'apprendre de Londres et venir sur les lieux aussi vite ?

— Je l'avais anticipé. J'étais venu dans l'espoir de l'empêcher.

— Alors vous devez disposer d'indices importants que nous ignorons, parce qu'ils passaient pour un couple très uni.

— Je n'ai que ceux des ribambelles dansantes, lâcha Holmes. Je vous expliquerai plus tard. En attendant, puisqu'il est trop tard pour éviter cette tragédie, je souhaite ardemment employer les informations en ma possession afin de m'assurer que justice soit rendue. M'associerez-vous à votre enquête ou préférez-vous que j'agisse seul ?

— Je serais fier de savoir que nous agissons ensemble, monsieur Holmes, répondit l'inspecteur avec enthousiasme.

— Dans ce cas, je serais heureux d'entendre les dépositions et d'examiner les lieux sans perdre un seul instant.

L'inspecteur Martin eut le bon sens de laisser mon ami agir selon ses habitudes en se contentant de noter soigneusement les résultats. Le médecin local, un homme âgé aux cheveux blancs, venait juste de descendre de la chambre de Mme Hilton Cubitt. Il nous rapporta que ses blessures étaient sérieuses mais pas nécessairement fatales. La balle avait traversé son cerveau et il s'écoulerait probablement un certain temps avant qu'elle ne reprenne conscience. À la question de savoir si quelqu'un l'avait abattue ou si elle s'était elle-même tiré dessus, il ne se hasarderait pas à formuler d'avis catégorique. La balle avait sans aucun doute été tirée de très près. Il n'y avait qu'une seule arme dans la pièce, dont deux balles avaient été tirées. M. Hilton Cubitt avait été atteint en plein cœur. Il était aussi concevable qu'il ait tué sa femme avant de retourner l'arme contre lui ou qu'elle soit la criminelle, car le revolver était tombé sur le sol exactement entre eux.

— A-t-il été déplacé ? demanda Holmes.

— Nous n'avons touché à rien en dehors de la femme. Nous ne pouvions pas la laisser blessée sur le sol.

— Depuis combien de temps êtes-vous là, docteur ?

— Je suis arrivé à quatre heures.

— Y avait-il quelqu'un d'autre ?

— Oui, l'officier de police ici.

— Et vous n'avez touché à rien ?

— À rien.

— Vous avez agi avec une grande sagesse. Qui vous a appelé ?

— La femme de chambre, Saunders.

— Est-ce elle qui a donné l'alerte ?

— Elle et Mme King, la cuisinière.

— Où sont-elles à présent ?

— À la cuisine, je crois.

— Bien, alors je pense que nous ferions mieux d'écouter leur histoire sans attendre.

Le hall désuet, lambrissé de chêne et pourvu de hautes fenêtres, avait été transformé en tribunal d'enquête. Holmes était assis dans un large fauteuil ancien, ses yeux implacables éclairant son visage défait. Je pouvais y lire son désir de se consacrer à cette enquête corps et âme jusqu'à ce que le client qu'il avait été impuissant à sauver soit finalement vengé. Le coquet inspecteur Martin, le vieux docteur de campagne chenu, moi-même ainsi que le robuste agent de police du village constituaient le reste de cette étrange assemblée.

Les deux femmes relatèrent leur histoire avec une clarté suffisante. Elles avaient été tirées de leur sommeil par le bruit d'une détonation, suivie, une minute plus tard, d'une seconde. Elles dormaient dans des chambres contiguës et Mme King avait fait irruption dans celle de Saunders. Elles avaient descendu l'escalier ensemble. La porte du bureau était ouverte et une bougie brûlait sur la table. Leur maître était étendu face contre terre au milieu de la pièce. Il était bien mort. Près de la fenêtre, sa femme était recroquevillée, la tête appuyée contre le mur. Elle était affreusement blessée et tout le côté de son visage était rouge de sang. Elle respirait péniblement, incapable de prononcer une parole. Le couloir, comme la pièce, était empli de fumée et d'une odeur de poudre. La fenêtre était sans aucun doute poussée et fermée de l'intérieur. Les deux femmes étaient sur ce point catégoriques. Elles avaient immédiatement envoyé chercher le docteur et l'agent de police. Puis, avec l'aide du palefrenier et du garçon d'écurie, elles avaient transporté leur maîtresse blessée dans sa chambre. Elle et son mari avaient occupé leur lit. Elle portait sa chemise de nuit, lui sa robe de chambre sur son pyjama. Rien n'avait été déplacé dans le bureau. Pour autant qu'elles le sachent, le mari et la femme ne s'étaient jamais disputés. Elles les avaient toujours considérés comme un couple très uni.

Tels étaient les principaux éléments de la déclaration des domestiques. En réponse à l'inspecteur Martin, elles déclarèrent fermement que toutes les portes étaient fermées de l'intérieur et que personne n'avait pu s'échapper de la maison. En réponse à Holmes, elles se souvinrent toutes deux d'avoir eu conscience de l'odeur de poudre dès l'instant où elles avaient quitté leur chambre à l'étage.

— Je recommande ce point à votre attention particulière, souligna Holmes à ses collègues. Et à présent, je crois que nous sommes en mesure d'entreprendre un examen minutieux de la pièce.

Elle s'avéra de petites dimensions, tapissée de livres sur trois murs, et pourvue d'un petit bureau placé devant une fenêtre ordinaire qui donnait sur le jardin. Nos premières attentions furent pour le corps du malheureux châtelain dont l'impressionnante stature gisait au milieu de la pièce. Sa robe de chambre en désordre montrait qu'il avait été tiré en hâte de son sommeil. La balle avait été tirée de face et n'était pas ressortie après avoir traversé le cœur. Sa mort avait certainement été instantanée et sans douleur. Sa robe de chambre, comme ses mains, ne portait aucune trace de poudre. Selon le médecin de campagne, la femme en présentait des traces sur le visage mais aucune sur les mains.

— L'absence de ces dernières ne signifie rien, bien que leur présence eût révélé beaucoup, constata Holmes. À moins d'un chargeur mal réglé qui projetterait de la poudre vers l'arrière, on peut tirer à plusieurs reprises sans laisser aucune trace. À présent, je suggère que l'on enlève le corps de M. Hilton Cubitt. J'imagine, docteur, que vous n'avez pas récupéré la balle qui a blessé la femme ?

— Une sérieuse opération sera nécessaire. Mais il en reste quatre dans le chargeur. Deux ont été tirées et deux blessures infligées, chaque balle s'explique donc.

— En apparence, fit Holmes. Peut-être pouvez-vous m'expliquer celle qui a de si évidente façon frappé le rebord de la fenêtre ?

Il avait brusquement pivoté et son doigt long et fin désignait un trou foré à travers le châssis inférieur de la fenêtre, à environ deux centimètres au-dessus du montant.

— Mon Dieu ! s'exclama l'inspecteur. Comment diable l'avez-vous vu ?

— Parce que je l'ai cherché.

— Admirable ! renchérit le médecin de campagne. Vous avez sans aucun doute raison, monsieur. Alors un troisième coup a été tiré et, par conséquent, une troisième personne s'est trouvée là. Mais qui ? Et comment a-t-elle pu s'échapper ?

— C'est le problème que nous sommes maintenant sur le point de résoudre, répondit Sherlock Holmes. Vous vous souvenez, inspecteur Martin, que les domestiques nous ont dit qu'en quittant leur chambre elles ont immédiatement senti une odeur de poudre et que j'ai souligné ce point comme étant d'une extrême importance ?

— Oui, monsieur, mais j'avoue ne pas vous avoir parfaitement suivi.

— Je suggérais qu'au moment du coup de feu, la fenêtre comme la porte de la pièce étaient ouvertes. Sinon, les fumées n'auraient pu se disperser aussi vite dans la maison. Un courant d'air était nécessaire. La porte et la fenêtre n'ont cependant été ouvertes que très brièvement.

— Comment le prouvez-vous ?

— Par la bougie qui n'a pas coulé !

— Épatant ! s'écria l'inspecteur. Épatant !

— Ayant acquis la certitude que la fenêtre était ouverte à ce moment de la tragédie, j'en conclus qu'il avait dû y avoir une troisième personne dans l'affaire, qui se tenait dehors, derrière cette ouverture, et qui a tiré à travers elle. N'importe quel tir dirigé sur cette personne aurait heurté le châssis. J'ai regardé et, là, j'ai découvert la trace de la balle !

— Mais comment la fenêtre a-t-elle été poussée et refermée ?

— La première réaction de la femme aura été de la pousser et de la fermer. Mais de quoi s'agit-il ?

C'était un sac à main posé sur le bureau, un élégant petit sac à main en peau de crocodile et argent. Holmes l'ouvrit et renversa son contenu. Nous découvrîmes vingt billets de cinquante livres de la Banque d'Angleterre, attachés par un ruban de caoutchouc et rien d'autre.

— Nous devons mettre cela de côté pour le procès, fit Holmes en tendant le sac et son contenu à l'inspecteur. Il est maintenant indispensable de tenter de faire la lumière sur ce troisième projectile qui, de toute évidence et à la vue de ces éclats de bois, a été tiré de l'intérieur. J'aimerais revoir Mme King, la cuisinière. Vous avez dit, madame King, que vous avez été tirée de votre sommeil par une *bruyante* détonation. En disant cela, voulez-vous signifier qu'elle vous a semblé plus bruyante que la suivante ?

— Eh bien, monsieur, cela m'a réveillée, alors c'est difficile à dire. Mais elle m'a semblé très bruyante.

— Ne croyez-vous pas qu'il ait pu s'agir de deux coups de feu tirés presque simultanément ?

— Je ne pourrais pas dire, monsieur.

— Je crois que c'est exactement ce qui s'est passé. Il me semble, inspecteur Martin, que nous avons épuisé tous les enseignements de cette pièce. Si vous êtes assez aimable pour m'accompagner dehors, nous verrons quels nouveaux indices nous offre le jardin.

Une plate-bande s'étendait sous la fenêtre du bureau et nous lâchâmes tous un cri de stupeur en nous approchant. Les fleurs étaient piétinées et la terre meuble était couverte d'empreintes. Celles de pieds larges, masculins, avec des doigts de pied particulièrement longs et nets. Holmes fouina dans l'herbe et les feuilles comme un retriever sur les traces d'un oiseau blessé. Puis, avec un cri de satisfaction, il se pencha en avant et ramassa un petit cylindre d'acier.

— Je m'en doutais, fit-il ; le revolver avait un éjecteur et voici la troisième douille. Je suis convaincu, inspecteur Martin, que notre affaire est presque résolue.

Le visage de l'inspecteur témoignait de sa stupéfaction devant les progrès rapides et magistraux de l'enquête de Holmes. Il avait au début montré quelque tendance à défendre ses propres positions mais il était à présent saisi d'admiration et prêt à suivre Holmes où il voudrait sans discussion.

— Qui soupçonnez-vous ? demanda-t-il.

— J'y viendrai plus tard. Il reste différents aspects de cette affaire que je n'ai pas encore eu le temps de vous expliquer. Au point où j'en suis, je ferais mieux de poursuivre mes plans afin d'éclaircir cette affaire une bonne fois pour toutes.

— Comme vous voulez, monsieur Holmes, du moment que nous avons notre homme.

— Je ne veux pas faire de mystère mais il est impossible à ce stade de notre enquête de nous lancer dans de longues et fastidieuses explications. J'ai tous les fils de cette affaire en main. Et même si cette femme ne devait jamais reprendre connaissance, nous pouvons reconstituer les événements de la nuit dernière et nous assurer que justice sera rendue. Mais avant tout, je veux savoir s'il existe une auberge du nom d'Elrige dans les environs.

Les domestiques furent interrogés mais aucun d'eux n'avait entendu parler d'un endroit pareil. Le garçon d'écurie jeta un peu de lumière sur la question en se souvenant qu'un fermier de ce nom habitait à quelques miles de là, dans la direction d'East Ruston.

— C'est une ferme isolée ?

— Très isolée, monsieur.

— Ils n'ont peut-être pas encore eu vent de ce qui s'est passé ici cette nuit.

— Sans doute que non, monsieur.

Holmes resta quelques instants songeur puis un curieux sourire traversa son visage.

— Selle un cheval, mon garçon, fit-il. J'aimerais que tu portes un message à la ferme d'Elrige.

Il sortit de sa poche les différentes combinaisons de danseurs. Une fois étalées sur le bureau devant lui, il travailla quelques minutes. Il tendit enfin un message au garçon avec l'instruction de le remettre en main propre à celui à qui il était adressé et surtout de ne répondre à aucune des questions qu'on pourrait lui poser. Je vis l'adresse, écrite en caractères désordonnés et irréguliers, loin de la précision habituelle de la main de Holmes. Il était destiné à M. Abe Slaney, Ferme Elrige, East Ruston, Norfolk.

— Je crois, inspecteur, remarqua Holmes, que vous feriez bien de télégraphier pour demander du renfort car, si mes calculs se révèlent exacts, vous devriez avoir un prisonnier particulièrement dangereux à conduire en cellule. Le garçon qui a pris ce mot peut sans aucun doute expédier votre télégramme. S'il y a un train pour Londres dans l'après-midi, Watson, je pense que nous ferions bien de le prendre. J'ai quelques analyses chimiques intéressantes à terminer et cette enquête est sur le point de trouver son dénouement.

Quand le jeune garçon eut disparu avec son message, Sherlock Holmes donna ses instructions aux domestiques. Si un visiteur se présentait et demandait à voir M. Hilton Cubitt, aucune information ne devait lui être fournie quant à son état mais il devait être immédiatement introduit au salon. Il insista sur ces points avec la plus grande gravité. Il nous invita finalement à le suivre au salon, nous disant que l'affaire à présent n'était plus entre nos mains et que nous devions passer le temps au mieux en attendant de voir ce qu'il nous réservait. Le docteur était retourné à sa clientèle, il ne restait que l'inspecteur et moi-même.

— Je crois pouvoir vous aider à passer une heure de façon intéressante et profitable, commença Holmes en tirant sa chaise vers la table avant d'étaler devant lui les différents papiers sur lesquels étaient consignées les ribambelles de danseurs. Quant à vous, mon cher Watson, je vous dois réparation pour avoir sans broncher laissé votre curiosité naturelle si longtemps insatisfaite. En ce qui vous concerne, inspecteur, cette péripétie vous séduira comme une remarquable étude professionnelle. Je dois tout d'abord vous parler des circonstances intéressantes rattachées aux précédentes consultations que M. Hilton Cubitt me fit à Baker Street.

Il récapitula alors brièvement les faits qui ont déjà été relatés.

— J'ai ici devant moi ces œuvres singulières qui pourraient faire sourire si elles n'avaient elles-mêmes prouvé être les signes précurseurs d'une si terrible tragédie. Je connais parfaitement toutes sortes d'alphabets secrets et je suis moi-même l'auteur d'une insignifiante monographie sur le sujet, dans laquelle j'analyse cent soixante codes distincts, mais j'avoue que celui-ci m'est entièrement étranger. Le but de ceux qui ont inventé ce système est apparemment de dissimuler que ces caractères délivrent un message tout en donnant l'impression qu'ils ne sont que de hasardeux dessins d'enfant.

« Après avoir toutefois admis que les symboles représentaient des lettres et appliqué les règles qui nous guident dans toute forme d'alphabet secret, la solution était assez simple. Le premier message à m'être soumis était si court qu'il m'était impossible de faire plus que de dire avec quelque assurance que le symbole Ⴟ représentait un E. Comme vous le savez, E est la lettre la plus commune de l'alphabet anglais et elle domine avec une fréquence si manifeste que, même dans une phrase courte, on peut s'attendre à la trouver plusieurs fois. Des quinze symboles du premier message, quatre étaient identiques, il était donc raisonnable de l'identifier comme le E. Il est vrai que, dans quelques cas, la silhouette portait un drapeau et, en d'autres, non, mais il était probable, à la façon dont les drapeaux étaient répartis, qu'ils servaient à couper la phrase en mots. J'ai admis cela comme hypothèse de travail et j'ai considéré que le E était représenté par Ⴟ.

« C'est ici qu'intervient la véritable difficulté de l'affaire. L'ordre des lettres anglaises après le E n'est pas très bien marqué et la prépondérance que l'on peut démontrer sur un texte moyen peut être inversée dans une seule phrase courte. Approximativement, T, A, O, I, N, S, H, R, D et L est l'ordre

251

numérique d'apparition des lettres ; mais T, A, O et I sont presque au même rang et il serait parfaitement vain d'essayer chaque combinaison jusqu'à l'obtention d'un résultat significatif. J'ai donc attendu du matériel nouveau. Au cours de notre seconde entrevue, M. Hilton Cubitt fut en mesure de m'apporter deux autres phrases brèves et un message qui semblait – étant donné l'absence de drapeau – n'être qu'un seul mot. Voici les symboles. Dans le mot seul, j'avais déjà deux E, en deuxième et quatrième position, dans un mot de cinq lettres. Cela pouvait être *"sever¹"*, *"lever²"* ou *"never³"*. Qu'il s'agisse d'une réponse à une demande est de loin le plus probable, nous ne pouvons pas en douter. Les circonstances le désignaient par ailleurs comme une réponse écrite par la femme. Partant de ce postulat, nous sommes à présent en mesure de dire que les symboles ⚑⚑⚑ représentent respectivement les lettres N, V et R.

« J'avais encore des difficultés considérables à résoudre mais une réflexion heureuse me mit en possession de plusieurs autres lettres. Je me suis dit que si ces appels émanaient, comme je le supposais, d'une personne proche de la jeune femme dans le passé, une combinaison qui contenait deux E avec trois lettres d'intervalle pouvait très bien signifier "ELSIE". À l'examen, je découvrais qu'une telle combinaison constituait la fin du message répété à trois reprises. C'était certainement un appel à "Elsie". Dans ce cas, j'avais mes L, S et I. Mais de quel genre d'appel pouvait-il s'agir ? Il n'y avait que quatre lettres dans le mot qui précédait "Elsie" et il se terminait par un E. Il s'agissait sûrement du mot *"COME⁴"*. J'ai essayé toutes les autres combinaisons de quatre lettres terminant par E mais aucune ne correspondait. J'étais alors en possession du C, du O et du M et je pouvais m'attaquer de nouveau au premier message, le divisant en mots et laissant des points pour chaque symbole encore inconnu. Traité de cette façon, il apparut ainsi :

.M.ERE..E SL.NE.

---

1. Couper.
2. Levier.
3. Jamais.
4. Viens.

« La première lettre ne peut être qu'un A, une découverte des plus utiles puisqu'il apparaît rien de moins qu'à trois reprises dans cette courte phrase. Le H est aussi évident dans le second mot. Ce qui nous donne :

AM HERE A.E SLANE.

« Ou encore, remplissant les vides manifestes :

AM HERE ABE SLANEY[1]

« J'avais à présent tant de lettres que je pouvais passer avec une considérable assurance au second message, qui se déchiffrait ainsi :

A. ELRI.ES.

« Ici, je ne pouvais donner de sens qu'en ajoutant T et G aux lettres manquantes et supposer que le nom était celui de la maison ou de l'auberge où l'auteur était descendu[2].

L'inspecteur Martin et moi-même avions écouté avec le plus grand intérêt le récit clair et détaillé des méthodes employées par mon ami et dont le résultat avait conduit à la maîtrise si totale de nos problèmes.

— Qu'avez-vous fait alors, monsieur ? s'enquit l'inspecteur.

— J'avais toutes les raisons de penser que cet Abe Slaney était américain parce que Abe est un diminutif américain et que c'était une lettre d'Amérique qui avait déclenché toute l'affaire. J'avais également toutes les raisons de croire qu'il y avait quelque secret criminel dans l'histoire. Les allusions de la jeune femme à son passé et son refus de mettre son mari dans la confidence, ces deux éléments allaient dans ce sens. C'est pourquoi j'ai passé un câble à mon ami, Wilson Hargrave, de la police de New York, qui a plus d'une fois eu recours à mes connaissances sur la criminalité londonienne. Je lui demandais si le nom d'Abe Slaney lui était connu. Voici sa réponse : « Le plus dangereux filou de Chicago. » Le

_____

1. Suis là Abe Slaney.
2. Ce qui donne le message suivant : *at Elrige*, soit en français : chez Elrige. *(N.d.T.)*

soir où je recevais cette réponse, Hilton Cubitt m'envoyait le dernier message de Slaney. En lettres connues, il donnait ceci :

ELSIE. RE.ARE TO MEET THY GO.

« L'ajout d'un P et d'un D complétait un message qui me disait que le vaurien passait de la persuasion aux menaces[1] et ma connaissance des voyous de Chicago me permettait de savoir qu'il pouvait très rapidement les mettre à exécution. Je suis immédiatement venu à Norfolk en compagnie de mon ami et collègue, le docteur Watson, mais malheureusement, seulement à temps pour découvrir que le pire était déjà survenu.

— Quel privilège d'être votre associé dans la résolution d'une affaire ! déclara chaleureusement l'inspecteur. Vous m'excuserez pourtant de vous parler franchement. Vous n'avez de comptes à rendre à personne d'autre que vous, mais je dois répondre à mes supérieurs. Si cet Abe Slaney, logé chez Elrige, est en effet l'assassin, et s'il s'est échappé pendant que je vous écoutais, je risque d'avoir de sérieux ennuis.

— Vous n'avez aucune raison de vous inquiéter. Il n'essaiera pas de fuir.

— Comment le savez-vous ?

— Filer serait un aveu de sa culpabilité.

— Alors allons le cueillir.

— Je l'attends ici d'une seconde à l'autre.

— Mais pourquoi viendrait-il ?

— Parce que je lui ai écrit pour le lui demander.

— Mais c'est invraisemblable, monsieur Holmes ! Il viendrait parce que vous le lui avez demandé ! Pour quelle raison ? Une telle requête exciterait plutôt ses soupçons et le pousserait à fuir, vous ne croyez pas ?

— Je crois avoir su comment tourner ma lettre, répondit Sherlock Holmes. En fait, si je ne me trompe pas trop, voici notre gentleman en personne qui remonte l'allée.

Un homme progressait à grandes enjambées sur le chemin qui conduisait à la porte. Il était grand, élégant, du genre basané, vêtu d'un costume de flanelle grise, portant un

---

1. Soit le message : *Elsie prepare to meet thy God*, soit en français : Elsie prépare-toi à rencontrer ton Créateur. *(N.d.T.)*

panama, une barbe noire et drue ainsi qu'un remarquable nez crochu et une canne qu'il brandissait en marchant. Il franchit le chemin d'une démarche assurée comme si l'endroit lui appartenait et nous entendîmes son coup de sonnette vigoureux et ferme.

— Je crois, messieurs, fit Holmes tranquillement, que nous ferions mieux de prendre nos positions derrière la porte. Nous ne devons négliger aucune précaution avec un homme de cette espèce. Vous allez avoir besoin de vos menottes, inspecteur. Je me charge de la conversation.

Nous attendîmes une minute en silence, une de ces minutes qu'on n'oublie jamais. Puis la porte s'ouvrit et l'homme pénétra dans la pièce. En une seconde, Holmes lui appliquait une arme sur la tempe et Martin lui glissait les menottes aux poignets. Tout fut exécuté avec une telle rapidité et une telle adresse que l'homme se trouva vaincu avant de comprendre qu'il était attaqué. Une paire d'yeux noirs flamboyants et furieux nous dévisagea à tour de rôle puis il éclata d'un rire cinglant.

— Eh bien, messieurs, vous avez l'avantage cette fois. On dirait bien que j'ai fait une mauvaise rencontre. Mais je suis venu ici en réponse à une lettre de Mme Hilton Cubitt. Ne me dites pas qu'elle a quelque chose à voir avec ça. Ne me dites pas qu'elle a participé à la mise en place de ce traquenard ?

— Mme Hilton Cubitt a été sérieusement blessée, elle est à l'article de la mort.

L'homme laissa échapper un cri rauque de souffrance qui résonna dans la maison.

— Vous dites n'importe quoi ! s'exclama-t-il violemment. C'est lui qui a été touché, pas elle. Qui aurait voulu faire du mal à la petite Elsie ? Je l'ai peut-être terrorisée – Dieu me pardonne ! – mais jamais je n'aurais touché un cheveu de sa si jolie tête. Retirez ce que vous venez de dire ! Dites-moi qu'elle n'est pas blessée !

— Elle a été trouvée grièvement blessée, à côté de la dépouille de son mari.

Il s'écroula sur le canapé avec un profond gémissement et se prit la tête entre ses mains menottées. Il resta cinq minutes silencieux. Puis il releva le visage et s'exprima avec le détachement froid du désespoir.

— Je n'ai rien à vous cacher, messieurs, fit-il. Si j'ai tiré sur l'homme, il avait d'abord tiré sur moi. Il n'y a pas de meurtre là-dedans. Mais si vous croyez que j'aurais pu blesser cette femme, alors vous ne nous connaissez ni l'un ni l'autre. Je vous le dis, jamais un homme sur cette terre n'aima une femme plus que je ne l'ai aimée. J'avais des droits sur elle. Elle m'avait été promise des années auparavant. De quel droit cet Anglais s'est-il mis entre nous ? J'avais des droits sur elle et je suis venu réclamer mon dû.

— Elle s'est soustraite à votre influence après avoir compris quel homme vous étiez, intervint Holmes sévèrement. Elle a quitté l'Amérique pour vous fuir et elle s'est mariée à un honorable gentleman en Angleterre. Vous l'avez harcelée, suivie, et vous avez fait de sa vie un enfer dans le but de la pousser à quitter un mari qu'elle aimait et respectait pour s'enfuir avec vous, vous qu'elle craignait et haïssait. Vous avez fini par provoquer la mort d'un honnête gentleman et le suicide de sa femme. Voilà votre rôle dans cette affaire, monsieur Abe Slaney, et vous en répondrez devant la loi.

— Si Elsie meurt, il peut m'arriver n'importe quoi, répondit l'Américain.

Il ouvrit une main et regarda le mot froissé dans sa paume.

— Vous voyez ça, monsieur, s'écria-t-il, une lueur de suspicion dans les yeux, n'essayez pas de m'avoir avec ça, hein ? Si la femme est aussi blessée que vous le dites, qui a écrit ce message ?

Il le jeta sur la table.

— Moi, pour vous faire venir.

— Vous l'avez écrit ? Personne sur terre en dehors du Joint ne connaît le secret des farandoles. Comment avez-vous pu l'écrire ?

— Ce qu'un homme est capable d'inventer, un autre est capable de le découvrir, déclara Holmes. Voici le fiacre qui va vous conduire à Norwich, monsieur Slaney. Mais avant, vous avez le temps de réparer un peu les torts que vous avez causés. Avez-vous conscience qu'une sérieuse accusation, celle du meurtre de son mari, a pesé sur Mme Hilton Cubitt et que ce n'est que grâce à ma présence en ces lieux et aux renseignements que j'ai pu rassembler qu'elle a pu y échapper ? Le moins que vous lui deviez, c'est de faire savoir au monde entier et avec la plus grande clarté qu'elle n'est en aucune manière, directe ou indirecte, responsable de cette issue tragique.

— Je ne demande rien de mieux, répondit l'Américain. J'imagine que le meilleur argument en ma faveur est l'absolue vérité.

— Il est de mon devoir de vous informer que tout ce que vous direz pourra être retenu contre vous, intervint l'inspecteur avec le magnifique fair-play de la loi britannique.

Slaney haussa les épaules.

— Je prends le risque, rétorqua-t-il. D'abord, il faut que vous sachiez, messieurs, que je connais cette jeune femme depuis son enfance. Nous étions un gang de sept à Chicago et le père d'Elsie était le chef de notre association, le Joint. C'était un homme intelligent, le vieux Patrick. C'est lui qui inventa l'alphabet qui passait pour des gribouillages d'enfant tant que vous n'aviez pas le code. Elsie apprit quelques-unes de nos méthodes mais elle ne supportait pas ce que nous faisions. Elle disposait d'un petit pécule honnête et elle nous a faussé compagnie pour s'enfuir à Londres. Nous étions fiancés et elle m'aurait épousé, je crois, si j'avais changé d'activité, mais elle ne voulait rien avoir à faire avec quoi que ce soit de louche. Ce ne fut qu'après son mariage avec cet Anglais que je retrouvai sa trace. Je lui ai écrit mais sans obtenir de réponse. Je suis donc venu et, comme les lettres n'étaient d'aucune utilité, j'ai laissé des messages là où elle pouvait les lire.

« Je suis là depuis un mois. Je suis descendu dans cette ferme où je dispose d'une chambre au rez-de-chaussée d'où je peux entrer et sortir chaque nuit sans que personne ne le sache. J'ai tenté tout ce que j'ai pu pour voir Elsie. Je savais qu'elle lisait les messages parce qu'elle a une fois répondu en dessous de l'un d'entre eux. Puis j'ai perdu mon calme et j'ai commencé à la menacer. Elle m'a envoyé une lettre, m'implorant de partir et me disant qu'elle aurait le cœur brisé si le scandale retombait sur son mari. Elle me dit qu'elle descendrait quand son mari serait endormi à trois heures du matin et qu'elle me parlerait par la fenêtre si je m'en allais ensuite et la laissais en paix. Elle descendit. Elle avait pris de l'argent avec elle dans le but d'acheter mon départ. Ça m'a rendu fou. Je l'ai prise par le bras pour tenter de la faire sortir. C'est à ce moment que le mari s'est précipité dans la pièce, le revolver à la main. Elsie s'était effondrée sur le sol et nous étions face à face. Il était armé. J'ai tendu mon arme pour l'effrayer et qu'il me laisse partir. Il a tiré et m'a manqué. J'ai tiré pratiquement au même moment et il s'est écroulé. Je me suis enfui par le jardin et, en partant, j'ai entendu la fenêtre se refermer derrière moi. C'est la vérité pure, messieurs ; et je n'ai rien su de plus jusqu'à l'arrivée du garçon porteur du mot qui m'a conduit jusqu'ici pour me jeter entre vos mains.

Un fiacre était arrivé pendant le récit de l'Américain. Deux policiers en uniforme y étaient assis. L'inspecteur Martin se leva et posa la main sur l'épaule de son prisonnier.

— Il est temps d'y aller.

— Puis-je la voir d'abord ?

— Non, elle est inconsciente. Monsieur Sherlock Holmes, j'espère avoir la chance, si jamais je suis chargé d'une autre affaire importante, de vous retrouver à mes côtés.

Nous regardâmes la voiture s'éloigner par la fenêtre. Quand je me retournai, mes yeux tombèrent sur la boulette de papier que le prisonnier avait jetée sur la table. C'était le mot avec lequel Holmes l'avait piégé.

— Voyez si vous pouvez le déchiffrer, Watson, me lança-t-il avec un sourire.

Il ne comportait aucun mot mais cette petite ribambelle de danseurs :

𝍅𝍆𝍅𝍆𝍇𝍈𝍉𝍊𝍋𝍅𝍌𝍆𝍍𝍎

— Si vous utilisez le code que je vous ai expliqué, poursuivit Holmes, vous verrez qu'il signifie simplement : *Come here at once*[1]. J'étais convaincu que c'était une invitation qu'il ne pouvait refuser parce qu'il n'aurait jamais pu imaginer qu'elle puisse provenir de quelqu'un d'autre que de cette jeune femme. Ainsi, mon cher Watson, nous avons fini par réhabiliter ces petits danseurs qui ont si souvent été les agents du démon. Et je crois avoir tenu ma promesse de fournir quelque chose d'inhabituel à vos notes. Notre train part à trois heures quarante. J'ai l'impression que nous devrions être de retour à Baker Street pour le dîner.

Un seul mot d'épilogue. L'Américain, Abe Slaney, fut condamné à mort aux assises de Norwich mais sa peine fut

---

1. Viens ici immédiatement.

commuée en travaux forcés à perpétuité en raison de circonstances atténuantes et de la certitude que Hilton Cubitt
avait tiré le premier. De Mme Hilton Cubitt, j'ai seulement
entendu dire qu'elle s'était complètement rétablie et que,
restée veuve, elle consacrait sa vie aux pauvres et à la gestion
des biens de son mari.

LA CYCLISTE SOLITAIRE

De 1894 à 1901 inclus, M. Sherlock Holmes fut très occupé. On peut affirmer sans crainte qu'il n'y eut pas, au cours de ces huit années, une seule affaire épineuse au sujet de laquelle la police officielle ne l'ait pas consulté et il y eut en outre des centaines d'enquêtes particulières, certaines fort compliquées et extraordinaires, dans lesquelles il tint un rôle éminent. Nombre de succès sensationnels et tout juste quelques inévitables échecs résultèrent de cette longue période de travail assidu. Comme j'ai conservé des notes très complètes concernant chacune de ces enquêtes et que j'ai participé à quantité d'entre elles, on conçoit que j'éprouve quelque difficulté à savoir lesquelles choisir pour en donner connaissance au public. Je resterai, néanmoins, fidèle à ma règle habituelle, qui consiste à accorder la préférence aux affaires dont l'intérêt provient moins de la sauvagerie du crime que de l'ingéniosité et de l'imprévu de la solution. C'est pour cette raison que je vais exposer au lecteur les faits relatifs à Mlle Violette Smith, la cycliste solitaire de Charlington, et les suites curieuses qu'eurent nos investigations, qui s'achevèrent par une tragédie inattendue. Il est exact que les circonstances ne se prêtèrent pas à une démonstration frappante des dons qui ont rendu illustre mon ami Holmes, mais il n'y en eut pas moins certains points qui font que cette enquête mérite une place à part dans la masse de documents qui retracent une longue période d'activité policière et d'où j'extrais les éléments de ces petits récits.

En me reportant à mes notes de l'année 1895, je constate que c'est le samedi 23 avril que nous avons pour la première fois entendu parler de Mlle Violette Smith. Sa visite fut, je m'en souviens, fort mal accueillie par Holmes, alors absorbé par un problème très compliqué et hermétique qui résultait des singulières persécutions auxquelles s'était trouvé en butte le célèbre magnat du tabac, Vincent Harden. Mon ami, qui aimait par-dessus tout à penser avec précision et concentration, voyait d'un mauvais œil tout ce qui distrayait son attention du problème à l'étude. Et pourtant, à moins de déployer une rudesse qui n'était pas dans sa nature, il était impossible de refuser d'écouter la splendide jeune femme qui, grande et gracieuse, se présenta un soir, très tard, à Baker Street pour solliciter l'aide et les conseils de Holmes. Il était vain de lui expliquer que tout son temps était pris, car la jeune personne était venue avec la ferme intention de raconter son histoire et il devint vite évident que seule la force parviendrait à l'expulser de la pièce avant qu'elle n'eût fait son récit. Avec un air résigné et un sourire quelque peu las, Holmes pria la jolie intruse de prendre un siège et de nous informer de ce qui la préoccupait.

— Ce n'est toujours pas votre santé, dit-il en l'étudiant du regard, car une cycliste aussi fervente doit déborder de dynamisme.

Elle considéra d'un air surpris ses chaussures et j'y remarquai, sur le côté de la semelle, les légères rugosités causées par le frottement de la pédale.

— Il est vrai que je fais pas mal de bicyclette, reconnut-elle, et le fait n'est pas étranger à ma visite d'aujourd'hui.

Mon ami s'empara de la main dégantée de la jeune femme et l'examina avec une attention aussi concentrée et avec aussi peu de sentiment qu'un savant en apporte à l'étude d'une pièce anatomique.

— Vous m'excuserez, j'espère. Le métier, n'est-ce pas ? dit-il en lâchant sa main. J'ai failli faire l'erreur de croire que vous faisiez de la dactylographie. Naturellement, c'est de la musique, ça saute aux yeux. Vous remarquez, Watson, l'extrémité spatulée des doigts, qui est commune aux deux professions ? Il y a pourtant, dans le visage, une spiritualité – il lui fit doucement tourner la figure vers la lumière – que n'engendre pas la machine à écrire. Cette dame est musicienne.

— Oui, monsieur Holmes, j'enseigne la musique.

— À la campagne, je présume, si j'en juge par votre teint ?

— Oui, monsieur, près de Farnharn, aux confins du Surrey.

— Une région magnifique et associée à un tas de choses intéressantes. Vous vous rappelez, Watson, que c'est près de là que nous avons pris Archie Stamford, le faussaire ? Eh bien, mademoiselle Violette, que vous est-il arrivé près de Farnham, aux confins du Surrey ?

La jeune femme, avec beaucoup de clarté et de sang-froid, nous fit le récit curieux que voici :

— Mon père, James Smith, est mort, monsieur Holmes. Il était chef d'orchestre au vieux Théâtre impérial. Ma mère et moi, nous sommes, à son décès, restées sans un parent au monde, en dehors d'un oncle, Ralph Smith, qui est parti pour l'Afrique il y a vingt-cinq ans et dont on n'a pas eu de nouvelles depuis. Quand papa mourut, nous étions très pauvres, mais un jour on nous signala qu'une annonce dans le *Times* demandait où nous étions. Je vous laisse à penser combien cela nous a émues, car nous nous imaginions que quelqu'un nous léguait une fortune. Nous nous rendîmes chez l'homme de loi dont le journal donnait le nom. Là, nous rencontrâmes deux messieurs, MM. Carruthers et Woodley, qui rentraient d'un voyage en Afrique du Sud. Ils dirent que mon oncle était un ami à eux, qu'il venait de mourir pauvre quelques mois auparavant à Johannesburg et qu'il leur avait demandé, sur son lit de mort, de retrouver ses parents et de s'assurer qu'ils ne manquaient de rien. Cela nous parut bizarre que l'oncle Ralph, qui n'avait pas fait attention à nous de son vivant, prît tant à cœur de veiller sur nous une fois mort, mais M. Carruthers nous expliqua que la raison en était qu'il venait d'apprendre la mort de son frère et se considérait de ce fait comme responsable de notre sort.

— Je vous demande pardon, dit Holmes, mais quand eut lieu cette entrevue ?

— En décembre dernier. Il y a quatre mois.

— Poursuivez, je vous en prie.

— M. Woodley me fit l'effet d'un odieux individu. Il ne cessait de me faire de l'œil. Un jeune lourdaud, au visage bouffi et à la moustache rousse, avec les cheveux plaqués de chaque côté du front, je l'ai trouvé positivement haïssable, et j'ai tout de suite eu la conviction que Cyril n'approuverait pas une pareille connaissance.

— Ah ! c'est Cyril qu'il s'appelle, dit Holmes, avec un sourire.

La jeune femme rougit puis se mit à rire.

— Oui, monsieur Holmes, Cyril Morton, ingénieur électricien, et nous espérons nous marier à la fin de l'été. Grand Dieu, comment ai-je pu me mettre à parler de lui ? Ce que je voulais dire, c'est que M. Woodley était parfaitement odieux, mais que M. Carruthers, beaucoup plus âgé, était plus aimable. C'était un brun, pâle, glabre et silencieux, mais il avait de bonnes manières et un sourire agréable. Il s'enquit de nos ressources et en apprenant que nous étions très pauvres suggéra que j'aille donner des leçons de musique à sa fille unique, âgée de dix ans. Je lui répondis que je ne voulais pas quitter ma mère, sur quoi il proposa que je revienne chez elle toutes les fins de semaine et m'offrit cent livres par an, ce qui était certes un salaire splendide. Je finis donc par accepter et je m'en fus à Chiltern Grange, à une dizaine de kilomètres de Farnham. M. Carruthers était veuf, mais il avait engagé une gouvernante, une dame âgée fort respectable, du nom de Mme Dixon, et qui administrait la maison. L'enfant était un amour et tout s'annonçait bien. M. Carruthers était très gentil, aimait la musique et nous passions tous ensemble de fort agréables soirées. Chaque samedi, je revenais à Londres chez ma mère.

« La première ombre au tableau fut l'arrivée de M. Woodley, l'homme aux moustaches rouges. Il vint pour un séjour d'une semaine et pour moi ce fut comme trois mois ! C'était un homme abominable, une brute avec tout le monde, mais avec moi quelque chose d'infiniment pire. Il me fit une cour odieuse, se vanta de sa fortune, dit que si je l'épousais j'aurais les plus beaux diamants de Londres et, finalement, comme je ne voulais rien savoir, il me saisit dans ses bras, un soir après dîner – il était d'une force effroyable –, et jura qu'il ne me lâcherait pas tant que je ne l'aurais pas embrassé. M. Carruthers arriva, m'arracha de ses mains, sur quoi l'autre se retourna contre son hôte, le jeta à terre d'un coup de poing qui lui fit une coupure au visage. Comme bien vous pensez, ce fut la fin de son séjour. M. Carruthers me présenta ses excuses le lendemain et m'assura que je ne serais plus exposée à pareil affront. Je n'ai pas revu M. Woodley depuis.

« J'arrive, maintenant, monsieur Holmes, au fait particulier qui m'a amenée à venir vous demander conseil aujourd'hui. Que je vous dise, d'abord, que, tous les samedis, je vais en bicyclette à la gare de Farnham, où je prends le train de midi vingt-deux pour Londres.

« On ne rencontre presque personne sur la route de Chiltern Grange et, à un endroit, elle est tout spécialement déserte, car elle passe entre la lande de Charlington et les bois qui entourent le manoir du même nom. On ne trouverait nulle part un tronçon de voie plus isolé et il est tout à fait rare d'y croiser ne serait-ce qu'un chariot ou un paysan tant qu'on n'a pas atteint la grand-route près de la colline de Crooksbury. Il y a deux semaines, je passais dans ces parages quand, en regardant par hasard derrière moi, je vis, à quelque deux cents mètres, un monsieur entre deux âges, avec une petite barbe courte. Il était aussi en bicyclette et, quand je regardai de nouveau avant d'arriver à Farnham, il avait disparu, de sorte que je cessai d'y songer. Mais vous concevrez combien je fus surprise, monsieur Holmes, quand, en revenant le lundi, je revis le même homme au même endroit. Mon étonnement s'accrut encore quand l'incident se reproduisit, exactement dans les mêmes circonstances, les samedi et lundi suivants. Il se tenait à distance, ne me molestait en aucune façon, mais, sûrement, ce n'en était pas moins très singulier. J'en parlai à M. Carruthers, qui parut intéressé par ce que je lui disais et qui me dit qu'il avait commandé une voiture, de sorte qu'à l'avenir je ne passerais plus dans ces parages isolés sans un compagnon de route.

« La voiture devait arriver cette semaine, mais, pour je ne sais quelle raison, elle n'a pas été livrée, si bien qu'il a fallu que j'aille en bicyclette à la gare. C'était ce matin. Vous pensez bien que j'ai regardé quand je suis arrivée à la colline de Charlington et, comme de juste, l'homme était là, tout comme les deux semaines précédentes. Il restait toujours tellement loin que je ne pouvais pas voir nettement ses traits, mais c'était sûrement quelqu'un que je ne connaissais pas. Il portait un costume sombre et une casquette. La seule partie de son visage que je voyais nettement, c'était sa barbe noire. Aujourd'hui, je n'ai pas eu peur et, très intriguée, je résolus de voir qui c'était et ce qu'il voulait. Je ralentis, mais il en fit autant. Alors je descendis, mais il descendit aussi. Du coup, je lui tendis un piège. Il y a un endroit où la route fait un coude brutal ; je pris ce tournant à toute allure, puis m'arrêtai pour l'attendre. Je pensais qu'il allait passer à toute vitesse et qu'il me dépasserait avant de pouvoir s'arrêter, mais il ne se montra pas. Aussi je revins sur mes pas et regardai de l'autre côté du tournant. On apercevait bien quinze cents mètres de route, seulement l'homme avait disparu. Et ce qui rend la chose plus extraordinaire encore, c'est qu'il n'y a pas une voie latérale par laquelle il aurait pu s'en aller.

Holmes se mit à rire en se frottant les mains.

— Le fait est que l'affaire présente des caractères bien particuliers, dit-il. Combien s'est-il écoulé de temps entre le moment où vous avez tourné le coin et celui où vous avez découvert qu'il n'y avait plus personne sur la route ?

— Deux ou trois minutes.

— Il n'aurait donc pas pu faire la route en sens contraire. Et vous dites qu'il n'y a pas de chemins sur le côté ?

— Aucun.

— Alors il se sera engagé dans un sentier, d'un côté ou de l'autre.

— En tout cas, pas du côté de la lande, car je l'aurais vu.

— De sorte que, par élimination, nous arrivons au fait qu'il est parti vers le manoir de Charlington, qui, si j'ai bien compris, se trouve entouré de ses propres terres d'un côté de la route. Rien d'autre ?

— Rien, monsieur Holmes, sauf que j'en fus si intriguée que je me suis dit que je ne serais tranquille que quand je vous aurais vu et que vous m'auriez donné votre opinion.

Holmes resta sans rien dire un petit moment.

— Où se trouve le monsieur auquel vous êtes fiancée ? demanda-t-il enfin.

— À Coventry, à la Compagnie électrique des Midlands.

— Il ne viendrait pas vous voir sans prévenir ?

— Oh, monsieur Holmes ! Comme si je ne le reconnaîtrais pas !

— Avez-vous eu d'autres admirateurs ?

— Plusieurs, avant de connaître Cyril.

— Et depuis ?

— Il y a eu cet affreux Woodley, si on peut appeler cela un admirateur.

— Personne d'autre ?

Notre jolie cliente parut un peu confuse.

— Allons, dites-nous qui ? l'encouragea Holmes.

— Eh bien, je me fais peut-être des idées, mais il m'a semblé parfois que le monsieur pour qui je travaille, M. Carruthers, me porte un vif intérêt. On se trouve forcément rapprochés par les circonstances. Le soir, je l'accompagne au piano. Il n'a jamais rien dit. C'est un parfait homme du monde, mais les femmes sentent ces choses-là.

— Ah ! – Holmes prit un air grave. – Qu'est-ce qu'il fait, comme métier ?

— Il est riche.

— Et il n'a ni chevaux ni voiture ?

— Enfin, il est assez à l'aise. Mais il se rend dans la Cité deux ou trois fois par semaine. Il s'intéresse fort aux actions des mines d'or d'Afrique du Sud.

— Vous me ferez savoir s'il se passe quelque chose de nouveau, mademoiselle. J'ai beaucoup à faire en ce moment, mais je trouverai le temps d'étudier votre affaire. Dans l'intervalle, ne prenez aucune mesure sans m'avertir. Au revoir, et j'espère ne recevoir de vous que de bonnes nouvelles.

« Il est dans l'ordre naturel des choses qu'une fille comme cela ait des gens dans son sillage, dit Holmes, songeur, en fumant sa pipe. Mais il vaut mieux que ce ne soit pas à bicyclette et sur une route isolée. Quelque amoureux transi, sans nul doute. Mais l'affaire présente des détails curieux et riches en suggestions, Watson.

— Du fait que l'homme ne se montre qu'à cet endroit ?

— Tout juste. Notre premier effort doit être pour découvrir quels sont les occupants du manoir de Charlington. Ensuite, quelle relation y a-t-il entre Carruthers et Woodley, puisqu'ils sont, semble-t-il, des types tellement différents l'un de l'autre ? Comment est-il advenu que *tous les deux* tenaient à tel point à retrouver la famille de Ralph Smith ? Autre chose : qu'est-ce que c'est que ce train de maison où on paie le double du tarif habituel à une préceptrice, mais où on n'a pas de cheval alors qu'on habite à dix kilomètres de la gare ? Bizarre, Watson… très bizarre.

— Vous irez là-bas ?

— Non, mon cher, c'est vous qui irez. Il se peut que ce ne soit qu'une intrigue sans conséquence et je ne peux pas interrompre mes importantes recherches actuelles pour cela. Lundi, vous arriverez de bonne heure à Farnham, vous vous cacherez dans les parages de Charlington ; vous observerez les événements et vous agirez comme vous le jugerez bon. Puis, après vous être renseigné sur les hôtes du manoir, vous reviendrez me faire votre rapport. Et maintenant, plus un mot sur cette question tant que nous n'aurons pas quelques bases solides sur lesquelles appuyer notre réflexion.

Nous savions par la jeune femme qu'elle rentrait le lundi par le train qui quitte Waterloo à neuf heures cinquante ; je partis donc de bonne heure par celui de neuf heures treize. À Farnham, je n'éprouvai aucune difficulté à me faire indiquer Charlington et sa lande. Il était impossible de se tromper sur le site des mésaventures de la jeune personne, avec la lande vallonnée d'un côté et de l'autre une vieille haie de buis qui entourait un parc émaillé d'arbres magnifiques. Il y avait une grande entrée en pierres moussues dont les piliers latéraux étaient surmontés d'emblèmes héraldiques effacés, mais en dehors de cette allée cavalière centrale, j'observai différents points où des trouées dans la haie correspondaient à des sentiers. On ne voyait pas l'habitation de la route, mais tout son environnement proclamait la tristesse et la décrépitude.

La lande était couverte des taches dorées des ajoncs en fleur qui étincelaient magnifiquement sous les feux d'un ardent soleil printanier. Ce fut derrière une de ces touffes que je pris position, de manière à commander la vue de la grille en même temps que celle d'une longue étendue de route de chaque côté. Celle-ci était déserte au moment où je la quittai, mais j'y vis bientôt un cycliste qui roulait dans la direction d'où je venais. Il avait un costume sombre et une barbe noire. En arrivant à l'extrémité de la propriété du manoir, il mit pied à terre et, poussant sa machine par une des ouvertures de la haie, disparut de ma vue.

Un quart d'heure s'écoula et une seconde bicyclette apparut. Cette fois, c'était la jeune femme qui venait de la gare. Je la vis scruter les environs quand elle se trouva à hauteur de la haie du manoir de Charlington. L'instant d'après, l'homme sortit de sa cachette, sauta sur sa bicyclette et la suivit. Dans tout le vaste paysage, ces deux-là étaient les seuls points mouvants : la fille, gracieuse et très droite sur sa machine, et l'homme derrière elle, le nez sur le guidon, avec quelque chose de furtif dans tous ses gestes. Elle regarda derrière elle, le vit et ralentit. Il l'imita. Elle s'arrêta. Il en fit aussitôt autant, maintenant deux cents mètres d'écart entre elle et lui. L'initiative suivante de la jeune femme fut aussi inattendue que crâne : elle fit faire demi-tour à sa machine et fonça droit sur l'homme qui, aussi prompt qu'elle, toutefois, prit à toute allure une fuite désespérée. Bientôt elle reprit son chemin primitif, la tête hautainement relevée et sans daigner faire le moins du monde attention à ce silencieux garde du corps qui, lui aussi, avait repris la même direction qu'elle et restait à la même distance jusqu'au moment où la courbe du chemin me les fit perdre de vue.

Je restai dans ma cachette et bien m'en prit, car bientôt l'homme revint, roulant lentement. Il entra par la grille du manoir et descendit de machine. Pendant quelques minutes, je pus le voir, immobile parmi les arbres. Les mains levées, il semblait en train d'arranger sa cravate. Puis il remonta sur sa bicyclette et s'en fut, par l'allée cavalière, en direction du manoir. Courant par la lande, j'essayai de le suivre des yeux parmi les arbres. Très loin, je parvenais à apercevoir les bâtiments gris, hérissés de leurs antiques cheminées, mais l'allée traversait des bosquets touffus et je ne pus revoir mon homme.

J'avais quand même l'impression d'avoir accompli une assez bonne matinée de travail et j'étais très en train en regagnant Farnham. L'agent immobilier de l'endroit ne put me fournir aucun renseignement concernant le manoir de Charlington et me dit de m'adresser à une firme bien connue, dans Pall Mall. Je m'y arrêtai avant de rentrer et y trouvai un accueil courtois. L'employé me dit que je ne pourrais pas louer le manoir pour cet été là, que j'arrivais un tout petit peu trop tard car on l'avait loué un mois avant. Le locataire était un M. Williamson, un homme âgé et très respectable. Le préposé regrettait de ne pouvoir m'en dire davantage, mais les affaires de ses clients n'étaient pas des sujets dont il lui était permis de discuter.

M. Sherlock Holmes écouta avec attention le long rapport que je fus en mesure de lui présenter ce soir-là, mais ce compte rendu ne me valut pas ce mot de brève louange que j'avais espéré et que j'eusse apprécié. Au contraire, son visage austère se fit plus sévère que d'habitude, tandis qu'il commentait les choses que j'avais faites et celles que j'aurais dû faire.

— Grosse erreur, mon cher Watson, votre cachette. Il fallait vous placer derrière la haie ; ainsi vous auriez vu de près ce personnage intéressant. De la façon dont vous vous y êtes pris, vous étiez à des centaines de mètres, de sorte que vous ne pouvez que m'en dire moins encore que Mlle Smith. Elle croit qu'elle ne connaît pas l'individu ; je suis convaincu du contraire. Pourquoi, sans cela, serait-il à ce point désireux de ne pas lui permettre de l'approcher pour voir ses traits ? Vous me dites qu'il se penchait sur son guidon. Toujours cette même dissimulation ! Vous vous êtes vraiment mal débrouillé. Il retourne au manoir, et pour savoir qui il est, vous vous adressez à une maison de Londres !

— Et qu'aurait-il fallu faire ? m'écriai-je avec chaleur.

— Aller à l'auberge la plus proche. C'est le centre des cancans, à la campagne. Là, on vous aurait dit tous les noms, depuis celui du patron jusqu'à celui de la femme de charge. Williamson ! Ça ne me dit rien du tout. Si c'est un vieillard, ça ne peut pas être le cycliste actif qui file à toute vitesse pour échapper à la poursuite de cette athlétique jeune personne. Que nous a rapporté votre expédition ? La confirmation du récit de la demoiselle ? Je n'avais jamais douté de sa véracité. Qu'il existe une corrélation entre le cycliste et le manoir ? De cela non plus je n'ai jamais douté. Que le manoir est loué par Williamson ? Nous voilà bien avancés ! Allons, allons, cher ami, ne soyez pas si morose. Nous ne pouvons plus rien faire d'ici samedi prochain et, d'ici là, peut-être prendrai-je un ou deux renseignements moi-même.

Le lendemain nous apporta un mot de Mlle Smith, relatant brièvement, mais exactement, les incidents mêmes dont j'avais été le témoin. Mais tout le sel s'en trouvait dans le post-scriptum :

« *Je suis certaine, monsieur Holmes, que vous ne trahirez pas ma confiance si je vous dis que ma position devient ici difficile, du fait que mon patron m'a demandé ma main. Je suis convaincue que ses sentiments sont à la fois profonds et honorables, mais j'ai déjà engagé ma parole ailleurs, comme vous le savez. Il a pris mon refus avec beaucoup de sérieux, mais aussi beaucoup de douceur. Vous concevrez, toutefois, que la situation est un peu tendue.* »

— Notre jeune amie a l'air d'entrer dans une passe difficile, dit Holmes, songeur, quand il eut fini de lire la lettre. L'affaire présente certainement plus de points intéressants et de possibilités d'évolution que je ne le pensais au début. Une journée tranquille et paisible à la campagne ne me ferait pas de mal et j'ai bonne envie d'y faire un saut cet après-midi pour vérifier une ou deux théories que j'ai échafaudées.

La paisible journée de campagne de Holmes eut une fin pas banale, car il revint à Baker Street tard ce soir-là, avec la lèvre fendue et une bosse incolore sur le front, sans parler d'une tendance générale à la dissipation qui eût fait de toute sa personne un digne objet d'investigation pour la police régulière. Il était absolument ravi de ses mésaventures et rit de grand cœur en me les racontant.

— Je prends si peu d'exercice que c'est toujours un régal pour moi, dit-il. Vous n'ignorez pas que je suis assez habile dans ce bon vieux sport national anglais qu'est la boxe. Cela sert, à l'occasion. Aujourd'hui, par exemple, j'aurais sans cela connu d'ignominieux déboires.

Je le priai de me dire ce qu'il était arrivé.

— Je l'ai trouvé, ce cabaret de campagne que j'avais recommandé à votre attention, et je m'y suis livré à une discrète enquête. Je me trouvais au bar et le patron, bavard, était en train de me raconter tout ce que je voulais. Williamson est un monsieur à barbe blanche qui habite le manoir avec seulement quelques domestiques. D'après un bruit qui court, il est, ou aurait été, pasteur ; toutefois, un ou deux incidents survenus durant son court séjour au manoir me frappent comme assez peu cléricaux, et, à ce qu'on m'a dit, il y a effectivement eu dans le clergé un individu de ce nom dont la carrière a été particulièrement peu brillante. Le patron du bar m'a appris aussi que d'habitude des visiteurs viennent au manoir pour le week-end – « de chauds lapins, monsieur ! » –, surtout un bonhomme à moustache rouge, un nommé M. Woodley, qui y est tout le temps. Nous en étions là quand, qui est-ce qui s'amène, sinon le type en question qui, tout en prenant sa bière dans la salle à côté, avait entendu toute la conversation. Qui étais-je et qu'est-ce que je voulais ? Qu'est-ce que signifiaient toutes ces questions ? Extrêmement volubile, il employait des adjectifs fort vigoureux. Il mit le point final à un chapelet d'injures par un vicieux revers de main que je n'ai pas pu entièrement éviter. Les quelques minutes qui suivirent furent délicieuses. Ce fut un duel entre le classique direct du gauche et une brute désordonnée. J'en suis sorti dans l'état où vous me voyez. M. Woodley est reparti en charrette. Ainsi s'acheva ma promenade à la campagne et il faut reconnaître que, bien que fort agréable, ma journée aux confins du Surrey n'a guère été plus utile que la vôtre.

Le jeudi nous apporta une autre lettre de notre cliente.

« Vous ne serez pas surpris, monsieur Holmes, écrivait-elle, d'apprendre que je quitte ma situation. Même le salaire élevé

que me paie M. Carruthers ne parvient pas à compenser les inconvénients de ma position. Samedi je vais à Londres et n'ai pas l'intention de revenir. M. Carruthers s'est procuré une voiture et les dangers de la route solitaire – si tant est qu'ils aient existé – ont disparu.

« Pour ce qui a motivé mon départ, c'est moins la tension résultant de mes relations avec M. Carruthers que la réapparition de l'odieux M. Woodley. Toujours hideux, il est plus affreux encore maintenant, car il a, paraît-il, eu un accident qui l'a beaucoup défiguré. Je l'ai aperçu par la fenêtre, mais – Dieu merci ! – ne me suis pas encore trouvée en sa présence. Il a eu une longue conversation avec M. Carruthers qui, après, m'a semblé fort surexcité. Woodley doit séjourner dans le voisinage, car il ne couche pas ici, et pourtant je l'ai aperçu de nouveau ce matin, il se faufilait parmi les bosquets. Je préférerais de beaucoup une bête sauvage en liberté dans le jardin. Je l'abomine et le crains plus que je ne saurais dire. Comment, mais comment M Carruthers peut-il un seul instant supporter un être pareil ? Enfin, mes tourments seront finis samedi ! »

— Je l'espère aussi, Watson, je l'espère, dit Holmes avec fougue. Je ne sais quelle sournoise intrigue se noue autour de cette petite, et il est de notre devoir de veiller à ce que personne ne la moleste au cours du dernier voyage en question. Je crois, Watson, qu'il faut que nous trouvions le temps d'y descendre samedi matin pour nous assurer que cette curieuse enquête sans résultat n'aura pas une fin regrettable.

Je reconnais que je n'avais pas, jusqu'alors, considéré l'affaire sous un angle bien sérieux. Elle me semblait plutôt grotesque et baroque que dangereuse. Qu'un homme attende et suive une très jolie femme, cela n'avait rien d'extraordinaire, et s'il avait témoigné d'assez peu d'audace pour non seulement ne pas lui adresser la parole, mais même pour fuir à son approche, ce ne pouvait être un assaillant bien redoutable. Woodley, ce voyou, était tout différent, mais, sauf en une occasion, il n'avait pas molesté notre cliente et maintenant il allait rendre visite à Carruthers sans même paraître en présence de la jeune femme. Le cycliste était probablement un des membres de la compagnie qui venait au manoir pour les week-ends, ainsi que le cabaretier l'avait raconté à Holmes. Toutefois, qui il était et ce qu'il voulait, on l'ignorait toujours. Ce furent la sobriété de l'attitude de

Holmes et le fait qu'il glissa, avant de sortir, un revolver dans sa poche qui me donnèrent l'impression qu'il y avait peut-être une tragédie latente sous cette curieuse suite d'événements.

À une nuit pluvieuse avait succédé une matinée resplendissante et la campagne couverte de bruyères, avec les flamboyantes touffes d'ajoncs en fleur, semblait encore plus belle à nos yeux, après les teintes boueuses, grisâtres et ardoisées de Londres. Holmes et moi nous marchions le long de la route large et sablée, en respirant à pleins poumons l'air frais du matin et en nous régalant du chant des oiseaux et de la fraîche haleine du printemps. D'une élévation de la route au flanc de la colline de Crooksbury nous pûmes apercevoir le sinistre manoir hérissant ses cheminées par-dessus les chênes antiques qui, tout vieux qu'ils étaient, n'en demeuraient pas moins plus jeunes que le bâtiment qu'ils entouraient. Holmes m'indiqua, sur la longue route qui, tel un ruban d'un jaune rougeâtre, serpentait entre le brun de la lande et le vert bourgeonnant des bois, un point noir, très éloigné – un véhicule qui venait dans notre direction. Holmes eut une exclamation d'impatience.

— J'avais tablé sur une marge d'une demi-heure, dit-il. Si c'est la voiture de notre jeune personne, elle doit chercher à prendre le train d'avant. J'ai bien peur, Watson, qu'elle ne passe à Charlington trop tôt pour que nous puissions l'y joindre.

Une fois franchi le sommet de la montée, nous ne pouvions plus voir le véhicule, mais nous pressâmes l'allure à tel point que ma vie sédentaire commença à se faire sentir et que je dus rester en arrière. Holmes, toutefois, était toujours en forme, car il avait d'inépuisables ressources nerveuses qu'il mettait à contribution. Son pas élastique ne ralentit pas un instant jusqu'au moment où, alors qu'il était à une centaine de mètres devant moi, il s'arrêta et je le vis lever la main en un geste de douleur et de désespoir. En même temps, la voiture vide, au trot du cheval dont les rênes pendaient, apparut au tournant de la route, s'approchant rapidement de nous.

— Trop tard, Watson, trop tard ! s'écria Holmes tandis que, haletant, je me portais à sa hauteur. Imbécile que je suis de n'avoir pas tenu compte du train précédent ! C'est un enlèvement, une séquestration, un meurtre, Dieu sait quoi ! Barrez-moi cette route ! Arrêtez-moi ce cheval ! c'est cela. Maintenant, en voiture, et voyons si je vais pouvoir réparer les conséquences de mes propres gaffes !

Nous avions bondi dans le dog-cart et Holmes, après avoir fait tourner le cheval, le cingla vigoureusement de son fouet et nous partîmes à fond de train. Comme nous prenions le tournant, toute l'étendue de la route qui s'étendait entre le manoir et la lande se déploya devant nos yeux.

Je saisis Holmes par le bras.

— Voici notre homme ! lui dis-je.

Un cycliste venait dans notre direction. Tête baissée et dos voûté, il mettait à pédaler toute son énergie et filait comme un coureur. Soudain, en levant son visage barbu, il nous vit proches de lui et s'arrêta, sautant à bas de sa machine. La barbe d'un noir intense faisait un étrange contraste avec la pâleur de sa figure et ses yeux brillaient, comme enfiévrés. Il nous regarda avec surprise, considéra notre voiture, et un air de stupeur se peignit sur ses traits.

— Holà ! Arrêtez ! s'écria-t-il en mettant sa bicyclette en travers de la route. Où avez-vous pris cette voiture ? Arrêtez, je vous dis ! hurla-t-il en tirant de sa poche un pistolet. Arrêtez, ou sans ça, bon sang, je tire dans votre cheval !

Holmes me lança les rênes sur les genoux et bondit à bas de la charrette.

— C'est vous que nous cherchons. Où est Mlle Smith ? s'exclama-t-il avec sa vivacité ordinaire.

— C'est bien ce que je vous demande. Vous êtes dans son dog-cart. Vous devriez savoir où elle est.

— Nous avons rencontré la voiture sur la route. Il n'y avait personne dedans. On l'a prise pour aller au secours de la jeune femme.

— Mon Dieu ! que vais-je faire ! s'écria l'inconnu, au comble du désespoir. Ils la tiennent, cet infernal gredin de Woodley et ce bandit de prêtre ! Allons, venez, si vraiment vous êtes son ami, venez m'aider à la sauver, quand je devrais laisser mes os dans ce bois de Charlington !

D'un air égaré, il se précipita, le pistolet à la main, vers une brèche ouverte dans la haie. Holmes le suivit, et moi, laissant le cheval brouter sur le bord de la route, je suivis Holmes.

— C'est ici qu'ils sont passés, dit-il en indiquant plusieurs traces de pas dans le sentier boueux. Holà ! un instant : qui est-ce qui est là dans le buisson ?

C'était un jeune homme de dix-sept ou dix-huit ans, habillé comme un garçon d'écurie, avec un pantalon de velours et des guêtres. Il était couché sur le dos, les genoux repliés, et portait une terrible entaille à la tête. Il était sans connaissance, mais vivant. Un coup d'œil à sa blessure me montra qu'elle n'avait pas attaqué l'os.

— C'est Peter, le valet d'écurie, s'écria l'étranger. C'est lui qui la conduisait. Ces sauvages l'ont arraché de son siège et assommé. Laissez-le là ; nous ne pouvons rien faire pour lui, mais nous pouvons la sauver, elle, du pire destin qui puisse accabler une femme.

Nous nous ruâmes comme des forcenés par le sentier qui serpentait parmi les arbres. Nous venions d'atteindre les bosquets qui entouraient la maison quand Holmes s'arrêta.

— Ils ne sont pas allés à la maison. Voici leurs pas, sur la gauche... là, à côté des lauriers ! Ah ! je vous le disais !

Tandis qu'il parlait, le hurlement d'une voix féminine – un hurlement qui vibrait d'horreur frénétique – retentit, parti d'une épaisse touffe de buissons devant nous. Il s'acheva subitement sur sa note la plus élevée par le bruit étouffé qu'émet quelqu'un qu'on étrangle.

— Par ici, par ici ! ils sont dans le boulingrin, s'écria l'inconnu en s'élançant dans les buissons. Ah, les lâches ! les chiens ! Suivez-moi, messieurs ! Mais trop tard, trop tard ! ah, misère !

Nous venions de déboucher sur un délicieux glacis de gazon entouré d'arbres vénérables. À l'extrémité la plus éloignée, à l'ombre d'un immense chêne, trois personnes formaient un groupe étrange. L'une était une femme, notre cliente ; chancelante et défaillante, elle était bâillonnée par un mouchoir lié sur sa bouche. En face d'elle se dressait un jeune homme brutal, au visage lourd et à la moustache rousse ; il était guêtré et, les jambes écartées, un poing sur la hanche, il agitait de l'autre main une cravache. Toute son attitude était de forfanterie triomphante. Entre les deux, un vieillard à barbe grise, portant un court surplis par-dessus un costume clair, venait évidemment de terminer le service de mariage car, au moment où nous parûmes, il était en train de remettre son livre de prières dans sa poche tout en tapant, de joviale façon, sur l'épaule de ce sinistre marié.

— Ils sont mariés ! m'écriai-je.

— Venez ! s'exclama notre guide. Venez !

Il se rua sur la pelouse, Holmes et moi derrière lui. Comme nous approchions, la jeune femme s'appuya en chancelant contre le tronc du chêne pour ne pas tomber. Williamson, l'ex-membre du clergé, s'inclina devant nous avec une politesse ironique et Woodley, la brute, s'avança avec un beuglement hilare.

— Tu peux enlever ta barbe, Bob, dit-il. Ça va, on t'a reconnu. Eh bien, toi et tes copains, vous arrivez juste à temps pour me permettre de vous présenter Mme Woodley.

La réponse de notre guide fut singulière. Il arracha d'un geste brusque la barbe noire qui le déguisait et la jeta par terre, révélant un visage pâle, allongé, et complètement rasé. Puis, levant son pistolet, il le braqua sur le jeune voyou qui s'avançait vers lui en cinglant dangereusement l'air de sa cravache.

— Oui, dit notre allié de fraîche date, c'est bien moi, Bob Carruthers, et je ne te laisserai pas faire de tort à cette fille, quand ça devrait me mener à la potence. Je te l'ai dit, ce que je ferais si tu la touchais, et, pardieu, je tiendrai parole !

— Trop tard : elle est ma femme.

— Non ! elle est ta veuve !

Le coup partit et je vis le sang jaillir du devant du gilet de Woodley. Il tournoya avec un hurlement et s'écroula sur le dos, son hideux visage se marbrant tout à coup d'une affreuse pâleur. Le vieillard, toujours revêtu de son surplis, lâcha une bordée de jurons comme de ma vie je n'en avais entendu et tira à son tour un revolver, mais, avant qu'il n'ait eu le temps de seulement l'élever à l'horizontale, il avait sous les yeux le canon de l'arme de Holmes.

— Ça suffit comme ça, dit froidement mon ami. Lâchez-moi ce pistolet. Watson, ramassez-le ! Tenez-le-lui près de la tête ! Merci. Quant à vous, Carruthers, donnez-moi votre arme. Nous ne voulons plus de violences. Allez, passez-moi ça.

— Qui donc êtes-vous ?

— Je m'appelle Sherlock Holmes.

— Bon Dieu de bois !

— Vous me connaissez, à ce que je vois. Je représenterai la police régulière en attendant qu'elle arrive. Holà, toi ! criat-il au valet d'écurie apeuré qui venait de montrer son nez au bord de la pelouse, viens ici, et porte-moi ça à cheval aussi vite que tu le pourras à Farnham. – Il griffonna quelques mots sur une feuille de son calepin. – Donne-le au commissaire de police. Tant qu'il ne sera pas arrivé, je suis contraint de vous retenir ici sous ma garde personnelle.

La magistrale puissance de la personnalité de Holmes dominait cette scène tragique dont les acteurs étaient entre ses mains comme des pantins. Williamson et Carruthers se retrouvèrent en train de porter le blessé dans le manoir et j'offris mon bras comme soutien à la jeune femme épouvantée. On posa Woodley sur son lit et, à la demande de Holmes, je l'examinai. J'allai lui en rendre compte dans la vieille salle à manger tendue de tapisseries anciennes où il était assis, ses deux prisonniers devant lui.

— Il vivra, lui dis-je.

— Quoi ? s'écria Carruthers, debout d'un bond. Je vais commencer par aller l'achever. Vous n'allez pas me dire que cette jeune femme, que cet ange, est rivée à Woodley le Braillard pour le restant de ses jours ?

— Vous n'avez pas besoin de vous faire de bile à cet égard, dit Holmes. Il y a deux bonnes raisons pour que, quoi qu'il arrive, elle ne soit pas sa femme. D'abord, nous pouvons en toute sécurité mettre en doute les droits qu'avait M. Williamson de célébrer le mariage.

— J'ai été ordonné, s'écria le vieux gredin.

— Et défroqué aussi.

— Prêtre un jour, prêtre toujours.

— Pensez-vous ! Et la licence de mariage ?

— Nous l'avons. Je l'ai dans ma poche.

— Alors vous vous l'êtes procurée par un subterfuge. De toute façon, un mariage par contrainte n'est pas un mariage, mais un forfait extrêmement grave, comme vous ne tarderez pas à le constater. Ou je me trompe fort, ou vous allez bien avoir dix ans pour y réfléchir. Quant à vous, Carruthers, vous auriez mieux fait de garder votre revolver dans votre poche.

— Je commence à le croire, monsieur Holmes ; mais quand je songeais à toutes les précautions que j'ai prises pour protéger cette fille – car je l'aimais, monsieur Holmes, et avant de la connaître je ne savais pas ce que c'était que d'aimer comme cela –, ça m'a rendu fou de penser qu'elle se trouvait aux mains de la brute la plus sauvage et la plus violente de toute l'Afrique du Sud, d'un homme dont le nom répand la terreur de Kimberley à Johannesburg. Comment ? Monsieur Holmes, vous n'allez pas me croire. Mais si je vous disais que depuis que cette enfant travaille chez moi, je ne l'ai pas une fois laissée passer devant cette maison, où je savais que ces gredins étaient tapis, sans la suivre en bicyclette, rien que pour être sûr qu'il ne lui arrivait rien ? Je me tenais à distance et je mettais une fausse barbe pour qu'elle ne me reconnaisse pas, parce que c'est une fille honnête et droite qui ne serait pas restée chez moi si elle avait cru que je la suivais sur les routes de campagne.

— Pourquoi ne pas l'avoir avertie du danger ?

— Toujours parce qu'elle m'aurait quitté, et je ne pouvais pas me résigner à cette idée-là. Même si elle ne pouvait pas m'aimer, c'était déjà beaucoup pour moi que de voir sa beauté dans mon foyer et que d'entendre le son de sa voix.

— Eh bien, dis-je, si vous appelez cela de l'amour, monsieur Carruthers, moi, je trouve que c'est de l'égoïsme.

— Les deux vont peut-être de pair. En tout cas, je ne pouvais pas la laisser s'en aller. En outre, avec la bande à ses trousses, ce n'était pas plus mal qu'elle ait quelqu'un pour veiller sur elle. Et puis, quand le câble est arrivé, je savais qu'ils allaient forcément passer à l'action.

— Quel câble ?

— Celui-ci, dit Carruthers en sortant un télégramme de sa poche.

Court et précis, il disait simplement :

« Le vieux est mort. »

— Hum ! dit Holmes. Je crois que je vois ce qui s'est passé et je comprends sans peine que ce message, comme vous dites, allait les déchaîner. Mais, pendant que nous attendons, si vous me racontiez ce que vous savez ?

Le vieux forban en surplis éclata en un torrent d'injures.

— Tudieu ! si tu te mets à moucharder, Bob Carruthers, je te ferai ce que tu as fait à Jack Woodley ! Bêle ton amour pour la môme tant que tu voudras, mais si tu donnes tes potes à cette espèce de flic en civil, tu le regretteras, c'est moi qui te le dis !

— Votre Révérence n'a pas besoin de se frapper, dit Holmes en allumant une cigarette. Votre affaire à vous est assez claire, et tout ce que je demande, c'est quelques détails pour ma curiosité personnelle. Toutefois, si le fait de me les donner doit provoquer des difficultés, c'est moi qui vais parler et vous verrez quelle chance vous pouvez avoir de conserver vos secrets. Pour commencer, vous êtes trois qui êtes venus d'Afrique du Sud pour ce coup-là : vous, Williamson ; vous, Carruthers et Woodley.

— Mensonge numéro un, dit le vieux. Je ne les ai jamais vus, ni l'un ni l'autre, jusqu'à il y a deux mois. Et je n'ai de ma vie jamais mis le pied en Afrique. Mettez ça dans votre poche et votre mouchoir par-dessus, monsieur De-quoi-je-me-mêle Holmes.

— Ce qu'il dit est vrai, corrobora Carruthers.

— Eh bien, soit, deux d'entre vous firent le voyage. Le révérend père n'était pas un article d'importation. Vous aviez connu Ralph Smith en Afrique du Sud. Vous aviez tout lieu de croire qu'il ne vivrait plus bien longtemps. Vous avez découvert que sa nièce hériterait de sa fortune. C'est ça, oui ?

Carruthers approuva de la tête et Williamson jura.

— Elle était sa plus proche parente, probablement, et vous saviez que le vieux était incapable de faire un testament.

— Absolument hors d'état, dit Carruthers.

— De sorte que vous êtes venus, tous les deux, et que vous avez recherché la fille. L'idée, c'était que l'un de vous l'épouse, et l'autre aurait sa part du butin. Pour une raison quelconque, ce fut Woodley qui fut choisi pour être le mari. Pourquoi cela ?

— Nous l'avions jouée aux cartes pendant la traversée. C'est lui qui a gagné.

— Je vois. Vous avez réussi à faire entrer la demoiselle à votre service et là, Woodley devait faire sa cour. Elle vit quelle brute et quel sac à vin c'était et repoussa ses avances. En même temps, vos plans se trouvaient quelque peu bousculés par le fait que vous-même étiez tombé amoureux de la jeune personne. L'idée qu'un tel butor la possédât vous devenait insupportable.

— Ça, tudieu, oui !

— Vous vous êtes querellés, il vous a quitté en fureur et s'est mis à combiner son plan tout à fait en dehors de vous.

— Ça m'a tout l'air, Williamson, qu'il n'y a pas grand-chose que je peux apprendre à ce monsieur, s'écria Carruthers avec un rire amer. Oui, on s'est disputés et il m'a envoyé à terre. Pour cela, nous sommes à égalité, en tout cas. Là-dessus, je l'ai perdu de vue. C'est à ce moment-là qu'il est allé ramasser ce curé vomi que voilà. J'ai trouvé où ils avaient monté leur ménage ensemble, dans cette maison qui

281

se trouvait sur le chemin que la fille suivait pour aller à la gare. J'ai eu l'œil sur elle à partir de ce moment-là, parce que je me suis douté qu'il y avait une machination en train. Je les voyais de temps à autre, parce que je voulais savoir ce qu'ils tramaient. Il y a deux jours, Woodley est venu me voir chez moi, pour me montrer ce télégramme qui disait que Ralph Smith était mort. Il venait me demander si je voulais observer notre marché. J'ai répondu que non. Il m'a demandé si je voulais épouser moi-même la petite et lui donner sa part. Je lui ai répondu que je le ferais volontiers, mais qu'elle ne voulait pas de moi. Il a dit : « Marions-la d'abord, et au bout d'une semaine ou deux, elle sera peut-être de meilleure composition. » J'ai dit que je ne me prêterais pas à un plan où il y aurait des violences. Alors, il est parti en menaçant et en jurant, comme un porc qu'il est, qu'il finirait par avoir la fille. Elle devait me quitter à la fin de cette semaine et je m'étais procuré une voiture pour la conduire à la gare. Malgré cela, j'avais encore des inquiétudes et je l'ai suivie en bicyclette. Elle avait de l'avance, toutefois, et avant que je l'aie rejointe, le mal était fait. La première chose que j'en ai su, c'est quand je vous ai vus, tous les deux, messieurs, revenir dans la charrette qui l'avait emmenée.

Holmes se leva et jeta le bout de sa cigarette dans l'âtre.

— J'ai été très obtus, Watson, me dit-il. Quand, dans votre rapport, vous m'avez dit que vous aviez vu le cycliste arranger, à ce que vous pensiez, sa cravate dans les buissons, ce seul fait aurait dû tout me révéler. Toutefois, nous pouvons nous féliciter d'avoir enquêté sur une affaire curieuse, et même, à certains points de vue, unique. J'aperçois trois policiers locaux qui arrivent par l'allée, et comme le petit valet d'écurie parvient à se maintenir à leur hauteur, il faut croire que, pas plus que notre si intéressant marié de ce matin, il ne gardera de séquelles de son aventure. Je crois, Watson, qu'en votre qualité de médecin vous pourriez vous occuper de Mlle Smith et lui dire que si elle est suffisamment remise nous serons heureux de l'accompagner jusque chez sa mère. Si sa convalescence n'est pas achevée, vous constaterez qu'il suffira de faire allusion à un télégramme que nous avons l'intention d'expédier à un jeune électricien des Midlands pour parachever la cure. Quant à vous, monsieur Carruthers, je considère que vous avez fait ce que vous pouviez pour racheter la part que vous aviez prise dans une ignoble machination. Voici ma carte, monsieur, et si mon témoignage peut vous être de quelque secours quand vous passerez devant les juges, je suis à votre disposition.

Dans l'incessant tourbillon de notre activité, il m'a souvent été difficile, ainsi que le lecteur a dû l'observer, de clore mes récits en donnant tous ces détails finaux que les gens curieux seraient en droit d'attendre. Chaque affaire préludait à une autre et, le dénouement atteint, ses acteurs disparaissaient à jamais de notre existence affairée. Je retrouve, néanmoins, un petit mot à la fin de celles de mes notes qui traitent de cette enquête. J'y ai consigné que Mlle Violette Smith a effectivement hérité d'une grosse fortune et qu'elle est maintenant l'épouse de Cyril Morton, fondateur de la maison d'électricité Morton et Kennedy, de Westminster. Williamson et Woodley, poursuivis tous les deux pour rapt et sévices, ont récolté le premier sept ans, le second dix. Du sort de Carruthers je n'ai pas été informé, mais je suis sûr que la Cour n'a pas dû considérer avec beaucoup de sévérité son agression, car Woodley avait la réputation d'être un bandit des plus dangereux, de sorte que j'ai tout lieu de croire que quelques mois de prison suffirent à assouvir les exigences de la justice.

LES SIX NAPOLÉONS

Il arrivait assez souvent à M. Lestrade de Scotland Yard de venir causer avec nous dans la soirée, et ces visites faisaient grand plaisir à Sherlock Holmes, car elles lui permettaient de se tenir au courant de toutes les nouvelles apprises par la police. En retour des récits que faisait Lestrade, Sherlock Holmes prêtait une grande attention aux détails des affaires dont le détective pouvait être chargé ; de temps en temps, il lui donnait des avis que justifiait sa longue expérience des enquêtes, des hommes et des choses.

Ce soir-là, Lestrade avait parlé du temps, des journaux, puis la conversation était retombée tandis qu'il continuait à fumer son cigare. Holmes le regarda avec attention.

— Rien d'intéressant ? dit-il.

— Non, monsieur Holmes, rien de particulier.

— Alors... dites le moi.

Lestrade se mit à rire.

— Décidément, monsieur Holmes, il n'y a rien à vous cacher. Oui, il y a bien quelque chose qui me préoccupe, et pourtant, c'est si absurde que j'hésite à vous en infliger le récit ; d'un autre côté, l'événement, tout en ne sortant pas de la banalité, paraît cependant assez bizarre. Je sais, il est vrai, que vous avez un goût marqué pour ce qui sort de l'ordinaire, mais, à mon avis, cette affaire paraît plutôt ressortir du domaine du docteur Watson que du vôtre.

— Une maladie ? demandai-je.

— En tout cas, de la folie, et une folie extraordinaire. Croiriez-vous qu'il existe, de nos jours, un homme qui nourrit une telle haine contre Napoléon Ier qu'il brise impitoyablement toutes les statues qui le représentent ?

Holmes s'enfonça dans son fauteuil.

— Cela ne me regarde pas, dit-il.

— C'est précisément ce que je viens de dire. Mais comme l'homme en question se met à pénétrer avec effraction dans les maisons en vue de briser ces statues, il cesse d'appartenir au domaine du médecin pour passer dans celui de la police.

Holmes se redressa.

— Ah ! il y a des cas d'effraction ? Cela devient plus intéressant. Donnez-moi donc des détails.

Lestrade prit son carnet de rapports, qu'il parcourut pour se rafraîchir la mémoire.

— La première affaire a eu lieu il y a quatre jours, dit-il. Elle s'est passée chez M. Moïse Hudson, qui a un magasin de vente d'objets d'art dans Kennington Road. Le commis s'était un moment absenté du magasin, quand, tout à coup, il entendit du bruit à l'intérieur. Il revint en toute hâte et trouva, brisé en mille morceaux, un buste en plâtre de Napoléon qui était placé sur le comptoir, au milieu d'autres œuvres d'art. Il se précipita dans la rue, mais, malgré l'affirmation de plusieurs personnes, qui avaient vu un individu s'enfuir du magasin, il ne put le découvrir. Il crut donc voir dans ce fait un acte de vandalisme comme il s'en produit de temps en temps, et c'est dans ce sens que fut faite la déclaration à la police. Le buste ne coûtait que quelques shillings et l'affaire semblait trop anodine pour qu'on se livrât à une enquête.

« Un second fait semblable, plus sérieux et plus étrange, se produisit la nuit dernière. Dans Kennington Road, à quelques centaines de mètres du magasin de Moïse Hudson, habite un médecin bien connu, le docteur Barnicot, qui a une clientèle très importante sur la rive gauche de la Tamise. Sa résidence, avec son cabinet de consultation, est dans Kennington Road, mais il a une clinique à Lower Brixton Road, distante d'environ deux milles. Le docteur est un admirateur enthousiaste de Napoléon ; sa maison est remplie de livres, de tableaux et de reliques se rapportant à l'histoire de l'empereur des Français. Il a acheté, précisément chez Moïse Hudson, deux plâtres absolument identiques du buste de Napoléon, par le sculpteur français Devine. Il a placé l'un d'eux dans le vestibule de sa maison de Kennington Road, et l'autre sur la cheminée de son cabinet de Lower Brixton. Quand le docteur est descendu ce matin, il a constaté que sa maison avait été cambriolée pendant la nuit, mais que rien n'avait été volé sinon le buste en plâtre du vestibule, qui avait été emporté et lancé avec violence contre le mur du jardin, au pied duquel en ont été découverts les débris.

Holmes se frotta les mains.

— Voilà qui n'est pas banal !

— Je pensais bien que cela vous intéresserait, mais ce n'est pas tout : le docteur Barnicot s'est rendu, à midi, à sa clinique, et jugez de son étonnement en découvrant que la fenêtre avait été ouverte pendant la nuit et que les morceaux de son second buste jonchaient le sol. Il avait été réduit en miettes sur place. Nous n'avons pu découvrir aucun indice qui pût nous mettre sur la piste du criminel ou du fou qui était l'auteur de cette mauvaise plaisanterie. Maintenant, monsieur Holmes, vous connaissez les faits.

— Ils sont, en effet, assez bizarres, pour ne pas dire grotesques, dit Holmes. Je dois pourtant vous demander si les deux bustes brisés chez le docteur Barnicot étaient des reproductions exactes de celui qui a été cassé dans le magasin de Moïse Hudson.

— Oui, ils provenaient du même moule.

— Cette circonstance va à l'encontre de l'hypothèse selon laquelle l'homme qui les a détruits a été poussé à cet acte simplement par haine de Napoléon. Si l'on considère le nombre important de statues de Napoléon qui existent à Londres, il est impossible de supposer que c'est par une simple coïncidence que cet homme a mis en pièces trois spécimens du même buste.

— Je suis entièrement de votre avis, dit Lestrade. D'un autre côté, Moïse Hudson est le seul marchand d'objets d'art de ce quartier de Londres, et ce sont les seuls bustes de Napoléon qu'il ait eus en magasin depuis plusieurs années. Ainsi donc, bien qu'il existe à Londres, comme vous le dites, des centaines d'autres statues du grand homme, il est à présumer que celles qui ont été brisées sont les seules dans ce quartier. Dans ces conditions, il est tout naturel qu'un fanatique habitant le quartier ait commencé par elles. Qu'en pensez-vous, docteur ?

— Il n'y a pas de limites aux actes d'un fou ! répondis-je. « L'idée fixe », comme l'appellent les psychologues français, a pour effet de fausser l'intelligence sur un point, en laissant souvent toute la raison sur d'autres. Un homme qui a étudié à fond Napoléon, ou dont la famille, au cours des guerres menées contre lui, aurait subi quelque injure pourrait se trouver atteint d'une idée fixe, sous l'empire de laquelle il aura accompli un acte de folie.

— Ce n'est pas cela, mon cher Watson, dit Holmes en secouant la tête, toutes les idées fixes du monde ne lui auraient pas permis de découvrir où se trouvaient les bustes en question.

— Alors, quelle explication ?

— Je n'essaierai même pas d'en donner ; tout ce que je remarque, c'est une certaine méthode dans les procédés de cet homme excentrique. Par exemple, dans le vestibule du docteur Barnicot, où le bruit aurait pu donner l'alerte, le buste a été porté à l'extérieur avant d'être brisé, tandis qu'à sa clinique, où ce danger n'existait pas, il a été cassé sur les lieux mêmes. Cette affaire paraît bien ordinaire, mais je ne l'affirmerais pas, car, souvent, les affaires les plus difficiles que j'aie eu à élucider ont commencé de cette manière. Vous vous rappelez, Watson, comment me fut révélé le terrible drame dont fut victime la famille Abermetty : je commençai, s'il vous en souvient, par remarquer que le persil avait été enfoncé dans le beurre au lieu d'être placé tout autour. Votre histoire du bris de ces trois bustes ne me fait pas rire, Lestrade, et je vous serais très obligé de me tenir au courant de tout nouvel incident qui se produirait.

Ces incidents, auxquels mon ami avait fait allusion, se produisirent plus rapidement et d'une manière plus tragique que nous ne l'aurions supposé. Le lendemain matin, j'étais en train de m'habiller dans ma chambre, quand on frappa à la porte. Holmes entra : il tenait à la main une dépêche qu'il me lut :

Venez de suite. 181 Pitt Street, Kensington.
LESTRADE.

— Qu'y a-t-il ? lui demandai-je.

— Je ne sais pas... Peut-être n'importe quoi, mais je soupçonne fort que c'est la suite de l'histoire des bustes. Dans ce cas, notre homme a dû recommencer ses opérations dans un autre quartier de Londres. Avalez vite votre café ; un cab nous attend à la porte.

Une demi-heure après, nous arrivions à Pitt Street, petite rue bien tranquille dans un quartier des plus mouvementés de Londres. La maison portant le n° 181 était, comme ses voisines, d'aspect très ordinaire, sans aucune ornementation. En arrivant, nous trouvâmes auprès du grillage une foule de curieux. Holmes laissa entendre un petit sifflement de plaisir.

— Pardieu ! s'écria-t-il, c'est au moins un meurtre ! Il faut un événement de cette sorte pour détourner de leurs occupations les commissionnaires de Londres. Rien qu'à voir le cou allongé par la curiosité de ce gaillard, là-bas, je devine qu'il s'agit d'un acte de violence. Qu'est-ce à dire, Watson ? Les marches supérieures de l'escalier ont été lavées à grande eau, et les autres sont sèches ! Ah ! voici Lestrade à la fenêtre : nous allons savoir le fin mot de l'affaire.

Le détective nous reçut d'un air très grave et nous fit entrer dans une pièce où se trouvait un homme d'âge moyen, en proie à la plus vive agitation, comme l'indiquait suffisamment le désordre de sa toilette. Il était vêtu d'une robe de chambre en flanelle. Il nous fut présenté comme le propriétaire de la maison : M. Horace Harker, membre du Syndicat de la presse.

— Encore une histoire de buste de Napoléon ! dit Lestrade. Vous avez paru vous y intéresser hier au soir, et, maintenant que l'affaire prend une tournure plus grave, j'ai pensé que vous seriez content de la suivre.

— Quelle tournure ?

— Un meurtre ! Monsieur Harker, veuillez avoir l'amabilité de raconter à ces messieurs ce qui est arrivé.

L'homme à la robe de chambre tourna vers nous une figure des plus tristes.

— C'est extraordinaire ! dit-il. J'ai passé toute ma vie à commenter les affaires des autres, et maintenant qu'un drame sensationnel m'arrive pour mon propre compte, je suis si agité et si ému que je ne puis trouver mes mots. Si j'étais venu ici comme journaliste, je me serais interviewé moi-même et j'aurais trouvé le moyen de pondre deux colonnes dans les journaux du soir. Actuellement, je passe mon temps à raconter mon histoire à tout le monde et suis incapable de l'utiliser pour ma profession. J'ai entendu parler de vous, monsieur Sherlock Holmes, et, si vous pouvez trouver la clé de cette énigme, je me considérerai comme payé de l'ennui que j'éprouve à vous la raconter.

Holmes s'assit et écouta.

— Toute cette aventure paraît tourner autour du buste de Napoléon que j'ai acheté, il y a quatre mois, pour orner cette pièce. Je l'ai eu à bon compte, tout près de High Street Station. Je travaille souvent très tard, et j'écris parfois jusqu'à l'aube. C'est ce que j'ai fait cette nuit : j'étais assis dans mon cabinet, qui se trouve sur le derrière de la maison, au dernier étage, quand, vers trois heures du matin, il me sembla entendre du bruit au rez-de-chaussée. J'écoutai et n'entendis plus rien ; j'en conclus qu'il venait de l'extérieur. Cinq minutes après, me parvint tout à coup un cri terrible – le plus épouvantable que j'aie jamais entendu, monsieur Holmes ! – et qui retentira toute ma vie à mes oreilles. Je restai quelques instants glacé de frayeur, puis je saisis le tisonnier et je descendis. Quand j'entrai dans cette pièce, je constatai aussitôt que la fenêtre était grande ouverte et que le buste avait disparu. Je me demande encore comment un voleur a eu l'idée de s'emparer de cet objet en plâtre qui n'avait aucune valeur.

« Vous pouvez voir par vous-même que, de la fenêtre, il était facile, en faisant une longue enjambée, d'atteindre le perron extérieur. C'était, évidemment, ce que le malfaiteur avait dû faire. J'allai donc immédiatement ouvrir la porte. À peine dehors dans l'obscurité, je trébuchai contre un corps gisant à terre. Je me hâtai d'aller chercher une lumière et je trouvai un malheureux, la gorge coupée par une horrible blessure d'où le sang s'écoulait à flots. Il était couché sur le dos, les jambes pliées, la bouche démesurément ouverte… Je le reverrai toujours dans mes rêves ! Je n'eus que le temps d'alerter la police par un coup de sifflet et je perdis connaissance, je ne me rappelle plus rien, sinon que je me trouvai dans le vestibule avec un policeman à côté de moi.

— Quelle est la victime de cet assassinat ? demanda Holmes.

— Nous ne connaissons pas son identité, dit Lestrade. Vous verrez le corps à la morgue ; jusqu'à présent, nous n'avons aucun indice. C'est un homme de taille élevée, au teint bronzé, paraissant d'une force peu commune, âgé d'environ trente ans. Sa mise est plutôt modeste, mais il ne ressemble pas à un chemineau. À côté de lui, dans une mare de sang, nous avons retrouvé un couteau à virole avec manche de corne ; mais est-ce l'arme dont s'est servi l'assassin, ou appartenait-elle à la victime ? Je n'en sais rien. Aucun nom n'était inscrit à l'intérieur de ses vêtements et dans ses poches nous n'avons trouvé qu'une pomme, de la ficelle, un plan de Londres et la photographie que voici.

Cette dernière avait été prise au moyen d'un Kodak. Elle représentait un homme alerte, aux traits simiesques très accentués, aux sourcils fort épais, la mâchoire inférieure proéminente comme celle d'un babouin.

— Qu'est devenu le buste ? demanda Holmes après avoir examiné avec soin la photographie.

— Nous venions de l'apprendre au moment où vous êtes arrivés. On l'a trouvé dans le jardin d'une maison inoccupée de Campden House Road. Bien entendu, il était en morceaux. Je vais de ce pas le voir. Venez-vous avec moi ?

— Certainement, mais attendez un instant, que je jette un coup d'œil ici.

Il examina le tapis et la fenêtre.

— Le gaillard doit avoir les jambes très longues, ou c'est un homme très alerte, dit Sherlock Holmes. La maison ayant un sous-sol assez élevé, cela n'a pas dû être facile d'atteindre le rebord de la fenêtre et de l'ouvrir ; la descente a dû être plus aisée. Venez-vous avec nous pour voir ce qui reste de votre buste, monsieur Harker ?

L'inconsolable journaliste s'était assis à son bureau.

— Il faut que j'essaie de faire le récit de tout cela, dit-il, quoique, sans aucun doute, les journaux de ce soir, déjà imprimés, donnent force détails. C'est là ma veine ! Vous vous rappelez quand les tribunes des courses se sont effondrées à Doncaster ? J'étais le seul reporter à m'y trouver, et mon journal a été aussi le seul qui n'en ait pas donné le compte rendu, car j'avais éprouvé une telle émotion qu'elle m'avait rendu incapable d'écrire. Cette fois-ci, je serai le dernier à donner des détails sur un assassinat commis à ma porte.

Quand nous quittâmes la pièce, sa plume cependant courait sur le papier.

L'endroit où avaient été retrouvés les débris du buste était distant de quelques centaines de mètres. Pour la première fois, Holmes et moi pûmes voir les restes du grand empereur, qui semblait avoir provoqué une haine si violente dans l'esprit d'un inconnu. Les morceaux gisaient sur le gazon. Holmes en ramassa plusieurs et les examina avec soin ; à son attitude, je compris qu'il avait enfin trouvé une piste.

— Eh bien ? demanda Lestrade.

Holmes haussa les épaules.

— Nous avons encore du chemin à faire, dit-il. Et pourtant, pourtant, nous avons déjà un point de départ. La possession de ce buste sans valeur était certainement plus importante pour cet étrange criminel que la vie d'un homme : voilà un point démontré. Il y a pourtant une circonstance à remarquer, c'est qu'il ne l'a pas brisé dans la maison ni même dans le voisinage immédiat, si toutefois son but unique était de le faire.

— Il était peut-être inquiet de la rencontre qu'il avait faite de sa victime... Il devait à peine savoir ce qu'il faisait.

— C'est possible, mais j'attirerai tout spécialement votre attention sur la position de cette maison, dans le jardin de laquelle il a détruit le buste en question.

Lestrade regarda autour de lui.

— C'est une maison inoccupée, où il devait savoir qu'il ne serait pas inquiété.

— Oui, mais il y en a une autre, dans les mêmes conditions, un peu plus haut dans la rue, devant laquelle il a dû passer avant d'arriver à celle-ci. Pourquoi ne l'a-t-il pas choisie, puisque chaque pas qu'il faisait en portant le buste augmentait le risque d'être rencontré ?

— Je n'y comprends rien ! dit Lestrade.

Holmes montra le bec de gaz au-dessus de nos têtes.

— C'est qu'ici il pouvait voir ce qu'il faisait, alors que plus haut cela lui était impossible. Voilà le motif certain.

— Pristi ! c'est vrai ! dit le détective. Maintenant, je me rappelle que le buste du docteur Barnicot a été brisé tout près de sa lanterne rouge[1]. Eh bien ! Monsieur Holmes, quelle conclusion tirez-vous de cela ?

— Simplement qu'il faut se le rappeler et s'en servir au besoin. Nous trouverons peut-être quelque chose plus tard qui nous en fournira la raison. Quelle démarche proposez-vous de faire maintenant, Lestrade ?

— À mon avis, ce qu'il y a de plus pratique, c'est d'établir l'identité du cadavre, et cela ne doit pas être très difficile. Quand nous l'aurons démontrée, quand nous aurons trouvé quelles étaient ses habitudes, ses relations, ce sera un grand pas de fait pour deviner ce qu'il fabriquait à Pitt Street, la nuit dernière, quel est celui qui l'a rencontré et tué sur le perron de M. Horace Harker. N'êtes-vous pas de mon avis ?

---

1. Pour faciliter les recherches pendant la nuit, beaucoup de médecins anglais ont installé à la porte de leurs maisons une lanterne rouge semblable à celles des commissariats de police de Paris. (*N.d.T.*)

— Sans doute, mais ce n'est pas de cette façon que je prendrais l'affaire.

— Que feriez-vous alors ?

— Oh ! je ne veux pas vous influencer ! Suivez donc votre idée et je suivrai la mienne ; nous comparerons ensuite nos résultats et nous nous aiderons mutuellement.

— Très bien ! dit Lestrade.

— Si vous retournez à Pitt Street, vous pourrez revoir M. Horace Harker. Dites-lui de ma part que je suis certain que l'auteur du crime est un fou qui a pris en haine Napoléon. Cela lui sera utile pour son article.

Lestrade le regarda bien en face.

— Vous ne le pensez pas sérieusement, dit-il.

Holmes sourit.

— Peut-être ! mais je suis sûr que mon renseignement sera d'un grand intérêt pour M. Harker et pour les abonnés des journaux. Et maintenant, Watson, je pense que le travail qui nous attend aujourd'hui sera long et compliqué. Quant à vous, Lestrade, je vous donne rendez-vous à Baker Street ce soir à six heures ; laissez-moi jusque-là la photographie trouvée dans la poche de la victime. Peut-être aurai-je besoin de votre concours pour une expédition concernant ce crime, que nous aurons à faire cette nuit, si mes raisonnements sont exacts. Allons, à ce soir, et bonne chance !

Sherlock Holmes et moi allâmes à pied jusqu'à High Street ; là, nous nous arrêtâmes au magasin de Harding frères, où le buste avait été acheté. Un jeune employé nous apprit que M. Harding n'était pas là, qu'il ne reviendrait que dans le courant de l'après-midi, et que lui-même, nouvellement arrivé dans la maison, ne pouvait nous donner aucun renseignement. Je lus le désappointement sur la figure de Holmes.

— Enfin, me dit-il, on ne peut pas s'attendre à voir tout s'arranger comme on le désire, Watson. Il faudra revenir cet après-midi, puisque M. Harding est absent jusque-là. Je recherche, comme vous avez pu le deviner, l'origine exacte de ces bustes, afin de m'assurer s'il n'y aurait pas là un détail particulier, expliquant leurs aventures. Allons chez M. Moïse Hudson, à Kennington Road, et nous verrons s'il peut nous éclairer sur ce point.

Après une heure de voiture, nous arrivâmes chez le marchand d'objets d'art. C'était un homme de petite taille, assez gros, au visage rubicond, aux manières vives.

— Oui, monsieur, dit-il, sur mon comptoir ! Pourquoi nous fait-on payer des impôts puisqu'on laisse entrer le premier coquin venu chez nous pour briser nos marchandises ? C'est moi qui ai vendu au docteur Barnicot les deux statues... C'est honteux ! cela ne peut être que quelque complot !... seul un anarchiste a pu briser ces statues ; voilà ce que font les républicains rouges ! Vous m'avez demandé où je me les suis procurées ? Je ne vois pas en quoi ce détail peut se rapporter au crime ; cependant, si vous voulez le savoir, je les ai achetées chez Gelder et Cie, Church Street, Stepney, une maison honorablement connue depuis vingt ans. Combien j'en ai achetées ? Trois... Deux et un font trois : deux bustes que j'ai vendus à M. Barnicot, et celui qu'on a brisé en plein jour sur mon comptoir. Si je connais cette photographie ? Non, je ne connais pas celui qu'elle représente. Si, pourtant !... attendez !... Mais c'est Beppo l'Italien, un homme à tout faire que j'employais dans le magasin, qui savait dorer, encadrer et qui me rendait quelques services. Cet individu m'a quitté la semaine dernière, et je n'en ai pas entendu parler depuis. Je ne sais ni d'où il venait ni où il allait. Je n'ai rien eu à lui reprocher pendant tout le temps qu'il est resté à mon service. Il est parti deux jours avant l'incident arrivé à mon buste.

— C'est tout ce que nous pouvions raisonnablement attendre de Moïse Hudson ! dit Holmes quand nous fûmes sortis du magasin. Nous avons trouvé que Beppo avait été employé à Kennington, peut-être l'a-t-il été aussi à Kensington ; cela seul vaut bien notre course. Maintenant, il faut aller chez Gelder et Cie à Stepney, d'où viennent les bustes. Je serais bien surpris si je n'y recueillais pas un renseignement précieux.

Nous traversâmes rapidement le Londres élégant, puis le Londres des hôtels, le quartier des théâtres, des auteurs et des commerçants et, enfin, nous atteignîmes les quartiers qui forment, au bord du fleuve, comme une ville cosmopolite, où vivent des centaines de milliers d'âmes. Dans une large rue habitée jadis par les marchands les plus riches de la capitale, nous découvrîmes l'établissement que nous cherchions. Au-dehors se trouvait une immense cour remplie de pierres de taille ; à l'intérieur, une cinquantaine d'ouvriers étaient occupés à sculpter ou à mouler. Le directeur, un Allemand au type blond, nous reçut très poliment et répondit clairement aux questions posées par Holmes. En consultant ses livres, il constata qu'il avait été fait des centaines de moulages du buste en marbre de Napoléon sculpté par Devine et que trois d'entre eux avaient été envoyés à Moïse Hudson une ou deux années auparavant. La fournée s'était composée de six exemplaires ; les trois autres avaient été vendus à Harding frères de Kensington. Le directeur n'avait aucun motif de soupçonner que ces six statues fussent différentes des autres et qu'une raison quelconque pût décider quelqu'un à les détruire. Cette idée même le fit sourire. Leur prix de fabrique était de six shillings ; mais le revendeur pouvait les vendre douze. Le buste avait été pris au moyen de deux moulages, un de chaque côté de la tête ; les deux profils en plâtre de Paris avaient été juxtaposés pour faire le buste complet. Ce genre de travail était ordinairement fait par des Italiens. Quand les bustes étaient terminés, on les plaçait sur une table dans le corridor pour les faire sécher ; ils étaient ensuite portés à l'atelier. C'était tout ce qu'il pouvait nous apprendre ; mais l'exhibition de la photographie produisit un effet surprenant sur le directeur ; sa figure devint rouge de colère et ses sourcils se froncèrent sur ses yeux bleus de Teuton.

Ah ! le gredin ! s'écria-t-il. Oui, vraiment, je le connais très bien ! Cette maison a toujours été honorable, et la seule fois que la police y mit les pieds, ce fut à propos de cet homme. Il y a de cela plus d'un an. Il avait donné, dans la rue, un coup de couteau à un autre Italien, puis il arriva, la police à ses trousses, et il fut arrêté ici même. Il s'appelait Beppo, je n'ai jamais connu son nom de famille. Cela m'apprendra à engager un homme avec une pareille tête, c'était pourtant un bon ouvrier, un de nos meilleurs.

— À combien fut-il condamné ?

— La victime eut la chance de guérir ; il n'eut qu'un an de prison. Sans doute, a-t-il fini son temps, mais il n'a pas eu l'aplomb de se montrer ici. Nous avons dans nos ateliers un de ses cousins, il pourra sans doute vous dire où il est.

— Non ! non ! dit Holmes, pas un mot au cousin, je vous en prie. L'affaire qui nous occupe est très importante, et plus je l'étudie, plus elle me paraît grave. Quand vous regardiez dans votre livre pour chercher la date de la vente de ces statues, j'ai constaté qu'elle avait eu lieu le 13 juin de l'année dernière. Pouvez-vous me dire à quelle date Beppo a été arrêté ?

— Je puis vous le dire à peu près grâce à notre registre de comptabilité. Oui, continua-t-il après avoir feuilleté le registre, il a été payé pour la dernière fois le 20 mai.

— Merci, dit Holmes, je ne crois pas devoir abuser plus longtemps de votre temps.

Puis, après lui avoir recommandé la plus entière discrétion, nous nous retirâmes.

L'après-midi était déjà avancé quand nous prîmes un léger repas dans un restaurant. Un journal collé dans un cadre, à l'entrée, annonçait le crime de Kensington comme un assassinat commis par un fou et la lecture du journal nous montra que M. Harker avait réussi à faire imprimer à temps son compte rendu. Deux colonnes faisaient le récit de l'événement du jour. Holmes acheta le journal et, tout en mangeant, le parcourut avidement, mais en souriant à certains passages.

— Ça va bien, Watson, dit-il, écoutez ceci :

« Nous sommes heureux de faire connaître à nos lecteurs que les opinions les plus autorisées sont unanimes pour établir le mobile de cette affaire, car M. Lestrade, un de nos détectives les plus expérimentés de Scotland Yard ainsi que M. Sherlock Holmes, l'expert bien connu, estiment tous les deux que les incidents qui se sont terminés d'une manière si tragique sont l'œuvre d'un fou et non d'un criminel avéré. C'est la seule façon dont peuvent s'expliquer des faits semblables. »

La presse, voyez-vous, Watson, est un instrument remarquable quand on sait s'en servir. Et maintenant, si vous le voulez bien, allons à Kensington, voir ce que le directeur de Harding frères pourra nous raconter.

Le fondateur du magasin était un homme de petite taille, à l'allure vive, vêtu avec le plus grand soin. Il avait les idées très arrêtées et la langue bien pendue.

— J'ai déjà lu le compte rendu de l'affaire dans les journaux du soir. M. Horace Harker est un de nos clients ; nous lui avons livré le buste il y a quelques mois. Nous en avions commandé trois semblables à Gelder et Cie. Ils sont tous vendus maintenant ; nous saurons facilement vous dire à quelles personnes, en consultant nos livres. Les voici, d'ailleurs. L'un a été vendu à M. Harker, vous voyez… un autre à M. Josiah Brown, villa des Acacias, Labernum Vale, Chis-

wick... le troisième à M. Sandford, de Lower Grove Road,
Reading... Je n'ai jamais vu l'homme dont vous me montrez
la photographie, je n'aurais jamais oublié cette figure si je
l'avais vue, car on en rencontre rarement de plus remarquable par sa laideur... Nous avons plusieurs Italiens parmi nos
ouvriers, oui, monsieur ; si l'envie leur en était venue, ils
auraient évidemment pu regarder dans nos livres de vente ;
nous n'avons aucune raison de les tenir cachés. En tout cas,
voilà une affaire étrange et si j'ai pu vous être utile en quelque façon, j'espère qu'en retour vous voudrez bien m'en donner des nouvelles.

Holmes, pendant la déclaration de M. Harding, avait pris
des notes et je voyais que la tournure que prenait l'affaire
lui plaisait beaucoup. Il ne fit cependant aucune remarque
et se borna à observer que, si nous ne nous hâtions pas, nous
serions en retard au rendez-vous de Lestrade. En effet,
quand nous arrivâmes à Baker Street, il était déjà là et se
promenait de long en large en proie à la plus vive impatience.
Je vis, à son regard, qu'il n'avait pas perdu sa journée.

— Eh bien ! demanda-t-il, quelles nouvelles, monsieur
Holmes ?

— Nous avons eu une journée très chargée et qui n'a pas
été inutile. Nous avons vu le fabricant qui a moulé les bustes
et les négociants qui les ont vendus. Je puis, dès maintenant,
suivre la piste de chacun des bustes depuis le commencement.

— Les bustes ! les bustes !... s'écria Lestrade. Allons, vous
avez vos méthodes, monsieur Sherlock Holmes, et ce n'est
pas à moi qu'il appartient d'en dire du mal, mais je crois que
ma journée a été encore meilleure que la vôtre. J'ai établi
l'identité du cadavre.

— Pas possible !

— J'ai même découvert le mobile du crime.

— Parfait !

— Nous avons un inspecteur chargé spécialement de Saf-
fron Hill, le quartier des Italiens. Le cadavre portait une
médaille au cou, et cette circonstance, jointe à la couleur de
son teint, me fit penser que c'était un Méridional. L'inspecteur Hill le reconnut aussitôt qu'il le vit. Il s'appelle Pietro
Venucci, originaire de Naples, et c'est un des plus redoutables égorgeurs de Londres. Il fait partie de la Mafia, une des
sociétés secrètes qui ont pour objet la propagande par le fait.

Vous voyez maintenant que l'affaire commence à s'éclaircir. L'assassin est sans doute, lui aussi, un Italien affilié à la Mafia. Il en aura probablement violé les règlements d'une façon ou d'une autre, et Pietro aura été chargé de le découvrir. Sans doute la photographie qui a été trouvée dans sa poche est-elle celle de son assassin, qui l'avait reçue pour éviter toute erreur de personne. Il a donc dû le suivre, le voir entrer dans une maison, puis la quitter, et c'est probablement au cours de la discussion qu'il a eue avec lui qu'il a été tué. Qu'en pensez-vous, monsieur Sherlock Holmes ?

Holmes applaudit.

— Très bien, très bien, Lestrade ! s'écria-t-il, mais je n'ai pas bien suivi votre raisonnement sur la destruction des bustes.

— Les bustes ! vous ne voyez que cela. Au fond, cela n'est rien, ce sont des larcins insignifiants qui valent, tout au plus, six mois de prison. C'est sur le meurtre que porte notre enquête et je tiens, désormais, tous les fils dans ma main.

— Qu'allez-vous faire, maintenant ?

— Oh ! c'est bien simple : je vais aller avec Hill dans le quartier des Italiens, j'y trouverai l'homme dont nous avons la photographie et je l'arrêterai sous l'inculpation d'assassinat. Viendrez-vous avec nous ?

— Je ne crois pas. J'ai dans l'idée que nous arriverons au but d'une façon encore plus simple, je ne puis en être certain, tout cela dépend... d'un élément qui échappe à notre contrôle ; cependant j'ai bon espoir. Je parierais même deux contre un que, si vous nous accompagnez cette nuit, je vous ferai mettre la main sur le coupable.

— Dans le quartier des Italiens ?

— Non, mais, je crois, à Chiswick. Si vous voulez venir avec nous, je vous promets que j'irai demain avec vous dans le quartier des Italiens, et que ce retard ne gênera en rien votre enquête. Je crois, maintenant, que quelques heures de sommeil nous feront du bien. Il ne faut pas partir avant onze heures ; nous serons de retour, sans doute, avant le lever du jour. Dînez donc avec nous, Lestrade, et vous vous étendrez sur ce canapé jusqu'au moment du départ. En attendant, ayez donc l'amabilité de sonner, je vais faire venir un exprès, car j'ai une lettre à envoyer sans aucun retard.

Holmes passa la soirée à parcourir une pile de vieux journaux qui remplissaient notre grenier. Quand il descendit, ses yeux avaient une lueur de triomphe ; pourtant il ne nous fit part, ni à l'un ni à l'autre, du résultat de ses recherches. Quant à moi, j'avais suivi pas à pas la marche de cette affaire si compliquée et, tout en ne pouvant deviner le but que nous allions atteindre, j'entrevoyais clairement que, dans la pensée de Holmes, l'individu recherché ne manquerait pas de se livrer à un nouvel attentat sur l'un des deux bustes qui restaient et dont l'un, je me le rappelais, se trouvait à Chiswick. Le but de notre expédition était, sans doute, de le surprendre en flagrant délit et je ne pouvais qu'admirer l'astuce de mon ami qui avait lancé les journaux sur une fausse piste afin de donner à cet individu l'idée qu'il pouvait continuer ses exploits en toute impunité. Je ne fus donc pas surpris quand Holmes m'invita à prendre mon revolver. Lui-même emporta son casse-tête, son arme favorite.

Une voiture fermée nous attendait à la porte et nous conduisit jusqu'au-delà du pont de Hammersmith. Là, le cocher reçut l'ordre de nous attendre. Nous gagnâmes à pied une rue assez isolée, bordée, de chaque côté, de maisons élégantes, entourées chacune d'un jardin. À la lueur du bec de gaz, nous pûmes apercevoir le nom *Villa des Acacias*, inscrit sur la barrière. Le propriétaire devait être déjà couché, car on ne voyait aucune lumière – excepté au-dessus de l'imposte de la porte d'entrée, d'où une lueur éclairait vaguement l'allée du jardin. La barrière en bois qui séparait la propriété de la route rendait l'endroit plus obscur, et c'est là que Holmes nous fit nous cacher.

— Nous aurons, je le crains, longtemps à attendre, dit Holmes ; nous avons au moins la chance qu'il ne pleuve pas. Il est plus prudent de ne pas fumer, même pour passer le temps. Enfin nous avons deux chances contre une de réussir, ce qui compensera notre peine.

Cependant notre attente ne fut pas aussi longue que Holmes l'avait craint, et elle se termina de la façon la plus soudaine et la plus inattendue. Tout à coup, sans bruit qui eût pu éveiller notre attention, la barrière du jardin s'ouvrit et un individu, alerte comme un singe, s'avança rapidement dans l'allée. Nous le vîmes passer dans la traînée de lumière venant de la porte et disparaître derrière la maison ; puis il se fit un long silence pendant lequel nous eûmes soin de retenir notre respiration. Nous entendîmes bientôt un grincement ; on ouvrait une fenêtre. Le bruit cessa ; l'individu avait pénétré dans la maison. Nous vîmes le rayon d'une lanterne sourde dans une pièce ; ce qu'il cherchait ne s'y trouvait pas, il passa dans une autre, puis dans une troisième.

— Allons à la fenêtre ouverte, dit Lestrade, nous le prendrons au moment où il sortira !

Avant que nous eussions fait un pas, l'homme était sorti. Nous pûmes constater qu'il portait, sous le bras, quelque chose de blanc. Il regarda tout autour de lui, le silence de la rue déserte le rassura. Il nous tournait le dos pour déposer son butin. Un instant après, nous perçûmes un bruit sec. L'homme était si absorbé qu'il ne nous entendit pas traverser la pelouse. Holmes bondit comme un tigre et le saisit. En un instant, Lestrade et moi le prenions par le bras et lui passions les menottes. Je n'ai jamais rencontré une figure plus hideuse. Il nous contemplait, les traits convulsés... C'était l'homme de la photographie ! Holmes, cependant, ne parut pas s'occuper de notre prisonnier. Assis sur les marches du perron, il examina avec le plus grand soin les débris de l'objet que l'homme avait emporté de la maison. C'était un buste de Napoléon, semblable à celui que nous avions vu le matin même, et brisé de la même façon. Holmes regarda chacun des morceaux de plâtre à la lumière, mais ils étaient tous pareils. Il venait de terminer cet examen quand le vestibule s'éclaira et la porte s'ouvrit. Le propriétaire de la maison, un homme obèse à l'air jovial, se présenta en bras de chemise.

— M. Josiah Brown, je pense ? dit Holmes.

— Lui-même, monsieur, et vous êtes sans doute M. Sherlock Holmes. J'ai reçu votre lettre que m'a apportée l'exprès et j'ai suivi ponctuellement les instructions que vous m'aviez envoyées. Nous avons fermé toutes les portes à clé à l'intérieur et nous avons attendu les événements. Je suis très heureux de voir que vous avez pris ce bandit. Veuillez entrer maintenant, messieurs, pour vous rafraîchir.

Mais il tardait à Lestrade de mettre son prisonnier dans un lieu sûr ; on envoya donc chercher notre fiacre et nous repartîmes pour Londres. Notre homme n'ouvrit pas la bouche pendant le trajet et se borna à nous regarder d'un air furieux. Profitant même d'un moment où ma main était à sa portée, il la saisit et essaya de la mordre comme un loup affamé. Nous attendîmes au bureau de police pendant qu'on le fouillait ; on ne trouva sur lui que quelques shillings et un long couteau, sur le manche duquel se voyaient des traces de sang.

— Ça va bien, dit Lestrade en nous quittant. Hill connaît toute la bande et il nous dira son nom. Vous verrez que mon hypothèse de la Mafia se trouvera justifiée, mais je vous suis très reconnaissant, monsieur Holmes, de m'avoir si bien secondé dans cette arrestation, quoique je ne comprenne pas encore très bien comment vous avez pu opérer.

— Il est trop tard pour vous expliquer, dit Holmes, et il y a un ou deux détails qui manquent encore à l'heure actuelle. C'est, croyez-le, une de ces affaires qui méritent d'être suivies jusqu'au bout. Si vous le voulez bien, trouvez-vous demain soir, à six heures, à mon appartement et je pourrai sans doute vous démontrer que vous n'avez pas encore compris ce mystère, absolument unique dans les annales du crime. Si jamais je vous permets, Watson, de raconter au public quelques-uns de mes problèmes, j'imagine que vous ne manquerez pas de raconter celui des bustes de Napoléon.

Quand nous nous retrouvâmes dans la soirée, Lestrade nous donna de nombreux détails sur notre prisonnier.

Il s'appelait Beppo, nous dit-il, son autre nom était resté inconnu. Sa réputation était détestable dans la colonie italienne. Il avait été jadis connu comme un sculpteur remarquable et avait gagné honnêtement sa vie ; mais il n'avait pas tardé à suivre la mauvaise voie et il avait subi deux condamnations, l'une pour vol, l'autre pour tentative de meurtre sur l'un de ses compatriotes. Il parlait parfaitement l'anglais. On n'avait pu démontrer les motifs qui avaient pu le pousser à détruire les bustes, et il refusait de répondre à toute question posée sur ce sujet ; mais la police pensait qu'ils avaient probablement été faits par lui, car il avait été employé à ce genre de travail chez Gelder et Cie.

Holmes écouta poliment ces détails qui n'avaient rien de nouveau pour nous, mais moi, qui le connaissais si bien, je voyais que sa pensée était ailleurs, je sentais dans son attitude un mélange d'inquiétude et d'impatience. Enfin, il fit un mouvement sur sa chaise et ses yeux étincelèrent : on venait de sonner. Un instant après, nous entendîmes des pas dans l'escalier, et la domestique fit entrer un homme d'âge mûr, au teint coloré, aux favoris grisonnants. Il tenait à la main un sac de voyage en tapisserie qu'il posa sur la table.

— M. Sherlock Holmes est-il ici ?

Mon ami salua et sourit.

— Vous êtes M. Sandford, de Reading ? dit-il.

— Oui, monsieur, et je crains d'être légèrement en retard, mais les trains sont si incommodes ! Vous m'avez écrit au sujet d'un buste que j'ai en ma possession. J'ai votre lettre sur moi, dans laquelle vous me dites que vous désirez avoir une reproduction du buste de Napoléon de Devine, et que vous êtes disposé à m'acheter dix livres celle que je possède.

— Parfaitement.

— Votre lettre m'a vivement surpris, et je me suis demandé comment vous aviez su que cet objet se trouvait en ma possession.

— Votre surprise ne m'étonne pas. M. Harding, de la maison Harding frères, m'a affirmé vous avoir vendu le dernier et m'a donné votre adresse.

— Ah ! c'est cela ! Vous a-t-il dit combien je l'avais payé ?

— Non.

— Bien que je ne sois pas riche, je suis un honnête homme, et je tiens à vous dire que ce buste ne m'a coûté que quinze shillings ; je trouve qu'il est de mon devoir de vous en avertir avant d'accepter vos dix livres.

— Ce scrupule vous fait honneur, monsieur, mais j'ai fixé mon prix et j'y tiens.

— Vous êtes très généreux, monsieur Holmes ; j'ai apporté avec moi le buste, ainsi que vous me l'aviez demandé. Le voici !

Il ouvrit son sac, et enfin nous pûmes apercevoir sur notre table le buste entier que nous avions si souvent vu en morceaux.

Holmes tira de sa poche une feuille de papier et posa sur la table une *bank-note* de dix livres.

— Voulez-vous avoir l'amabilité de signer en présence de ces témoins ce reçu qui me délègue tous droits sur ce buste ? Je suis un homme très méticuleux, voyez-vous, et on ne sait jamais la tournure que peut prendre une affaire... Allons, merci, monsieur Sandford. Voici votre argent, je vous souhaite le bonsoir.

Quand notre visiteur eut disparu, les mouvements de Sherlock Holmes attirèrent notre attention. Il commença par prendre dans un tiroir une nappe qu'il étendit sur la table, puis il plaça au centre le buste qu'il venait d'acheter ; enfin, saisissant un casse-tête, il frappa un violent coup sur la tête de Napoléon. Le buste se brisa en morceaux et Holmes se pencha avec intérêt sur ces débris. Tout à coup, il poussa un cri de triomphe et nous montra un des morceaux dans lequel nous aperçûmes encastré un petit objet sombre ; on eût dit un raisin dans un pudding.

— Messieurs, s'écria-t-il, laissez-moi vous présenter la fameuse perle noire des Borgia !

Lestrade et moi, nous restâmes tous les deux stupéfaits, puis nous applaudîmes, comme au théâtre, au dénouement d'une scène palpitante. Une vive rougeur envahit les joues pâles de Holmes, et il nous salua tel un acteur qui reçoit les applaudissements de son auditoire. Il cessait d'être une machine à raisonner et montrait combien il était sensible à l'admiration. Cette même nature froide, qui ne se préoccupait pas de la gloriole aux yeux du vulgaire, était touchée par les louanges d'un ami.

— Oui, messieurs, dit-il, c'est une perle unique au monde, et j'ai eu la bonne fortune, par une chaîne ininterrompue de déductions, de la suivre depuis la chambre à coucher de l'hôtel *Dacre*, où était descendu le prince Colonna et où il l'avait perdue, jusque dans l'intérieur de ce buste, le dernier des six qui avaient été moulés à Stepney par Gelder et Cie. Rappelez-vous, Lestrade, le bruit que fit la disparition de ce bijou de valeur et les efforts inutiles de la police métropolitaine pour le retrouver. Je fus jadis consulté à ce sujet et je ne pus trouver l'énigme. Les soupçons s'étaient portés sur la femme de chambre de la princesse, une Italienne ; il fut établi qu'elle avait un frère à Londres, mais on ne put trouver entre eux aucune trace de relation. La femme de chambre s'appelait Lucrezia Venucci et, sans nul doute, Pietro, qui a été assassiné l'autre nuit, devait être son frère. J'ai recherché les dates dans les journaux de l'époque, et j'ai découvert que la perle avait disparu deux jours avant l'arrestation de Beppo dans l'établissement de Gelder et Cie, au moment même où l'on moulait ces bustes. Vous pouvez comprendre ensuite, bien que dans l'ordre inverse, la marche des événements. Beppo a eu la perle en sa possession ; peut-être est-ce lui qui l'a volée à Pietro, peut-être était-il son complice, peut-être enfin a-t-il servi d'intermédiaire entre Pietro et sa sœur ? Peu importe !

« Le fait certain est qu'il avait la perle par-devers lui, et qu'à ce moment il était poursuivi par la police. Il courut donc à l'atelier où il travaillait, car il savait qu'il ne lui restait qu'un instant pour cacher ce joyau inestimable qu'on n'eût pas manqué de trouver sur lui quand on l'aurait fouillé ; six bustes de Napoléon étaient en train de sécher ; l'un d'entre eux était encore mou. En un instant, Beppo, qui était un ouvrier très habile, fit un trou dans le plâtre humide, y cacha la perle, et, avec quelques retouches, parvint à recouvrir l'ouverture. C'était une cachette admirable que personne ne pouvait soupçonner. Il fut condamné à un an de prison. Et pendant ce temps, ces six bustes furent vendus. Il lui était impossible de savoir lequel contenait son trésor, et c'est seulement en le brisant qu'il pouvait y parvenir. Il n'eût obtenu aucun résultat en se bornant à le secouer, car la perle devait adhérer au plâtre encore humide, ce qui d'ailleurs s'est produit. Beppo n'a pas perdu courage, et il a effectué ses recherches avec habileté et persévérance. Grâce à son cousin qui travaille chez Gelder, il a réussi à se procurer les noms des marchands qui avaient acheté les bustes ; il a pu obtenir une place chez Moïse Hudson et trouver aussi la trace de trois d'entre eux ; mais la perle ne se trouvait dans aucun. Avec l'aide, sans doute, de quelques employés de sa nationalité, il a su découvrir qui avait acheté les autres. Le premier était en la possession de Harker, chez qui Beppo, sans nul doute, fut suivi par son complice Pietro, qui le considérait comme responsable de la disparition de la perle. Une lutte eut lieu, au cours de laquelle Pietro trouva la mort.

— Si c'était son complice, pourquoi portait-il sur lui sa photographie ? demandai-je.

— Pour faciliter les recherches, dans le cas où il aurait à la montrer à quelqu'un pour le faire reconnaître ; voilà évidemment la raison.

« À la suite du meurtre, j'ai pensé que Beppo presserait le mouvement, car il devait craindre que la police ne réussît à pénétrer son secret, et tenait à ne pas être devancé par elle. Il m'était impossible d'être certain que la perle ne se trouvait pas dans le buste de Harker ; je ne pouvais même pas affirmer que c'était elle qu'il cherchait ; tout ce que je savais, c'est qu'il cherchait quelque chose, sans quoi il n'aurait pas eu de motif de briser le buste dans le jardin éclairé par le bec de gaz, surtout après avoir eu l'occasion de passer devant des maisons inoccupées plus proches du lieu du crime. Néanmoins ce buste faisait partie des trois derniers, il y avait donc – ainsi que je vous l'ai dit alors – exactement deux chances contre une pour que la perle ne s'y trouvât pas. Restaient les deux autres bustes ; il était évident que Beppo s'occuperait d'abord de celui qui se trouvait à Londres. Je prévins alors les habitants de la maison, afin d'éviter un nouveau drame, et nous avons obtenu le résultat désiré. À ce moment, j'étais sûr que c'était à la recherche de la perle des Borgia que nous nous étions attachés. Le nom de la victime avait été le trait d'union. Il ne restait plus enfin qu'un seul buste, celui de Reading, dans lequel devait se trouver la perle. Je l'ai acheté en votre présence à son propriétaire... et la voici !

Nous gardâmes le silence pendant quelques instants.

— Eh bien ! dit Lestrade, je vous ai vu entreprendre bien des affaires, monsieur Holmes, mais je n'en ai jamais vu de mieux conduite. Nous ne sommes pas jaloux de vous à Scotland Yard... Non, monsieur, nous sommes au contraire très fiers de vous et, si vous y veniez demain, il n'y aurait pas un de nous, depuis le doyen des inspecteurs jusqu'au plus jeune de nos agents, qui ne serait heureux de vous serrer la main.

— Merci, dit Holmes, merci ! – et tandis qu'il détournait la tête, il me parut plus ému que je ne l'avais jamais vu. Un instant après, il était redevenu le penseur froid et pratique que je connaissais.

— Mettez la perle dans le coffre-fort, dit-il, et examinons maintenant cette affaire de faux de Cork-Singleton ! Au revoir, Lestrade, et n'oubliez pas que, si vous avez d'autres affaires délicates en main, je serai toujours très heureux de vous prêter mon concours.

CHARLES AUGUSTUS MILVERTON

CHARLES AUGUSTE MILVERTON

Il y a des années que les incidents dont je vais faire le récit se sont déroulés, et pourtant j'hésite à en parler. Longtemps, il eût été impossible, même avec un maximum de discrétion et de réticences, de rendre les faits publics ; mais maintenant le principal intéressé est hors d'atteinte des lois humaines, et, avec les suppressions qui s'imposent, l'histoire peut être contée sans faire de tort à quiconque. Elle relate une expérience absolument unique dans la carrière de Sherlock Holmes aussi bien que dans la mienne. Le lecteur m'excusera de garder sous silence la date ou tout autre élément qui lui permettrait de retrouver les faits authentiques.

Sortis pour faire une longue promenade, Holmes et moi nous venions de rentrer vers six heures, par un glacial soir d'hiver. Quand Holmes alluma, la lumière éclaira une carte qui se trouvait sur la table. Il y jeta un coup d'œil, puis, avec une exclamation de dégoût, la jeta par terre. Je la ramassai et lus :

CHARLES AUGUSTE MILVERTON

APPLEDORE TOWERS

HAMPSTEAD

Agent

— Qui est-ce ? demandai-je.

— Le plus sale individu de Londres, répondit Holmes en s'asseyant et en allongeant ses jambes devant le feu. Y a-t-il quelque chose au dos de la carte ?

Je la retournai.

— « Passerai à 6 h 30 – C.A.M. », déchiffrai-je.

— Hum ! C'est à peu près l'heure. Éprouvez-vous, Watson, une furtive sensation d'angoisse quand vous regardez, au zoo, les serpents, visqueux, rampants et venimeux, avec leurs yeux mauvais et impassibles et leurs têtes plates ? Eh bien, c'est l'impression que me fait Milverton. J'ai eu, dans ma carrière, affaire à cinquante assassins, mais le pire ne m'a jamais causé autant de répulsion que cet individu. Et pourtant, je ne puis faire autrement que de traiter avec lui : en fait, il vient à mon invite.

— Mais qui est-ce ?

— Je vais vous le dire, Watson : c'est le roi des maîtres chanteurs. Le ciel vienne en aide à l'homme, et encore plus à la femme dont le secret et la réputation tombent au pouvoir de Milverton ! Avec un visage souriant et un cœur de marbre, il les pressurera, encore et toujours, jusqu'à ce qu'il les ait mis à sec. Le gaillard est un génie, dans son genre, et il aurait pu se faire un nom dans un état plus reluisant. Sa méthode est la suivante : il laisse savoir qu'il est prêt à payer un très gros prix des lettres qui compromettent des gens fortunés ou en vue. Il reçoit ces marchandises non seulement de domestiques ou de bonnes indiscrètes, mais très souvent aussi de galants coquins qui ont su gagner la confiance et l'affection de femmes sans méfiance. Il n'est pas chiche. Je me trouve savoir qu'il a payé sept cents livres à un valet de pied un billet long de deux lignes et que la ruine d'une noble famille en fut le résultat. Tout ce qu'il y a sur le marché va à Milverton et il y a des centaines de personnes qui pâlissent à la seule mention de son nom. Personne ne sait où sa poigne peut s'abattre car il est bien trop riche et bien trop roué pour travailler au jour le jour. Il conservera un atout des années afin de le jouer au moment où l'enjeu en vaut le plus la peine. J'ai dit que c'était le plus sale individu de Londres et je vous le demande : peut-on comparer l'apache qui, furieux, assomme son pareil à cet homme qui, méthodiquement et tout à loisir, torture les âmes et brise les nerfs dans le seul but d'arrondir encore une fortune déjà copieuse ?

Je n'avais pas souvent entendu mon ami s'exprimer avec tant de chaleur.

— Mais enfin, dis-je, sûrement le gaillard tombe sous le coup de la loi.

— Techniquement, cela ne fait pas de doute, mais pas pratiquement. Quel profit retirerait une femme à lui procurer quelques mois de prison si sa ruine à elle doit immédiate-ment s'ensuivre ? Ses victimes n'osent pas riposter. Si jamais il faisait chanter une personne innocente, alors, oui, nous l'aurions ; mais il est aussi rusé que le démon. Non, non, il faut que nous trouvions une autre façon de le combattre.

— Et qu'est-ce qu'il vient faire ici ?

— Il vient parce qu'une illustre cliente m'a confié ses pitoyables intérêts. C'est lady Brackwell, qui fut la plus jolie des jeunes filles qu'on présenta à la Cour la saison passée. Elle doit épouser dans quinze jours le comte de Dovercourt. Notre canaille détient plusieurs lettres imprudentes – imprudentes, Watson, rien de plus – qui furent écrites à un jeune seigneur désargenté de province. Elles suffiraient à faire briser le mariage. Milverton a l'intention d'envoyer les lettres au comte si on ne lui paie pas une très forte somme. On m'a chargé de le rencontrer et... d'obtenir les meilleures conditions possibles.

À cet instant, un bruit de sabots de chevaux et de roues de voiture retentit, en bas dans la rue. J'aperçus un majestueux équipage à deux chevaux. Les lanternes mettaient des reflets sur les croupes brillantes des alezans. Un laquais ouvrit la portière et un gros petit homme en pelisse d'astrakan descendit du véhicule. Une minute plus tard, il était dans notre pièce.

Charles Auguste Milverton était un homme de cinquante ans, avec une grosse tête d'intellectuel, un visage rond, imberbe et grassouillet, un éternel sourire figé et deux yeux verts très vifs qui brillaient derrière de larges lunettes d'or. Il y avait quelque chose de M. Pickwick dans la bienveillance de son aspect, gâchée seulement par la fausseté du sourire inamovible et par le reflet dur de ces yeux pénétrants qui ne cessaient de bouger. Sa voix était aussi douce et suave que son attitude lorsqu'il s'avança en tendant à Holmes une petite main potelée et en murmurant ses regrets de nous avoir ratés lors de sa première visite.

Holmes ne tint aucun compte de cette main tendue et le considéra d'un visage de granit. Le sourire de Milverton s'épanouit ; il haussa les épaules, ôta sa pelisse, la plia avec grand soin sur le dos d'une chaise, puis prit un siège.

— Ce monsieur, dit-il en m'indiquant du geste. Est-ce discret ? Est-ce bien... ?

— Le docteur Watson est mon ami et mon associé.

— Très bien, monsieur Holmes. Je ne protestais que dans l'intérêt de votre cliente. La question est tellement délicate...

— Le docteur Watson est au courant.

— Alors, nous pouvons passer à nos affaires. Vous dites que vous agissez au nom de lady Eva. Vous a-t-elle donné tous pouvoirs d'accepter mes conditions ?

— Quelles sont vos conditions ?

— Sept mille livres.

— Et sans cela ?

— Mon cher monsieur, il m'est pénible d'en discuter ; mais si l'argent n'est pas payé le 14, il n'y aura certainement pas de mariage le 18.

Son insupportable sourire se fit plus satisfait que jamais. Holmes réfléchit un instant.

— Vous me semblez, dit-il enfin, trop considérer la rupture comme acquise d'avance. Je suis, naturellement, renseigné sur le contenu des lettres. Ma cliente fera, c'est certain, ce que je lui conseillerai. Je la pousserai à tout raconter au comte et à s'en remettre à sa grandeur d'âme.

— On voit que vous ne connaissez pas le comte, dit Milverton avec un petit rire.

L'air déconcerté de Holmes révélait qu'au contraire il n'était que trop fixé sur le caractère du futur.

— Quel mal y a-t-il, dans ces lettres ? demanda-t-il.

— Elles sont enjouées... très enjouées, répondit Milverton. La jeune personne était une délicieuse épistolière. Mais je puis vous assurer que le comte de Dovercourt ne les goûterait pas. Toutefois, puisque vous êtes d'un autre avis, n'en parlons plus. Si vous croyez préférable, pour les intérêts de votre cliente, que ces lettres soient placées entre les mains du comte, alors vous seriez certes bien sot de payer une aussi grosse somme pour les récupérer.

Il se leva et reprit sa pelisse d'astrakan. Holmes était gris de colère et de mortification.

— Attendez un instant, dit-il. Vous allez trop vite. Nous ferons certainement tous nos efforts pour éviter le scandale à propos d'un sujet aussi délicat.

Milverton se rassit.

— J'étais sûr que vous verriez la chose sous cet angle, ronronna-t-il.

— Toutefois, poursuivit Holmes, lady Eva n'est pas riche. Je vous assure que deux mille livres tariraient ses ressources et que la somme que vous mentionnez est totalement au-dessus de ses moyens. Je vous prie, par conséquent, de réduire vos exigences et de restituer les lettres au prix que je vous indique, qui, je vous l'assure, est le plus élevé que vous puissiez obtenir.

Le sourire de Milverton se fit plus large et ses yeux pétillèrent d'amusement.

— Je sais que ce que vous dites des ressources de la dame est exact, dit-il. Néanmoins, vous admettrez que c'est tout à fait le moment, à l'occasion de son mariage, pour ses parents et ses amis, de faire un petit effort en sa faveur. Il se peut qu'ils hésitent sur la nature du cadeau à lui offrir. Assurez-les de ma part que ce petit paquet de lettres lui fera plus plaisir que tous les candélabres et tous les beurriers de Londres.

— C'est impossible, dit Holmes.

— Ah la la ! quel dommage ! gémit Milverton en tirant de sa poche un portefeuille rebondi. Je ne peux pas m'empêcher de penser que les dames sont mal conseillées quand elles ne font pas un effort. Regardez-moi ça ! – Il brandit un petit billet sur l'enveloppe duquel se voyaient des armes. – Cela appartient à... enfin, il n'est peut-être pas équitable de le dire avant demain matin. Mais à ce moment-là, ça se trouvera entre les mains du mari de la dame. Et tout cela parce qu'elle ne veut pas trouver la misérable somme qu'elle se procurerait en une heure en changeant ses diamants contre des imitations. Vraiment, ça fait pitié. Maintenant, vous vous rappelez la soudaine façon dont ont été rompues les fiançailles entre miss Miles et le colonel Dorking ? Tout juste deux jours avant le mariage, une note dans le *Morning Post* pour dire que rien ne va plus. Et pourquoi ? c'est à n'y pas croire, mais la somme ridicule de douze cents livres aurait réglé toute la question. Est-ce que ça ne fait pas pitié ? Et voilà que je vous trouve, vous, un homme de bon sens, en train de vous effarer de mes conditions quand l'honneur et l'avenir de votre cliente sont en jeu. Vous me surprenez, monsieur Holmes.

— Ce que je dis est vrai, répondit Holmes. L'argent ne peut être trouvé. Tout de même, il est préférable pour vous de prendre la somme considérable que je vous propose plutôt que de ruiner la vie de cette dame, ce dont vous ne pouvez tirer aucun profit.

— C'est là que vous faites erreur, monsieur Holmes. Le scandale me sera, indirectement, des plus profitables. J'ai huit ou dix affaires analogues qui sont en train de mûrir. Si l'on dit, parmi les intéressées, que j'ai fait un sévère exemple en la personne de lady Eva, je les trouverai toutes bien plus accessibles à la raison. Vous voyez mon point de vue ?

Holmes se leva d'un bond.

— Passez derrière le fauteuil, Watson. Ne le laissez pas sortir. Maintenant, monsieur, faites voir le contenu de ce carnet.

Milverton s'était faufilé, aussi prompt qu'un rat, sur le côté de la pièce et là, il s'adossa au mur.

— Monsieur Holmes, monsieur Holmes ! dit-il en ouvrant son veston et en exhibant la crosse d'un gros revolver qui dépassait de la poche intérieure. Je m'attendais que vous tentiez au moins quelque chose d'original. Ça, on me l'a déjà fait vingt fois et à quoi voulez-vous que ça mène ? Je vous assure que je suis armé jusqu'aux dents et parfaitement prêt à me servir de mes armes, car la loi m'y autorise. D'autre part, la supposition que je pourrais apporter les lettres ici est totalement erronée. Pas si bête ! Et maintenant, messieurs, j'ai un ou deux petits rendez-vous ce soir et la route est longue, d'ici à Hampstead.

Il fit un pas en avant, prit sa pelisse, porta la main à son revolver et se tourna vers la porte. J'empoignai une chaise, mais Holmes me fit signe que non et je la reposai. Avec un profond salut, un sourire et un clin d'œil, Milverton sortit et un instant plus tard nous entendions claquer la portière de sa voiture, puis le fracas des roues qui s'éloignaient.

Holmes resta assis près du feu ; immobile, les mains enfoncées dans les poches de son pantalon, le menton sur la poitrine, il regardait les braises rougeoyantes. Pendant une demi-heure, il demeura sans rien dire et sans bouger. Puis, comme un homme qui vient de prendre une décision, il se leva et passa dans sa chambre. Un peu après, un jeune ouvrier déluré avec une barbiche et crânant un peu alluma sa pipe en terre avant de prendre le chemin de la rue. « Je reviendrai tôt ou tard, Watson », dit-il, avant de disparaître dans la nuit. Je compris qu'il partait en campagne contre Charles Auguste Milverton ; mais je ne me doutais guère de l'étrange tournure que devait prendre cette campagne.

Pendant quelques jours, Holmes ne cessa d'aller et venir en cette tenue, mais, en dehors de la remarque qu'il passait son temps à Hampstead, et qu'il ne le perdait pas, je ne sus rien de ce qu'il faisait. Enfin, tout de même, par un soir de furieuse tempête où le vent hurlait en secouant les vitres, il revint de sa dernière expédition et, après avoir ôté son déguisement, s'assit devant le feu et se mit à rire cordialement, bien que sans bruit et en dedans, comme c'était son habitude.

— Diriez-vous que je suis homme à me marier, Watson ?

— Certes non !

— Cela vous intéressera certainement d'apprendre que je suis fiancé.

— Mon cher ami ! mes félicit...

— À la bonne de Milverton.

— Juste ciel !

— Il me fallait des renseignements, Watson.

— Vous êtes tout de même allé un peu loin, dites ?

— C'était nécessaire. Je suis un plombier, à la tête d'une maison qui commence à marcher. Je m'appelle Escott. Je suis sorti avec elle tous les soirs et on a causé. Seigneur, quelles conversations ! Quoi qu'il en soit, j'ai eu tout ce qu'il me fallait. Je connais la maison de Milverton aussi bien que le creux de ma main.

— Mais la fille, Holmes ?

— On n'y peut rien, mon cher, dit-il avec un haussement d'épaules. Il faut jouer ses cartes de son mieux quand il y a sur la table un pareil enjeu. Je suis d'ailleurs heureux de dire que j'ai un rival abhorré qui me supplantera sitôt que j'aurai le dos tourné. Quelle nuit magnifique !

— Ce temps-là vous plaît ?

— Il me convient, Watson, j'ai l'intention de cambrioler la maison de Milverton ce soir.

J'eus le souffle coupé par ces paroles qui me firent passer un frisson. Holmes les avait prononcées lentement et d'un ton résolu. De même qu'un éclair dans la nuit montre en un instant chaque détail du paysage, ainsi, en un clin d'œil, il me sembla voir toutes les conséquences possibles d'un pareil acte : Holmes surpris, capturé, et cette carrière glorieuse s'achevant dans l'échec et dans la honte, avec mon ami tombé à la merci de l'odieux Milverton.

— Je vous en supplie, Holmes, réfléchissez à ce que vous faites ! m'écriai-je.

— Mon cher, j'ai mûrement considéré la chose. Je n'agis jamais précipitamment, et je n'adopterais pas un procédé aussi catégorique et, effectivement, aussi dangereux si un autre était possible. Envisageons froidement l'affaire : je suppose que vous admettez que l'acte est justifié, bien que, techniquement, il soit criminel. Cambrioler sa maison n'est pas pire que lui prendre de force son portefeuille – un geste auquel vous étiez prêt à m'aider.

— Oui, dis-je après réflexion. Cela se justifie, moralement, aussi longtemps que notre dessein est de ne rien dérober en dehors des objets qu'il emploie dans des buts illégaux.

— Exactement. Puisque cela peut se justifier moralement, je n'ai plus à envisager que la question de mes risques personnels. Tout de même, un homme du monde ne peut pas faire grand cas de ceux-ci quand une dame a un besoin désespéré de son aide ?

— Vous allez vous trouver dans une position tellement fausse !

— Cela fait partie du risque. Il n'y a pas d'autre moyen de récupérer ces lettres. La malheureuse n'a pas la somme et il n'y a personne de sa famille à qui elle puisse se confier. Le délai de grâce expire demain, et, à moins que nous ne nous procurions les lettres ce soir, cette canaille tiendra parole et brisera la vie de ma cliente. Je suis donc forcé, ou bien de l'abandonner à son sort, ou bien de jouer cette ultime carte. Entre nous, Watson, c'est un match entre ce Milverton et moi. Il a, comme vous avez pu le voir, eu le dessus dans les premiers échanges ; aussi mon respect de moi-même et ma réputation réclament-ils que le combat se déroule au finish.

— Eh bien, ça ne me plaît pas, mais je suppose qu'il faut qu'il en soit ainsi, dis-je. Quand partons-nous ?

— Vous ne venez pas.

— Alors, vous n'y allez pas, répondis-je. Je vous donne ma parole d'honneur – et je l'ai toujours tenue – que je vais prendre un fiacre jusqu'au commissariat pour vous dénoncer si vous ne me laissez pas partager cette aventure.

— Vous ne pouvez m'être d'aucune utilité.

— Qu'en savez-vous ? Vous ignorez ce qu'il peut arriver. En tout cas, ma résolution est prise. Il y en a d'autres que vous qui ont le respect d'eux-mêmes et aussi des réputations à maintenir.

Holmes avait paru ennuyé, mais son visage s'éclaira et il me frappa sur l'épaule.

— Allons, allons, mon vieux, qu'il en soit comme vous le voulez ! Nous avons partagé la même chambre pendant des années et ce serait amusant si nous finissions par partager la même cellule. Vous savez, Watson, je ne crains pas de vous confesser que j'ai toujours eu l'idée que j'aurais fait un criminel hautement efficace. Sous ce rapport, j'ai ce soir l'occasion de ma vie. Regardez-moi ça ! – Il prit, dans un tiroir, une belle petite mallette en cuir et l'ouvrit pour me montrer un certain nombre d'instruments brillants. – J'ai là une trousse de cambrioleur dernier cri, avec pince-monseigneur nickelée, coupe-verre à pointe de diamant, clés ajustables et tous les perfectionnements modernes qu'exige le progrès de la civilisation. Voici aussi ma lanterne sourde. Le tout en ordre de marche. Avez-vous des chaussures qui ne fassent pas de bruit ?

— J'ai des souliers de tennis à semelles de caoutchouc.

— Parfait. Et un masque ?

— Je puis en tailler une paire dans de la soie noire.

— Je vois que vous avez un puissant penchant naturel pour ce genre d'exercice. Très bien ; faites-les donc, ces masques. Nous prendrons un peu de souper froid avant de partir. Il est neuf heures et demie. À onze heures, nous nous ferons conduire à Church Row. De là, il y a un quart d'heure de marche jusqu'à Appledore Towers. Nous serons au travail avant minuit. Milverton a le sommeil lourd et se couche ponctuellement à dix heures trente. Avec un peu de chance, nous reviendrons ici pour deux heures, avec les lettres de lady Eva dans ma poche.

Nous passâmes nos costumes de soirée, de façon à avoir l'air de deux messieurs qui, sortant du théâtre, rentraient chez eux. Dans Oxford Street, nous prîmes une voiture qui nous mena à une adresse de Hampstead. Là, nous payâmes le fiacre et, avec nos manteaux boutonnés – car il faisait un froid glacial et le vent semblait nous transpercer –, nous poursuivîmes notre route à pied.

— L'affaire réclame d'être menée avec délicatesse, m'exposa Holmes. Ces documents sont à l'intérieur d'un coffre, dans le bureau de notre homme ; or le bureau mène à sa chambre à coucher. En revanche, comme tous ces petits gros qui se soignent bien, c'est un dormeur pléthorique. Agathe – c'est ma fiancée – dit qu'on se moque toujours à l'office du mal qu'on a à réveiller le patron. Il a un secrétaire qui lui est tout dévoué et qui ne quitte pas le bureau de la journée. Ce pourquoi nous y allons la nuit. En outre, il a un satané chien qui rôde dans le jardin. J'ai retrouvé Agathe tard ces deux derniers soirs, ce qui fait qu'elle boucle la bête de façon que j'aie le champ libre. Voilà la maison – la grande, là, avec son jardin. Par la grille... puis à droite, dans les lauriers. On pourrait mettre nos masques ici, je crois. Comme vous voyez, pas un brin de lumière à aucune des fenêtres, tout marche à merveille.

Avec nos deux camouflages de soie noire qui faisaient de nous deux des plus pittoresques silhouettes de Londres, nous nous glissâmes à l'intérieur de la maison silencieuse et morose. Une sorte de véranda couverte en tuiles s'étendait le long d'un des côtés, coupée de plusieurs fenêtres et de deux portes.

— Cette porte est celle de sa chambre à coucher, murmura Holmes. Cette porte-ci donne droit dans le bureau. Elle nous conviendrait mieux, mais elle est fermée au verrou en même temps qu'à clé et nous ferions trop de bruit pour entrer. Venez par ici. Il y a une serre qui donne dans le salon.

Elle était close, mais Holmes découpa un cercle dans la vitre et tourna la clé au-dedans. L'instant d'après il avait refermé la porte derrière nous et nous étions devenus des criminels aux yeux de la loi. L'air lourd et chaud de la serre, en même temps que l'étouffant et riche parfum des plantes exotiques, nous saisit à la gorge. Empoignant ma main, Holmes m'entraîna dans l'obscurité et me fit passer le long d'une bordure de plantes qui nous frôlaient le visage. Holmes possédait le don remarquable et minutieusement entraîné d'y voir dans l'obscurité. Tenant toujours ma main, il ouvrit une porte et j'eus vaguement conscience que nous venions d'entrer dans une pièce où on avait fumé un cigare peu auparavant. Il se dirigea à tâtons parmi les meubles et ouvrit une autre porte qu'il referma sur nous. En avançant la main, je sentis des pardessus pendus au mur et me rendis compte que c'était un couloir. Nous le suivîmes et Holmes, très doucement, ouvrit une porte sur la droite. Quelque chose se jeta dans nos jambes et j'eus l'impression que mon cœur cessait de battre, mais j'aurais presque ri quand je m'aperçus que c'était un chat. Dans cette nouvelle pièce, un feu brûlait et, là encore, l'air était surchargé de fumée de tabac. Holmes entra sur la pointe des pieds, attendit que je l'aie suivi, puis, sans bruit, referma la porte. Nous étions dans le bureau de Milverton et une portière, sur le mur d'en face, indiquait l'entrée de sa chambre à coucher.

Le feu, flambant bien, illuminait toute la pièce. Près de la porte, j'aperçus le reflet d'un commutateur électrique, mais il eût été superflu – à supposer que c'eût été sans risques – de le tourner. D'un côté de la cheminée, il y avait un gros rideau qui recouvrait la baie que nous avions vue du dehors. De l'autre côté se trouvait la porte qui communiquait avec la véranda. Un bureau trônait au centre, avec un fauteuil tournant en cuir rutilant. En face, une vaste bibliothèque était surmontée d'un buste d'Athéna. Dans le coin, entre ce meuble et le mur, se voyait un haut coffre-fort vert, dont le feu faisait étinceler les boutons en cuivre poli. Holmes, d'un pas léger, alla le regarder. Puis il s'approcha de la porte de la chambre à coucher et, la tête inclinée, écouta attentivement. Pas un son ne venait du dedans. Cependant, songeant qu'il serait sage d'assurer notre retraite par la porte donnant dans la véranda, je l'examinai et, à ma grande stupéfaction, ne la trouvai ni fermée à clé ni verrouillée. Je touchai le coude de Holmes qui tourna dans cette direction son visage masqué. Il eut un haut-le-corps, qui me révéla qu'il était aussi surpris que moi.

— Ça ne me plaît pas, chuchota-t-il en mettant ses lèvres tout contre mon oreille. Je ne vois pas bien ce que cela signifie. Quoi qu'il en soit, il n'y a pas de temps à perdre.

— Puis-je vous aider ?

— Oui. Tenez-vous près de la porte. Si vous entendez qu'on vient, fermez-la du dedans, et nous pourrons filer par où nous sommes venus. Si on vient de l'autre côté, nous pouvons passer par la porte si nous avons fini, ou nous cacher derrière ces rideaux si nous avons encore à faire. Compris ?

J'acquiesçai et me plantai près de la porte. Mon premier sentiment de crainte s'était évanoui et je vibrais maintenant de plus d'ardeur que je n'en avais jamais éprouvé lorsque nous étions les défenseurs de la loi au lieu d'être ceux qui l'enfreignaient. Le but élevé de notre mission, la conscience qu'elle était généreuse et chevaleresque, la fourberie de notre adversaire, tout venait s'ajouter à l'intérêt sportif de l'entreprise. Loin de me sentir coupable, je me réjouissais et j'exultais des dangers encourus. Tout réchauffé d'admiration, je regardais Holmes déballer son étui d'instruments et choisir son outil avec la précision calme et scientifique d'un chirurgien effectuant une opération délicate. Je savais que l'ouverture des coffres-forts était l'un de ses dadas et je comprenais la joie que cela lui causait de se mesurer avec ce monstre vert et or, qui, tel un dragon, tenait en ses griffes la réputation de maintes belles dames. Retroussant les manches de son habit – il avait posé son pardessus sur une chaise –, Holmes prépara deux vrilles, une pince-monseigneur et plusieurs fausses clés. Je me tenais à la porte du milieu, mes yeux regardant à tour de rôle chacune des autres entrées, prêt à toute éventualité, bien que mes plans concernant ce que je ferais si nous étions interrompus demeurassent assez nébuleux.

Pendant une demi-heure, Holmes travailla avec une énergie concentrée, posant un outil, en prenant un autre et les manipulant tous avec l'adresse et le doigté d'un mécanicien consommé. Finalement, j'entendis un déclic, la massive porte verte s'ouvrit et, à l'intérieur, j'aperçus un certain nombre de liasses de papiers attachés, scellées et portant une inscription. Holmes en choisit une, mais il lui était difficile de lire à la lumière du feu pétillant et il sortit sa petite lanterne sourde car il était trop dangereux, avec Milverton dans la pièce à côté, d'allumer. Soudain, je le vis s'arrêter, tendre l'oreille, puis, en un clin d'œil, il repoussa la porte du coffre, prit son manteau, fourra ses outils dans ses poches et se jeta derrière les tentures de la fenêtre en me faisant signe de l'imiter.

Ce ne fut que lorsque je l'y eus rejoint que j'entendis ce qui avait alerté ses sens plus exercés. On faisait du bruit quelque part dans la maison. Une porte claqua à quelque distance. Puis un son vague et confus se mua en un bruit de pas lourds et réguliers qui s'approchaient rapidement. Ils atteignirent le couloir devant la pièce, s'arrêtèrent devant la porte. Celle-ci s'ouvrit. Le déclic d'un commutateur, et la lumière se fit. La porte se referma et l'odeur âcre d'un cigare très fort vint jusqu'à nos narines. Puis les pas reprirent, de gauche à droite et de droite à gauche, à quelques mètres de nous. Enfin, ce fut le bruit d'un siège qui craque et les pas cessèrent. Ensuite une clé joua dans une serrure et j'entendis un froissement de papiers. Jusqu'alors je n'avais pas osé regarder, mais cette fois j'écartai doucement les rideaux devant moi et guettai par l'ouverture. L'épaule de Holmes, pressée contre la mienne, me révéla qu'il observait aussi. Juste devant nous, et presque à notre portée, je voyais le large dos arrondi de Milverton. Il devenait évident que nous avions fait une complète erreur de calculs à l'égard de ses actes et que, bien loin de se coucher, il avait dû veiller au fumoir ou dans la salle de billard, dans l'autre aile de la maison, celle dont les fenêtres ne nous étaient pas visibles. Sa grosse tête grise, avec sa calvitie luisante, constituait le premier plan de ce que nous découvrions. Il était renversé en arrière dans son fauteuil de cuir rouge, les jambes écartées, un long cigare noir partant en biais de sa bouche. Il portait une veste d'intérieur de coupe semi-militaire, bordeaux avec un col de velours noir. Il tenait un grand papier d'affaires qu'il lisait avec indolence, tout en rejetant de sa bouche des volutes de fumée. Sa tranquillité et le confort de sa position ne semblaient pas présager un départ prochain.

Holmes glissa sa main dans la mienne et me la serra d'une façon rassurante, comme pour me dire que la situation ne le dépassait pas et qu'il n'était pas inquiet. Je n'étais pas sûr qu'il avait vu ce qui, de ma place, n'était que trop visible – que la porte du coffre était mal fermée et que Milverton pouvait à n'importe quel moment s'en apercevoir. En moi-même, j'avais résolu que si la fixité de son regard me donnait la certitude qu'il l'avait vu, je bondirais sur-le-champ, lui jetterais mon manteau par-dessus la tête, le garrotterais et m'en remettrais pour le reste à Holmes. Mais Milverton ne leva pas les yeux. Languissamment intéressé par les documents qu'il tenait, il tournait page après page pour y suivre les arguments que développait je ne sais quel légiste. Du moins, me disais-je, quand il aura fini sa lecture et son cigare, il ira se coucher ; mais, avant la fin des deux, la situation évolua d'une façon remarquable et qui tourna nos pensées dans une tout autre direction.

J'avais remarqué que Milverton avait, à plusieurs reprises, regardé sa montre et qu'une fois il s'était levé, puis rassis, en un geste d'impatience. L'idée, toutefois, qu'il pût avoir un rendez-vous à une heure aussi étrange ne me vint que quand j'entendis un faible bruit au-dehors, sous la véranda. Milverton laissa tomber ses papiers et se dressa tout droit dans son fauteuil. Le bruit se répéta, puis on frappa doucement à la porte. Milverton se leva et l'ouvrit.

— Eh bien, dit-il sèchement, vous avez presque une demi-heure de retard.

C'était donc pour cela que la porte n'était pas fermée et que Milverton veillait. On entendit un frou-frou de robe. J'avais rapproché les rideaux lorsque le visage de Milverton s'était tourné de notre côté, mais maintenant je me risquai avec mille précautions à les rouvrir. Il avait repris son fauteuil et le cigare, au même angle insolent, était toujours piqué dans sa bouche. Devant lui, directement sous la lampe électrique, une femme était debout ; grande, brune et mince, elle portait une voilette et son manteau l'enveloppait jusqu'au menton. Son souffle était court et rapide et sa mince silhouette semblait trembler d'une vive émotion.

— Eh bien, dit Milverton, vous m'avez fait perdre une nuit de sommeil, ma chère. J'espère que vous en vaudrez la peine. Vous ne pouviez pas venir à n'importe quel autre moment, hein ? Non ? Eh bien, si vous ne pouviez pas, tant pis. Si la comtesse est dure avec ceux qui la servent, voici l'occasion de vous venger d'elle. Ma pauvre fille, mais qu'est-ce qui vous fait frissonner ? Allons, remettez-vous ! Parlons de nos affaires. – Il prit un billet dans le tiroir de son bureau. – Vous me dites que vous avez cinq lettres compromettantes pour la comtesse d'Albert. Vous voulez les vendre. Moi, je veux les acheter. Jusqu'ici, ça va. Il ne reste qu'à fixer un prix. Il faudrait que j'examine les lettres, naturellement. Si ce sont vraiment de bons spécimens... Mon Dieu, c'est vous ?

La femme, sans mot dire, avait relevé sa voilette et dégagé son menton de son col. C'était une belle brune aux traits réguliers. Dans son visage au nez aquilin, les yeux étincelaient sous les sourcils noirs et la bouche mince était figée en un sourire menaçant.

— C'est moi, dit-elle, dressée devant Milverton. La femme dont vous avez brisé la vie.

Milverton se mit à rire, mais sa voix tremblait de crainte.

— Vous avez été d'une telle obstination, dit-il. Pourquoi m'avoir réduit à de telles extrémités ? Je vous assure que, de mon propre chef, je ne ferais pas de mal à une mouche, mais chacun a ses affaires et que fallait-il que je fasse ? J'avais fixé un prix tout à fait à votre portée. Vous n'avez pas voulu payer.

— Si bien que vous avez expédié les lettres à mon mari et que lui – l'homme le plus noble qui ait jamais vécu, un homme dont je n'étais pas digne de lacer les chaussures – il en est mort, son cœur magnanime brisé. Vous vous rappelez ce dernier soir où je suis venue, par cette porte, vous supplier, implorer votre pitié et que vous m'avez ri au nez, comme vous essayez de rire maintenant, n'était que votre cœur de lâche ne peut empêcher vos lèvres de frémir ? Oui ; vous ne pensiez jamais me revoir ici, mais c'est cette nuit-là qui m'a enseigné que je pouvais vous rencontrer face à face et seul. Eh bien, qu'en dites-vous, Charles Milverton ?

— Ne vous imaginez pas que vous pouvez m'injurier, fit-il en se levant. Je n'ai qu'à élever la voix pour appeler mes domestiques et vous faire arrêter. Mais je tiens compte de votre courroux bien naturel. Sortez immédiatement d'ici comme vous y êtes venue et ça n'ira pas plus loin.

La femme restait immobile, une main cachée dans son corsage et toujours avec le même sourire figé sur ses lèvres minces.

— Vous ne briserez plus de vies comme vous avez brisé la mienne. Vous ne torturerez plus de cœurs comme vous avez torturé le mien. Je vais débarrasser le monde d'une bête venimeuse. Tenez, chien, voilà pour vous !... et ça encore... et ça... et ça... et ça !

Elle avait sorti un petit revolver étincelant et elle en vidait tout le barillet dans le corps de Milverton dont le plastron était à moins d'un demi-mètre du canon. Il se recula, s'effondra la face en avant sur la table en toussant furieusement et en agitant parmi les papiers ses doigts comme des griffes. Chancelant, il se redressa, reçut une balle encore et roula sur le sol. « Vous m'avez tué ! » s'écria-t-il, puis il cessa de bouger. La femme le considéra avec attention et lui donna un coup de talon dans le visage. Elle regarda de nouveau, vit qu'il ne bougeait plus. J'entendis un frou-frou agité, une bouffée d'air du dehors entra dans la pièce et la justicière disparut.

Nulle intervention de notre part n'aurait pu épargner son sort à Milverton ; pourtant, quand la femme vidait son revolver dans ce corps qui se repliait sur lui-même, je fus sur le point de bondir, mais je sentis la poigne froide et ferme de Holmes sur mon poignet. Je compris tout ce que faisait valoir cette main qui me retenait – que l'affaire tout entière ne nous regardait pas, que la justice immanente avait rejoint la canaille ; que nous avions nos propres missions et objectifs qu'il ne fallait pas perdre de vue. Mais à peine la femme se fut-elle précipitée hors de la pièce que Holmes, rapidement et sans bruit, gagnait l'autre porte. Il en tourna la clé dans la serrure. Au même instant, on entendit, dans la maison, des voix et des pas précipités. Les coups de revolver avaient réveillé les domestiques. Avec un calme parfait, Holmes alla jusqu'au coffre, prit à pleine brassée les liasses de lettres et les déversa dans le feu. Il renouvela ce geste jusqu'à ce que le coffre fût vide. Quelqu'un tourna la poignée de la porte et cogna au panneau. Holmes jeta un regard rapide autour de lui. La lettre qui avait, pour Milverton, été l'annonciatrice de la mort se trouvait sur la table, toute tachetée de son sang. Holmes la jeta dans le brasier de documents. Puis, ôtant la clé de la porte qui donnait sur le dehors, il sortit derrière moi et referma la porte de l'extérieur.

— Par ici, Watson, dit-il, nous allons escalader le mur dans cette direction.

Je n'aurais pas cru qu'une alarme pût se répandre aussi promptement. En regardant derrière nous, la maison entière était illuminée. La grande porte était ouverte et des gens s'élançaient dans l'allée centrale. Tout le jardin bourdonnait de monde et un type nous repéra en braillant comme nous sortions de la véranda et s'élança à nos trousses. Holmes semblait connaître les lieux à la perfection et il se faufila à vive allure dans un plant de petits arbres, avec moi sur ses talons et le premier de nos poursuivants pantelant derrière nous. Le mur qui nous barrait le chemin faisait bien un mètre quatre-vingts, mais Holmes fut, d'un bond, dessus puis de l'autre côté. Pendant que j'en faisais autant, je sentis la main de l'homme qui me suivait m'empoigner par la cheville ; je me dégageai d'un coup de pied et me retrouvai à quatre pattes sur une crête hérissée de tessons. Je retombai sur le visage dans les buissons d'en dessous ; Holmes me remit sur pied aussitôt et ensemble nous prîmes la fuite dans les immenses étendues de la lande de Hampstead. Nous avions bien fait trois kilomètres en courant quand Holmes enfin s'arrêta et tendit l'oreille. Derrière nous, tout n'était plus que silence. Débarrassés de nos poursuivants, nous étions en sûreté.

Nous venions de déjeuner et nous fumions notre première pipe le lendemain de l'aventure que je viens de narrer quand M. Lestrade, de Scotland Yard, fort solennel et impressionnant, fit son entrée dans notre modeste domicile.

— Bonjour, monsieur Holmes, dit-il, bonjour. Puis-je vous demander si vous êtes occupé pour le moment ?

— Pas au point que je ne puisse vous écouter.

— Je pensais que, peut-être, si vous n'aviez rien en train de spécial, cela vous amuserait de venir nous aider dans une affaire fort remarquable qui s'est produite la nuit dernière seulement à Hampstead.

— Ah bah ! fit Holmes. Laquelle donc ?

— Un meurtre. Très dramatique et très remarquable. Je sais combien ces histoires-là vous passionnent et vous nous rendriez un très grand service si vous faisiez un saut jusqu'à Appledore Towers pour que nous profitions de vos conseils. Ce n'est pas un crime ordinaire. Nous tenions M. Milverton à l'œil depuis un certain temps, et, entre nous, c'était une canaille. On sait qu'il détenait des papiers dont il se servait pour des chantages. Tous ces documents ont été brûlés par les assassins. On n'a pas dérobé un seul objet de valeur, de sorte qu'il est probable que les criminels étaient des gens ayant une belle situation et dont le seul dessein était d'empêcher des révélations.

— Les criminels ! s'exclama Holmes. Au pluriel !

— Oui, ils étaient deux. Ils furent, à bien peu de chose près, pris sur le fait. Nous possédons leurs empreintes de pas et leur signalement ; il y a dix chances contre une que nous les retrouvions. Le premier était un peu trop mobile, mais le second a été rattrapé par l'aide jardinier et il ne s'est échappé qu'en se débattant. Il était de taille moyenne, solide..., la mâchoire carrée, le cou court, de la moustache et un masque sur les yeux.

— C'est plutôt vague, dit Sherlock Holmes. Comment, mais ça pourrait être une description de Watson !

— C'est vrai, dit l'inspecteur, très amusé, que ça pourrait être le signalement de Watson.

— Eh bien, je regrette, mais je ne peux pas vous venir en aide, Lestrade, dit Holmes. Le fait est que je connaissais ce nommé Milverton, que je le considérais comme l'un des plus dangereux criminels de Londres et que j'estime qu'il y a certains crimes contre lesquels la loi ne peut rien et qui, par conséquent, justifient dans une certaine mesure les vengeances particulières. Non, inutile d'insister, ma décision est prise : ma sympathie, en l'occurrence, va aux assassins plutôt qu'à la victime et je ne me chargerai pas de l'enquête.

Holmes ne m'avait pas dit un mot au sujet de la tragédie dont nous avions été les témoins, mais j'avais constaté, toute la matinée, qu'il était profondément absorbé et qu'il donnait l'impression, par son air distrait et ses yeux vagues, d'un homme qui s'efforce de ramener quelque chose à sa mémoire. Nous étions en train de déjeuner quand il se leva tout à coup.

— Bon sang ! Watson, j'y suis ! s'écria-t-il. Prenez votre chapeau et venez avec moi.

Il m'emmena à toute allure par Baker Street, puis Oxford Street, presque jusqu'au carrefour de Regent Street. Un peu avant celui-ci, il y a une vitrine remplie de photographies des célébrités et des beautés du moment. Les yeux de Holmes se fixèrent sur l'une d'elles, et, suivant la direction de son regard, je vis l'image en robe de cour d'une femme qui avait grande allure et dont la noble tête s'ornait d'une haute tiare de diamants. Je regardai ce nez légèrement busqué, ces sourcils bien dessinés, cette bouche mince et, en dessous, le menton petit mais volontaire. Puis je retins mon souffle en lisant le titre séculaire et révéré du grand seigneur et homme d'État dont elle avait été l'épouse. Mes yeux croisèrent ceux de Holmes et il posa un doigt sur ses lèvres en même temps que nous nous détournions de la vitrine.

LE DÉTECTIVE MOURANT

Mme Hudson, la logeuse de Sherlock Holmes, était une femme qui avait de la patience. Son appartement du premier étage était envahi à toute heure par des foules de personnages singuliers et souvent indésirables et, ce qui est plus grave encore, son extraordinaire locataire affichait dans sa vie une excentricité et une irrégularité bien faites pour mettre la pauvre femme à l'épreuve. L'incroyable désordre de Sherlock, cette manie qu'il avait de jouer de la musique à des heures indues, cette fantaisie qui le prenait parfois de s'entraîner en chambre au tir au revolver, ses expériences scientifiques souvent malodorantes, l'atmosphère de violence et de danger qui l'entourait, tout cela faisait de lui le pire locataire de Londres. Par contre, il payait royalement. On aurait pu acheter la maison, j'en suis sûr, avec le montant des loyers qu'il acquitta pendant les années que j'ai été avec lui.

Il inspirait à sa logeuse une sorte de crainte respectueuse et elle n'osa jamais lui faire d'observations, si inadmissibles que lui parussent ses façons d'agir. Il faut dire aussi qu'elle l'aimait bien, car il était avec les femmes d'une douceur et d'une courtoisie remarquables. Il ne leur faisait pas confiance, mais il se comportait en adversaire chevaleresque.

Sachant en quelle sincère estime elle tenait son illustre locataire, j'écoutai Mme Hudson avec beaucoup d'attention quand, dans la seconde année de mon mariage, elle vint me trouver chez moi pour m'entretenir de la fâcheuse condition de mon pauvre ami.

— Il se meurt, docteur, me dit-elle. Depuis trois jours, il s'affaiblit et j'ai peur qu'il ne passe pas la journée. Il ne voulait pas que j'aille chercher un médecin mais, ce matin, quand je l'ai vu, avec des os qui lui perçaient la peau et des yeux agrandis par la fièvre, je n'ai pas pu y tenir. Je lui ai dit : « Monsieur Holmes, je vais chercher un médecin, et tout de suite ! » « Alors, m'a-t-il répondu, que ce soit Watson ! » À votre place, docteur, j'irais là-bas sans perdre de temps. Sinon, vous pourriez bien ne plus le revoir vivant !

J'étais stupéfait, car je n'avais pas entendu dire que Holmes fût malade. On devine que je me précipitai sur mon pardessus et mon chapeau. Dans la voiture, je sollicitai de Mme Hudson quelques détails.

— Je ne peux pas vous dire grand-chose, docteur ! me dit-elle. Il s'est occupé d'une affaire du côté de Rotherhithe, dans une petite rue près du fleuve, et c'est de là-bas qu'il est revenu malade. Il s'est couché mercredi après-midi et, depuis, il est au lit. Il y a trois jours qu'il n'a rien pris, ni nourriture ni boisson.

— Bigre ! Pourquoi n'avez-vous pas appelé un médecin ?

— Il ne voulait pas, docteur ! Vous savez comme il est têtu. Je n'ai pas osé lui désobéir. Malheureusement, il n'en a plus pour longtemps. Vous vous en rendrez compte quand vous le verrez.

Le fait est qu'il offrait un triste spectacle. Dans la lumière grise d'un jour brumeux de novembre, dans cette chambre de malade sombre et sans gaieté, le visage décharné et flétri qui se tournait vers moi me fit froid au cœur. Les yeux brillaient d'un éclat fiévreux. Il avait sur les joues des taches d'un rouge malsain et des croûtes noirâtres s'accrochaient aux lèvres. Sur la couverture, les maigres mains s'agitaient de façon incessante. La voix était rauque et saccadée. Il gisait là, indifférent à tout. À mon entrée, une flamme passa dans ses prunelles : il me reconnaissait.

— Vous voyez, Watson, me dit-il d'une voix faible, avec quelque chose de son insouciance d'autrefois, il semble que nous en sommes venus aux mauvais jours !

— Mon cher ami…

Je m'approchai.

— Restez où vous êtes et tenez-vous à distance ! s'écriat-il de ce ton de commandement que je ne lui avais jamais connu que dans des moments exceptionnels. Si vous m'approchez, Watson, je vous ordonnerai de sortir.

— Mais pourquoi ?

— Parce que tel est mon bon plaisir. Ça ne suffit pas ?

Mme Hudson avait raison : il était plus autoritaire qu'avant. Malgré cela, sa faiblesse avait quelque chose de pitoyable.

— Mon seul désir, expliquai-je, était de vous venir en aide.

— Très bien ! Vous y réussirez beaucoup mieux en faisant ce qu'on vous demande.

— Bien sûr, Holmes !

Il s'adoucit.

— Vous n'êtes pas fâché ?

Il respirait avec difficulté. Le pauvre diable ! Comment aurais-je pu être fâché quand je le voyais devant moi dans un tel état ?

Il reprit, dans une sorte de marmonnement :

— Ce que j'en dis, Watson, c'est dans votre intérêt.

— Dans *mon* intérêt ?

— Je sais ce que j'ai. C'est la maladie des coolies de Sumatra, une affection que les Hollandais connaissent mieux que nous, encore qu'ils n'aient pas fait grand-chose pour la combattre jusqu'à présent. Ce qui est sûr, en tout cas, c'est qu'elle est toujours mortelle, et toujours horriblement contagieuse.

Il parlait maintenant avec une énergie fiévreuse et, d'un geste de ses longues mains, me faisait signe de m'éloigner de lui.

— Contagieuse par contact, Watson... C'est ça, par contact. Restez à distance et tout ira bien !

— Ah ! ça, Holmes, est-ce que vous vous figurez qu'une considération de ce genre a pour moi la moindre importance ? Elle ne me retiendrait pas s'il s'agissait d'un étranger. Croyez-vous qu'elle m'empêchera de faire mon devoir envers quelqu'un qui est mon ami de longue date ?

Je repartis vers le lit. Un regard furieux m'arrêta.

— Si vous voulez rester où vous êtes, je parlerai. Sinon, vous quitterez cette chambre !

J'ai, pour les extraordinaires facultés de Holmes, une si respectueuse admiration que j'ai toujours déféré à ses désirs, même quand ils m'apparaissaient absolument incompréhensibles. Mais, dans la circonstance, mon instinct professionnel était éveillé. Qu'il fût mon maître ailleurs, soit ! Mais pas ici, dans une chambre de malade.

— Holmes, lui dis-je, vous n'êtes pas vous-même. Quand il est malade, un adulte redevient un enfant et c'est comme tel que je veux vous considérer. Que cela vous plaise ou non, je vous examinerai et je vous soignerai !

Il me jeta un coup d'œil venimeux.

— Si je dois avoir un médecin, avec ou sans mon consentement, que ce soit du moins quelqu'un en qui j'aie confiance !

— Vous n'avez pas confiance en moi ?

— En votre amitié, certainement. Mais les faits sont les faits, Watson, et, après tout, vous ne faites que de la médecine générale, vous n'avez qu'une expérience très limitée et de médiocres capacités. Il m'est pénible d'être obligé de vous dire ça, mais vous ne me laissez pas le choix.

J'étais à la fois peiné et blessé.

— Ces propos, Holmes, sont indignes de vous. Ils m'en disent long sur l'état de vos nerfs. Puisque vous n'avez pas confiance en moi, je ne voudrais pas vous imposer mes soins. Mais permettez-moi de vous amener sir Jasper Meeks, Penrose Fisher ou l'un quelconque des meilleurs médecins de Londres. Il faut *absolument* que l'un d'eux vienne ici et c'est une décision sur laquelle je ne reviendrai pas. Si vous vous imaginez que je vais rester là à vous regarder mourir, sans rien tenter moi-même et sans faire appel à un de mes confrères, vous me connaissez bien mal !

— Vos intentions sont excellentes, Watson. Faudra-t-il donc que je vous prouve que vous ne pouvez rien ? Qu'est-ce que vous savez de la fièvre de Tapanuli, voulez-vous me le dire ? Et de la fièvre noire de Formose ?

— Je n'ai jamais entendu parler ni de l'une ni de l'autre.

— Il y a bien des maladies étranges en Orient, Watson, bien des possibilités pathologiques...

S'interrompant après chaque phrase pour rassembler ses forces défaillantes, il poursuivit :

— Des travaux que j'ai faits récemment et qui touchent à la fois à la médecine et à la criminologie m'en ont convaincu et, cette maladie, je l'ai contractée au cours de mes recherches. Vous ne pouvez absolument rien faire.

— C'est possible. Mais il se trouve que je sais que le docteur Ainstree, qui fait autorité en matière de maladies tropicales, est actuellement à Londres. Inutile de protester, Holmes ! Je vais le chercher de ce pas.

Résolument, je me dirigeai vers la porte.

Jamais de ma vie je n'ai éprouvé pareille émotion ! Jaillissant hors de son lit dans un véritable bond de tigre, le mourant m'avait devancé. La clé tourna dans la serrure avec un bruit sec. Après quoi, Holmes regagna sa couche en vacillant. Il haletait.

— Cette clé, Watson, vous ne me la prendrez pas de force ! Je vous tiens, mon petit ami ! Vous êtes ici et vous y demeurerez jusqu'à ce que j'en décide autrement. Je me plierai d'ailleurs à vos caprices...

Il parlait par à-coups, avec des pauses durant lesquelles il faisait de terribles efforts pour respirer.

— Vous ne voulez que mon bien, Watson. Je le sais comme vous, naturellement. Vous ferez ce que vous voudrez, mais il faut me laisser le temps de récupérer un peu. Pour le moment, Watson, rien à faire. Il est quatre heures. À six heures, je vous rendrai votre liberté.

— C'est de la folie, Holmes.

— Deux heures seulement, Watson. À six heures, vous vous en irez, je vous le promets. Ça vous ennuie d'attendre ?

— Il semble bien que je n'aie pas le choix.

— Exact, Watson. Non, merci, je n'ai pas besoin de vous pour arranger mes draps. Gardez vos distances, je vous prie ! Il me reste encore une chose à vous dire. Vous irez chercher quelqu'un, soit ! Seulement, ce ne sera pas l'homme dont vous avez parlé, mais celui que je vous indiquerai.

— Entendu.

— Le premier mot sensé que vous ayez prononcé, Watson, depuis votre entrée dans cette pièce ! Vous trouverez des livres là-bas, sur ce meuble. Je me sens plutôt à bout de forces. Je me demande quels sont les sentiments d'une batterie quand elle déverse de l'électricité dans un corps non conducteur. À six heures, Watson, nous reprendrons notre conversation.

Nous devions le faire beaucoup plus tôt, et dans des circonstances qui me bouleversèrent presque autant que je l'avais été quand Holmes avait bondi à la porte. J'étais resté un instant debout, à contempler la forme silencieuse allongée dans le lit. La figure était presque entièrement cachée par le drap et Holmes paraissait dormir. Incapable de lire, ou même de m'asseoir, je m'étais mis ensuite à faire à pas lents le tour de la chambre, examinant les portraits des assassins célèbres qui ornaient les murs. Ma promenade finit par m'amener devant la tablette de la cheminée, sur laquelle s'éparpillait un fouillis de pipes, de blagues à tabac, de seringues de Pravaz, de cartouches de revolver et de bibelots divers. Au milieu de tout cela se trouvait une petite boîte en ivoire, blanc et noir, avec un couvercle à glissière. L'objet était joli et j'avançais la main pour le regarder de près quand…

Il avait poussé un cri terrible, un cri que l'on avait dû entendre au bout de la rue. J'eus l'impression que mon sang se glaçait dans mes veines et que mes cheveux se dressaient sur ma tête. Je me retournai : il me regardait avec des yeux affolés. Je demeurai comme paralysé, la petite boîte à la main.

— Posez ça, Watson ! Posez ça tout de suite !

Il se laissa retomber sur l'oreiller et, quand je replaçai la boîte où je l'avais prise, exhala un profond soupir de soulagement.

— J'ai horreur qu'on touche à mes affaires, Watson, vous le savez fort bien ! Vous ne tenez pas en place et vous êtes positivement insupportable. Un médecin comme vous, c'est assez pour rendre fou n'importe quel patient ! Asseyez-vous, mon vieux, et laissez-moi me reposer !

L'incident me laissa une impression très désagréable. L'irritabilité de mon ami, la brutalité de son langage, à l'ordinaire si courtois, tout cela me prouvait le désordre profond de son esprit. De toutes les ruines, celle d'une noble intelligence est la plus navrante. Je restai assis, silencieux et abattu, jusqu'à ce que le délai fixé fût écoulé. Holmes devait avoir surveillé la pendule comme je l'avais fait moi-même, car il était à peine six heures quand il se mit à parler, avec la même agitation fébrile que précédemment.

— Maintenant, Watson, causons ! Avez-vous de la monnaie en poche ?

— Oui.

— Des pièces d'argent ?

— Quelques-unes.

— Combien de demi-couronnes ?

— Cinq.

— Ah ! c'est trop peu ! Dommage, Watson ! Quoi qu'il en soit, mettez-les dans votre gousset, avec votre montre. Laissez le reste dans la poche gauche de votre pantalon. Merci ! Ça s'équilibrera beaucoup mieux comme ça.

C'était du délire caractérisé. Il eut un frisson et fit entendre un bruit qui tenait de la toux et du gémissement.

— Maintenant, Watson, je vais vous demander d'allumer le gaz, mais en veillant bien à ne jamais, à aucun moment, ouvrir le robinet plus qu'à moitié. Je vous supplie d'y faire très attention. Merci ! C'est parfait comme ça. Non, inutile de baisser le store. Ce que je voudrais, c'est que vous ayez la bonté de mettre sur cette table, à portée de ma main, quelques lettres et des journaux. Et puis, aussi, quelques-unes des bricoles qui sont sur la cheminée. Parfait ! Maintenant, prenez la pince à sucre et servez-vous-en pour prendre la petite boîte en ivoire, que vous allez poser là, au milieu des journaux. Très bien ! Sur quoi, vous pouvez aller chercher M. Culverton Smith, au 13 Lower Burke Street.

À dire le vrai, je n'avais plus tellement envie d'aller chercher un médecin, car le pauvre Holmes délirait si manifestement qu'il me semblait dangereux de le laisser seul. Mais il était maintenant aussi anxieux de consulter la personne qu'il avait nommée qu'il avait été précédemment entêté dans son refus de se soumettre à un examen.

— Ce nom, dis-je, je l'entends pour la première fois.

— C'est très possible, mon cher Watson. Il vous surprendra peut-être d'apprendre que l'homme qui sur terre connaît le mieux la maladie en question n'est pas un médecin, mais un respectable colon de Sumatra, M. Culverton Smith, qui se trouve à Londres en ce moment. Une épidémie de cette maladie s'étant déclarée dans ses plantations, loin de tout secours médical, il s'est mis à étudier lui-même le fléau et ses travaux ont été gros de conséquences. Le personnage est extrêmement méthodique et, si je vous ai retenu ici jusqu'à six heures, c'est parce que je savais que vous ne pourriez le joindre à son bureau. Si vous pouviez le persuader de venir ici et de nous faire profiter de son expérience unique de cette maladie, à l'étude de laquelle il a consacré tant de ses loisirs, je suis sûr qu'il me rendrait grand service.

Je rapporte ici les propos de Holmes comme formant un tout logique. Ils étaient, en fait, moins ordonnés et interrompus fréquemment par les efforts qu'il faisait pour respirer, cependant qu'il se tordait les mains en des mouvements qui révélaient ses souffrances. Son état avait empiré depuis que j'étais avec lui. Les plaques rouges de ses joues étaient plus marquées, ses yeux brillaient d'un éclat plus vif dans les orbites plus creusées et une sueur froide luisait sur son front. Cependant, l'élégance enjouée de son langage demeurait. Jusqu'à son dernier souffle, il resterait toujours le Maître.

— Vous lui direz exactement, poursuivit-il, l'état dans lequel vous m'avez laissé. Il faut que se grave en son esprit l'impression même qui est dans le vôtre, qu'il se dise, comme vous, que je suis un mourant et un mourant qui délire. Au fait, je ne puis comprendre pourquoi l'océan tout entier ne forme pas une masse solide d'huîtres, étant donné que ces mollusques paraissent être prodigieusement prolifiques. Mais je divague... Le contrôle du cerveau sur le cerveau m'étonnera toujours. Qu'est-ce que je disais, Watson ?

— Vous me donniez des instructions pour M. Culverton Smith.

— Ah ! oui, je me rappelle. C'est pour moi une question de vie ou de mort. Insistez, Watson ! Nous ne sommes pas en trop bons termes, lui et moi. À cause de son neveu... Ce jeune homme est mort dans des circonstances affreuses et j'ai laissé voir à l'oncle que sa conduite à lui m'inspirait certains soupçons. Il m'en a gardé une dent. Vous l'amadouerez, Watson ! Priez, suppliez, faites comme vous l'entendrez, mais amenez-le ! Il peut me sauver... et il est le seul à le pouvoir !

— Je vous l'amènerai en fiacre, quand je devrais le prendre à bras-le-corps pour l'y installer !

— Gardez-vous-en bien, surtout ! Vous le persuaderez de venir et vous reviendrez avant lui. Trouvez un prétexte, n'importe lequel, pour le précéder. N'oubliez pas, Watson ! Je compte sur vous, comme je l'ai toujours fait. Sans doute y a-t-il des ennemis naturels qui limitent la multiplication des mollusques. Vous et moi, Watson, nous avons tenu notre bout de rôle. Le monde sera-t-il un jour submergé par les huîtres ? Non, non, ce serait trop horrible ! Vous lui donnerez bien votre impression exacte, n'est-ce pas ?

Je le quittai, avec l'image de cette magnifique intelligence qui sombrait. Il m'avait remis la clé et j'eus l'heureuse inspiration de l'emporter, l'empêchant ainsi de s'enfermer dans sa chambre. Mme Hudson, tremblant et pleurant, m'attendait dans le couloir. Tandis que je descendais, j'entendis Holmes qui, en plein délire, se mettait à chanter un hymne d'une voix aiguë. Dehors, comme j'appelais une voiture, un homme sortit du brouillard et vint à moi.

— Comment va M. Holmes ? me demanda-t-il.

C'était une vieille connaissance, l'inspecteur Morton, de Scotland Yard. Il était en civil.

— Il est très mal, répondis-je.

Il me regarda de curieuse façon. Si ce n'eût été là une pensée par trop diabolique, j'aurais pu imaginer que la nouvelle lui faisait plaisir.

— Je l'avais vaguement entendu dire, me déclara-t-il.

Mon fiacre approchait. Je quittai le policier.

Des maisons de belle apparence s'alignaient à droite et à gauche de Lower Burke Street, une rue tranquille, quelque part entre Notting Hill et Kensington. Celle devant laquelle mon cocher s'arrêta avait un air de « respectabilité », avec ses grilles en fer à l'ancienne mode, sa porte massive à double battant, aux cuivres bien astiqués. La demeure laissait deviner le majestueux maître d'hôtel qui me reçut, encadré dans le rayonnement rosé de la lumière électrique qui l'éclairait par-derrière.

— Oui, monsieur, me dit-il, M. Culverton Smith est chez lui. Le docteur Watson ? Très bien, monsieur. Je vais lui remettre votre carte.

Mon modeste nom et ma qualité ne semblèrent pas faire grande impression sur M. Culverton Smith. Par la porte entrouverte, j'entendis sa voix, haute et pointue.

— Qui est ce monsieur ? Qu'est-ce qu'il veut ? Combien de fois ne vous ai-je pas dit, Staples, que je ne voulais pas être dérangé quand je travaillais ?

Suivit un flot d'explications doucereuses du maître d'hôtel.

— C'est bon, Staples ! Je ne le recevrai pas. Je ne peux pas souffrir d'être interrompu comme ça, en plein travail. Je suis sorti. Dites-le-lui ! Ajoutez que, s'il tient absolument à me voir, il peut revenir demain matin !

Le domestique murmura de nouveau quelques phrases destinées à apaiser son maître.

— Il suffit, Staples ! Dites-lui ce que je vous ai dit ! Il viendra demain matin ou il ne viendra pas, ça m'est égal. J'entends qu'on respecte mon travail !

Je pensai à Holmes qui se retournait sur son lit de douleur, comptant peut-être les minutes qui le séparaient encore du secours qu'il attendait. Ce n'était pas le moment de se laisser arrêter par des considérations d'étiquette. La vie de mon ami dépendait de la rapidité de mon action. Avant que le maître d'hôtel ne m'eût transmis la réponse, avec ses excuses, je l'écartai et j'entrai dans la pièce.

Avec un cri de colère, un homme se leva de la chaise longue sur laquelle il était assis, au coin du feu. Je vis un gros visage jaune, à la peau rude et grasse, un lourd double menton et deux yeux gris qui, sous de gros sourcils roux, semblaient lancer des éclairs. L'homme était chauve et une calotte assez coquette s'équilibrait sur un côté de son énorme crâne. Le personnage, pourtant, je le remarquai avec étonnement, était petit et frêle, les épaules et le dos difformes, comme s'il avait, dans son enfance, souffert du rachitisme.

— Qu'est-ce que ça signifie ? hurlait-il de sa voix grinçante. Vous forcez ma porte ? Est-ce que je ne vous ai pas fait dire que je vous recevrais demain matin ?

— Je suis désolé, dis-je, mais il y a urgence. M. Sherlock Holmes...

La seule mention du nom de mon ami produisit sur le petit homme un effet extraordinaire. Toute trace de colère avait disparu de son visage, maintenant tendu et attentif.

— Vous venez de sa part ?

— Je viens de le quitter.

— Et qu'est-ce qu'il me veut ? Comment va-t-il ?

— Il est terriblement malade et c'est pour cela que je suis venu vous trouver.

D'un geste, l'homme m'indiqua un siège. Tandis qu'il me tournait le dos pour regagner le sien, j'aperçus un court instant son visage dans la glace placée au-dessus de la cheminée. J'aurais juré y voir le reflet d'un odieux sourire. Je me persuadai tout de suite qu'il ne s'agissait que d'un tic car, dans la seconde qui suivit, quand il se retourna vers moi, l'homme offrait une physionomie très sincèrement affligée.

— Cette nouvelle me désole, dit-il. Je n'ai eu avec Holmes que des relations d'affaires, mais j'ai beaucoup d'estime pour ses talents et pour son caractère. Il s'est spécialisé dans le crime, comme moi dans la maladie. À lui le scélérat, à moi le microbe ! Voici mes prisons, à moi !

Il me montrait du doigt des bocaux et des fioles posés sur une table à côté de lui. Il reprit :

— Dans ces cultures gélatineuses, les pires ennemis que l'homme se connaisse tirent leur temps !

— C'est justement à cause de vos connaissances spéciales que M. Holmes désirerait vous voir. Il a une très haute opinion de vous et considère que vous êtes, à Londres, le seul homme qui puisse quelque chose pour lui.

Le petit homme sursauta et la coquette calotte glissa sur le plancher.

— Et pourquoi se serait-il mis cette idée en tête ?

— Parce que nul ne connaît mieux que vous les maladies exotiques.

— Mais pourquoi s'imagine-t-il qu'il souffre d'une maladie exotique ?

— Parce qu'il l'a contractée au cours d'une enquête parmi les matelots chinois des docks.

— Je comprends.

M. Culverton Smith sourit et ramassa sa calotte.

— J'espère, dit-il, que c'est moins grave que vous ne le supposez. Depuis combien de temps est-il malade ?

— Trois jours environ.

— Est-ce qu'il délire ?

— De temps en temps.

— Alors, vous avez raison et ce pourrait être sérieux. Il serait de ma part inhumain de ne pas répondre à votre appel. J'ai horreur d'être dérangé dans mon travail, mais le cas est exceptionnel. Je vous accompagne.

Je me rappelai les recommandations de Holmes.

— J'ai un autre rendez-vous, dis-je.

— Dans ce cas, j'irai seul. J'ai l'adresse de M. Holmes. Vous pouvez compter que je serai chez lui dans une demi-heure au plus tard.

Ce fut le cœur serré d'angoisse que je rentrai dans la chambre de Holmes. Le pire avait pu arriver durant mon absence. À mon grand soulagement, je constatai que son état, au contraire, s'était sérieusement amélioré. Il avait toujours une mine affreuse, mais il ne délirait plus et, si sa voix était encore faible, il semblait parler avec plus de lucidité que jamais.

— Alors, Watson, vous l'avez vu ?

— Oui. Il va venir.

— Bravo, Watson ! Vous êtes le plus sûr des messagers.

— Il voulait revenir avec moi.

— Ça n'aurait pas fait l'affaire du tout, Watson ! Vous a-t-il demandé de quoi je souffrais ?

— Sans doute. Je lui ai parlé d'une maladie contractée parmi les Chinois de l'East End.

— Excellente idée ! Vous avez fait, Watson, tout ce qu'un ami dévoué pouvait faire. Il ne vous reste plus qu'à disparaître de la scène.

— Je préférerais attendre, Holmes. J'aimerais connaître son opinion...

— C'est trop naturel ! Seulement, cette opinion, j'ai des raisons de penser qu'il la donnera beaucoup plus franchement et qu'elle aura beaucoup plus de valeur s'il s'imagine que nous sommes seuls, lui et moi. Vous allez vous cacher à la tête de mon lit, Watson, derrière le rideau.

— Mais, mon cher Holmes...

— Nous n'avons pas le choix, Watson ! Il n'y a pas de cachettes dans cette pièce... et c'est mieux ainsi car, comme ça, il n'aura aucun soupçon. Vous ne pouvez vous dissimuler que là où je vous ai dit. Vous aurez juste la place...

Soudain, il s'assit dans son lit, tendant l'oreille, le visage crispé.

— J'entends sa voiture, Watson ! Cachez-vous vite et, quoi qu'il arrive, ne bougez pas ! Quoi qu'il arrive, vous avez compris ? Ne parlez pas ! Ne remuez pas ! Mais écoutez de toutes vos oreilles !

Brusquement, ses forces, si bien revenues, l'abandonnèrent. Ses propos perdirent toute netteté pour se fondre dans les murmures vagues d'un demi-délire.

De la cachette où j'avais été si promptement poussé, j'entendis des pas qui montaient l'escalier, puis la porte qui s'ouvrait et se fermait. À mon vif étonnement, un long silence suivit, troublé seulement par la respiration oppressée et haletante du malade. J'imaginais le visiteur debout près du lit, le regard fixé sur Holmes. Au bout d'un instant, j'entendis sa voix.

— Holmes !

Il appelait à pleine voix, du ton de quelqu'un qui est bien décidé à réveiller un dormeur.

— Holmes ! Vous ne m'entendez pas ?

Un bruit léger me donna à penser qu'il avait empoigné le malade par l'épaule et qu'il le secouait avec une certaine rudesse.

— C'est vous, monsieur Smith ? Je n'osais pas espérer votre visite.

La voix de Holmes était un murmure. L'autre ricana.

— Ça ne m'étonne pas. Pourtant, vous voyez, je suis venu.

— C'est très bien de votre part... C'est même noble, je rends hommage à vos connaissances particulières...

L'homme ricana de nouveau.

— Je veux bien le croire. Vous êtes heureusement, à Londres, le seul à pouvoir le faire. Savez-vous de quoi vous souffrez ?

— De la même chose *que lui.*

— Ah ! vous avez reconnu les symptômes ?

— Trop bien !

— Eh bien ! Holmes, ça ne me surprendrait pas ! Ce pourrait bien être la même chose. Fâcheux pour vous, ça ! Le pauvre Victor est mort le quatrième jour... et c'était un garçon plein de vie. Comme vous l'avez fait observer à l'époque, il était assez surprenant qu'il eût contracté, en plein cœur de Londres, une étrange maladie asiatique et, chose curieuse, une maladie que j'avais, moi, tout spécialement étudiée. Bizarre coïncidence ! Avoir remarqué ça, c'était très fort de votre part. Mais suggérer qu'il y avait entre mes recherches et cette maladie une relation de cause à effet, c'était plutôt manquer de charité.

— Je savais que je ne me trompais pas.

— Vraiment ? En tout cas, vous n'avez rien pu prouver. Et qu'est-ce que vous pensez de vous, aujourd'hui ? Vous avez répandu sur mon compte des bruits odieux et maintenant, parce que vous êtes mal en point, vous implorez mon aide. Qu'est-ce que vous pensez de ça, hein ?

J'entendis la respiration sifflante du malade. Il haletait.

— Passez-moi la carafe d'eau !

— Vous êtes joliment près de votre fin, mon pauvre vieux, mais je ne veux pas que vous vous en alliez avant que nous n'ayons bavardé un peu. C'est pour ça que je vous donne de l'eau. Vous m'en faites verser la moitié à côté !... Là, c'est mieux !... Êtes-vous encore en état de comprendre ce que je vous dis ?

Holmes poussa un gémissement.

— Faites ce que vous pourrez pour moi ! murmura-t-il. Le passé est le passé. J'oublierai ces mots-là, je vous le jure. Sauvez-moi et j'oublierai !

— Vous oublierez quoi ?

— Ce que vous venez de dire à propos de la mort de Victor Savage. Vous avez pratiquement reconnu que vous l'avez provoquée. Je ne m'en souviendrai pas.

— Souvenez-vous-en, ne vous en souvenez pas, c'est comme vous voudrez ! D'une façon comme de l'autre, je ne vous vois pas dans le box des témoins. Vous serez bientôt entre quatre planches, mon brave Holmes, et il m'est parfaitement égal que vous sachiez ou non comment mon neveu est mort. D'ailleurs, ce n'est pas de lui que nous parlons, c'est de vous.

— Oui, bien sûr.

— Le type qui est venu me chercher – j'ai oublié son nom – m'a dit que vous avez contracté la maladie dans l'East End, parmi les Chinois des docks.

— Je ne vois pas d'autre explication.

— Vous êtes fier de votre intelligence, n'est-ce pas ? Vous vous croyez malin ? Eh bien ! cette fois, vous avez rencontré plus fort que vous ! Faites un effort, Holmes, réfléchissez ! Cette maladie, vous ne voyez pas un autre moyen de l'expliquer ?

— Je suis incapable de penser. J'ai le cerveau vide. Faites quelque chose pour moi, je vous en supplie !

— Effectivement, je peux faire quelque chose pour vous : je peux vous aider à comprendre où vous en êtes et comment vous en êtes arrivé là. Que vous le sachiez avant de mourir, ça ne me déplaira pas !

— Donnez-moi quelque chose qui me soulagera !

— C'est douloureux, hein ? Vers la fin, les coolies criaient comme des porcs qu'on écorche. Ça vous prend comme une crampe, n'est-ce pas ?

— Oui. C'est une crampe.

— Bien. Malgré ça, vous me comprenez bien ? Alors, écoutez-moi ! Vous ne voyez pas un petit fait extraordinaire qui se serait produit dans votre vie, à peu près vers le moment où vous avez pu constater les premiers symptômes de la maladie ?

— Non, je ne vois pas.

— Réfléchissez bien !

— Je suis trop malade pour réfléchir.

— Alors, je vais vous aider. Il ne vous est rien arrivé par la poste ?

— Par la poste ?

— Vous n'auriez pas reçu une petite boîte ?

— Je n'en puis plus !

— Allons, Holmes, faites un effort !

De nouveau, j'entendis un bruit qui m'indiquait que l'homme était en train de secouer le mourant par l'épaule. J'eus toutes les peines du monde à rester coi dans ma cachette. Il poursuivait :

— Écoutez-moi, Holmes ! Je veux que vous m'entendiez et *vous m'entendrez* ! Vous rappelez-vous une boîte, une petite boîte en ivoire ? Elle est arrivée mercredi. Vous l'avez ouverte, vous vous rappelez ?

— Oui, oui. Je l'ai ouverte. Il y avait, à l'intérieur, un ressort acéré. Quelque farce...

— Il ne s'agissait pas d'une farce, ainsi que vous allez le constater. Imbécile ! Vous l'avez voulu, vous l'avez eu ! Qui est-ce qui vous avait demandé de me tirer dans les jambes ? Si vous m'aviez laissé en paix, je n'aurais pas été obligé de m'occuper de vous !

— Je me rappelle ! Ce ressort m'a fait saigner. La boîte, c'est celle qui est sur la table.

— En effet, c'est bien celle-là ! Permettez que je l'empoche ! Mieux vaut qu'elle sorte de la pièce avec moi. Il vous restait un commencement de preuve : il s'envole. Compensation : vous connaissez la vérité et vous mourrez avec la certitude que je vous ai tué. Vous en saviez trop long sur la fin de Victor. Il était préférable de vous envoyer le rejoindre. Vous n'en avez plus pour longtemps, Holmes. Je vais m'asseoir ici et vous regarder mourir. J'y tiens !

La voix de Holmes n'était plus qu'un murmure à peine perceptible.

— Qu'est-ce que vous réclamez ? reprit Smith. Un peu de lumière ? Ah ! ah ! l'ombre commence à descendre ! Vous avez raison, je vais hausser le gaz. Je vous verrai mieux.

Il traversa la pièce, qui s'emplit de lumière.

— Voyez-vous encore, mon bon ami, un autre service que je pourrais vous rendre ?

— Donnez-moi donc une cigarette et un peu de feu !

Je faillis crier de surprise et de joie : Holmes avait retrouvé sa voix normale, un peu faible encore, mais bien telle que je la connaissais depuis toujours. Il y eut un long silence. J'eus le sentiment que Culverton Smith restait debout, stupéfait, à regarder Holmes. À la fin, je l'entendis dire d'un ton sec :

— Qu'est-ce que ça signifie ?

— Simplement, répondit Holmes, que le meilleur moyen de bien jouer un rôle est encore de le vivre. Je vous donne ma parole que, depuis trois jours, je n'ai absorbé aucun aliment, ni solide ni liquide, et que je n'ai rompu ma diète qu'avec ce verre d'eau que vous avez eu la bonté de me verser. Ce qui m'a le plus manqué, c'est le tabac. Ah ! voici des cigarettes !

J'entendis frotter une allumette.

— Ça fait du bien !... Tiens ! tiens ! Serait-ce le pas d'un ami ?

On marchait dans le couloir. La porte s'ouvrit, livrant passage à l'inspecteur Morton.

— Tout va bien, dit Holmes, et voici votre homme !

L'officier de police prononça la formule habituelle, terminant sur les mots :

— Je vous arrête sous l'inculpation d'assassinat sur la personne d'un certain Victor Savage.

— Vous pourriez également, ajouta Holmes en riant, faire état d'une tentative d'assassinat sur la personne d'un certain Sherlock Holmes. Je vous ferai remarquer, inspecteur, que, pour épargner quelque peine à un mourant, M. Culverton Smith a eu l'amabilité de vous donner lui-même le signal convenu en allumant le gaz en plein. À propos, votre prisonnier a, dans la poche droite de son pardessus, une petite boîte qu'il serait prudent de lui enlever. À votre place, je la manipulerais avec précaution. Posez-la ici ! Merci. Elle pourra être utile, lors du procès.

Il y eut un bruit de lutte, bientôt suivi d'un cri de douleur.

— À ce jeu-là, dit tranquillement l'inspecteur, vous récolterez un mauvais coup. Vous voulez vous tenir tranquille, oui ?

J'entendis le déclic des menottes qui se fermaient sur les poignets du prisonnier.

— Un joli traquenard ! lança Smith d'une voix hargneuse. Seulement, c'est *vous*, Holmes, que cette histoire-là mènera au banc des accusés, vous, et non pas moi ! Il m'a demandé de venir ici pour lui donner mes soins. J'avais pitié de lui, je suis venu. J'imagine qu'il va maintenant soutenir que je lui ai tenu je ne sais quels propos corroborant ses ridicules soupçons. Mentez tant que vous voudrez, Holmes ! Ma parole vaut la vôtre.

— Sapristi ! s'écria Holmes. Je l'avais totalement oublié ! Mon cher Watson, je vous dois mille excuses. Dire que je ne songeais plus à vous ! Je n'ai pas à vous présenter à M. Culverton Smith, car je crois savoir que vous l'avez déjà rencontré un peu plus tôt dans la soirée. La voiture est en bas ? Je vous rejoindrai, inspecteur, dès que je serai habillé. Il se peut qu'on ait besoin de moi au commissariat.

— Je n'en ai jamais eu tant besoin ! dit Holmes.

Il venait d'absorber un verre de bordeaux et, tout en continuant sa toilette, grignotait un biscuit. Il poursuivit :

— Cependant, mes habitudes étant très irrégulières, ainsi que vous ne l'ignorez pas, ce genre de tour de force présente pour moi moins de difficultés que pour la plupart de mes contemporains. Il me fallait absolument donner à Mme Hudson l'impression que mon état était vraiment grave, puisqu'il fallait que, cette impression, elle vous la communiquât et qu'à votre tour vous la fissiez partager à ce Culverton Smith. Vous n'êtes pas fâché, Watson ? Vous avez toutes sortes de talents, mais vous ne savez pas feindre et, si vous aviez été dans le secret, vous n'auriez jamais été capable de convaincre Smith qu'il était urgent qu'il vînt ici. Or, tout reposait sur sa présence. Connaissant son naturel vindicatif, j'étais sûr qu'il ne résisterait pas au plaisir de venir constater sur place qu'il avait bien travaillé.

— Mais votre aspect, Holmes, ce visage décomposé ?

— Trois jours de jeûne absolu, Watson, n'arrangent pas votre physionomie. Pour le reste, il n'y a rien qu'un bon coup d'éponge ne puisse guérir. Avec de la vaseline sur le front, un peu de belladone dans les yeux, du rouge sur les pommettes et, autour des lèvres, des croûtes fabriquées avec de la cire, on obtient des résultats très satisfaisants. La simulation des maladies est un sujet sur lequel j'ai souvent eu envie d'écrire une petite étude. Parlez de temps à autre de demi-couronnes, d'huîtres ou de n'importe quelle stupidité qui vous passe par la tête, et vous donnerez très facilement à qui vous écoute l'impression que vous délirez.

— Mais, puisqu'en fait il n'y avait aucun risque de contagion, pourquoi m'avoir interdit de vous approcher ?

— Est-il possible que vous posiez une telle question ? Est-ce que vous vous figurez que je ne tiens pas vos talents de médecin en très haute estime ? Vous êtes trop subtil pour croire que vous avez affaire à un mourant quand votre malade, si faible soit-il, a le cœur qui bat régulièrement et ne fait pas de température. À quelques mètres de distance, je pouvais vous donner le change… et c'était indispensable, puisque vous seul pouviez m'amener ce Smith. Non, Watson, il vaudrait mieux que vous ne touchiez pas cette boîte ! Regardez-la sur le côté et vous apercevrez l'endroit d'où, quand on l'ouvre, jaillit un ressort dont l'extrémité pointue ressemble à un crochet de vipère. Je crois que c'est par un procédé analogue qu'a été expédié dans l'autre monde le pauvre Victor Savage, dont le seul tort était de supplanter son oncle dans je ne sais quelle succession. Fort heureusement, ma correspondance étant, comme vous le savez, assez variée, je me tiens sur mes gardes et j'examine avec méfiance tout paquet qui peut me parvenir. J'étais convaincu qu'en laissant croire à Culverton Smith que tout s'était passé conformément à ses plans je pourrais lui arracher un aveu. Je lui ai donné la comédie et, j'ose le dire, avec le talent d'un artiste authentique. Aidez-moi à mettre mon pardessus, voulez-vous ? Merci. Quand nous en aurons terminé au commissariat, j'ai idée que ce qui s'imposera, c'est un solide dîner au *Simpson's*. Qu'en pensez-vous ?

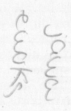

912

Composition PCA
Achevé d'imprimer en Italie par ☙ Grafica Veneta
en mars 2009 pour le compte de E.J.L.
87, quai Panhard-et-Levassor, 75013 Paris
Dépôt légal mars 2009.
EAN 9782290016305

Diffusion France et étranger : Flammarion